日本摹刻明顧從德本《素問》（上）

主　編◎錢超塵
副主編◎王育林　劉陽

北京科学技术出版社

《黄帝内經》版本通鑒
第一輯

圖書在版編目（CIP）數據

日本摹刻明顧從德本《素問》：全二册 / 錢超塵主編. —北京：北京科學技術出版社，2019.3

（《黄帝内經》版本通鑒. 第一輯）

ISBN 978－7－5714－0103－0

Ⅰ. ①日… Ⅱ. ①錢… Ⅲ. ①《素問》 Ⅳ. ①R221.1

中國版本圖書館CIP數據核字（2019）第018259號

日本摹刻明顧從德本《素問》：全二册（《黄帝内經》版本通鑒·第一輯）

主　　編：錢超塵
策劃編輯：侍　偉　吴　丹
責任編輯：吕　艷　周　珊
責任印製：李　茗
責任校對：賈　榮
出 版 人：曾慶宇
出版發行：北京科學技術出版社
社　　址：北京西直門南大街16號
郵政編碼：100035
電話傳真：0086-10-66135495（總編室）
0086-10-66113227（發行部）　0086-10-66161952（發行部傳真）
電子信箱：bjkj@bjkjpress.com
網　　址：www.bkydw.cn
經　　銷：新華書店
印　　刷：北京虎彩文化傳播有限公司
開　　本：787mm × 1092mm　1/16
字　　數：642千字
印　　張：53.5
版　　次：2019年3月第1版
印　　次：2019年3月第1次印刷
ISBN 978－7－5714－0103－0/R・2589

定　　價：1290.00元（全二册）

《〈黄帝内經〉版本通鑒·第一輯》編纂委員會

主　編　錢超塵

副主編　王育林　劉　陽

前　言

中醫是超越時代、跨越國度、具有永恒魅力的中華民族文化瑰寶，是富有當代價值、保護人體健康的生命科學，它將伴隨中華民族而永生。中醫學核心經典《黄帝内經》，包括《素問》和《靈樞》，奠定中醫理論基礎，指導作用歷久彌新，是臨床家登堂入室的津梁，理論家取之不盡的寶藏，是研究中國傳統文化必讀之書。

讀書貴得善本。章太炎先生鍼對中醫讀書不注重善本的問題，指出：『近世治經籍者，皆以得真本爲亟，獨醫家爲藝事，學者往往不尋古始。』認爲這是不好的讀書習慣；又説：『信乎，稽古之士，宜得善本而讀之也！』閲讀《黄帝内經》，必須對它的成書源流、歷史沿革、當代版本存佚狀況有明確的認識，纔能選擇佳善版本，獲取真知。

《黄帝内經》某些篇段出於战國時期，至西漢整理成文，《漢書·藝文志》載有『《黄帝内經》十八卷』。西晋皇甫謐《鍼灸甲乙經》類編其書，序云：『《黄帝内經》十八卷，今《鍼經》九卷，《素問》九卷，即《内經》也。』説明《黄帝内經》一直分爲兩種相對獨立的書籍流傳，一種名《素問》，一種名《鍼經》。《鍼經》即《靈樞》的初名，在流傳過程中也稱《九卷》《九靈》《九墟》，東漢末張仲景、魏太醫令王叔和均引用過《九卷》之名。

《素問》的版本傳承相對明晰。南朝梁全元起作《素問訓解》存亡繼絶，唐初楊上善類編《太素》取之。唐中期乾元三年（七六〇）朝廷詔令《素問》作爲中醫考試教材。唐中期王冰以全元起本爲底本作注，收入『七篇大論』，改爲二十四卷八十一篇，爲《素問》的流行奠定基礎。北宋天聖五年（一〇二七）、景祐二年（一〇三五）兩次以全元起本爲底本雕版刊行。北宋嘉祐年間（一〇五六—一〇六三）校正醫書局林億、孫奇等以王冰注本爲底本，增校勘、訓詁、釋音，仍以二十四卷八十一篇刊行。此後《素問》單行本均以北宋嘉祐本爲原本，歷南宋（金）、元、明、清至今，形成多個版本系統。二十四卷本，以金刻本（存十三卷）、元讀書堂本、明顧從德覆宋本、明無名氏覆宋本、明周曰校本、明《醫統正脉》本爲代表；十二卷本，以元古林書堂本、明熊宗立本、明趙府居敬堂本、明吴悌本爲代表；五十卷本，即道藏本；此外還有明清注家九卷本、日本刻九卷本等。南宋、北宋及更早之本俱已不存。

《靈樞》在魏晋以後至北宋初期的傳承情况，因史料有缺而相對隱晦。唐初楊上善類編《太素》收入《九卷》。唐中期王冰注《素問》引文，始有『靈樞經』之稱。因存本不全，北宋校正醫書局未校《靈樞》。遲至元祐七年（一〇九二），高麗進獻《黄帝鍼經》，始獲全帙，於元祐八年（一〇九三）正月由北宋政府頒行。此後《靈樞》再次沉寂，至南宋紹興乙亥（一一五五），史崧刊出家藏《靈樞》，將原本九卷校正並增修音釋，勒成二十四卷。此本成爲此後所有傳本的祖本，流傳至今形成多個版本系統。其中二十四卷本，以明無名氏仿宋本、明周曰校本爲代表；十二卷本，以元古林書堂本、明熊宗立本、明趙府居敬堂本、明田經本、明吴悌本、明吴勉學本爲代表；二十三卷本，即道藏本；此外還有明詹林所二卷本、道藏《靈樞略》一卷本、日本刻九卷本等。

《素問》《靈樞》各有單行本之外，《黄帝内經》尚有類編本。西晋皇甫謐《鍼灸甲乙經》，將《素問》《九卷》《明堂孔穴鍼灸治要》三書類編，但編輯時『删其浮辭，除其重複』，故與《素問》《靈樞》對勘，《鍼灸甲乙經》文句每不全足。唐代楊上善《黄帝内經太素》三十卷，將《九卷》《素問》全文收入，不加删掇，詳加注釋。《黄帝内經太素》的文獻價值巨大，但南宋之後却沉寂無聞，直到清光緒中葉，學者楊守敬在日本發現仁和寺存有仁和三年（八八七，相當於唐光啓三年）舊鈔卷子本，存二十三卷，遂影寫携歸，一時轟動醫林。嗣後日本國内相繼再發現佚文二卷有奇，至此《太素》現存二十五卷，堪稱《黄帝内經》版本史上的奇迹。

綜觀《黄帝内經》版本歷史，可謂一縷不絶，沉浮聚散；視其存亡現狀，又可謂同源異派，星分飄零。現存《黄帝内經》善本分散保存在國内外諸多藏書機構，此前囿於信息交流、印刷技術，從未有大規模集中最優秀版本出版的先例。當今電子信息技術發展日新月異，互聯網的普及使信息交流具有前所未有的廣泛性、時效性，乘此東風，《黄帝内經》現存的諸多優秀版本得以鳩聚刊印，爲中醫從業者及愛好者、傳統文化學者集中學習、研究提供便利。《〈黄帝内經〉版本通鑒》叢書，是首次對《黄帝内經》精善本的大規模集中解題、影印，目的是保存經典、傳承文明、繼往開來，爲振興中醫奠基，爲中華文化復興增添一份助力。

《〈黄帝内經〉版本通鑒·第一輯》，精選十二部經典版本，包含《素問》八部，《靈樞》二部，《黄帝内經太素》一部，《黄帝内經明堂》一部。列録如下。

①金刻本《素問》；②元古林書堂本《素問》；③元古林書堂本《靈樞》；④明熊宗立本《素問》；⑤明嘉靖無名氏覆宋刻本《素問》；⑥明嘉靖無名氏仿宋刻本《靈樞》；⑦明吴悌本《素問》；⑧明趙府居敬堂本《素問》；⑨明萬曆朝鮮内醫院活字本《素問》；⑩日本摹刻明顧從德本《素問》；⑪仁和寺本《黄帝内經太素》；⑫仁和寺本《黄帝内經明堂》。

這十二部經典版本，其特點如下。

（1）金刻本《素問》，是現存刊刻時代最早的版本，其年代相當於南宋時，版本價值極高。

（2）元古林書堂本《素問》《靈樞》各十二卷，刊刻時代僅次於金刻本，且所據底本爲孫奇家藏本，總體精善，此本已進入聯合國教科文組織《世界記憶亞太地區名録》。

（3）最新發現的『明嘉靖無名氏覆宋刻本《素問》』『明嘉靖無名氏仿宋刻本《靈樞》』各二十四卷合刊本，疑爲明嘉靖前期陸深所刻。此本《素問》各藏書機構多誤録作顧從德覆宋刻本，今考證得實，宇内尚存至少四部，擇品相優者影印推出，屬於史上首次。此本《靈樞》在一九九二年曾由日本經絡學會在版本不明的情况下影印出版，流傳稀少，今考證尚存世至少六部，兹擇品相佳者影印推出，在國内亦屬首次。

（4）《素問》《靈樞》合刊本兩種最具代表性：元古林書堂本是《素問》《靈樞》十二卷本之祖；明

嘉靖無名氏本是現存《靈樞》二十四卷本之祖，同刊《素問》是明周曰校本的底本。

（5）明代其餘四種《素問》均以元古林書堂本爲底本刊刻，而各有特色：熊宗立本爲明代最早，摹刻極工，添加句讀；吴悌本是罕見的去注解白文本；趙府居敬堂本品相上佳，是長期流傳廣泛的國内通行本之一；朝鮮内醫院活字本是現存最早《素問》活字本。

（6）日本摹刻明顧從德本《素問》屬『後出轉精』之作。此本爲日本安政三年（一八五六）由度會常珍所刻，所據底本爲澀江全善藏顧從德本，另據《黄帝内經太素》等校改誤字，澀江全善及森立之父子並參校讎。

（7）仁和寺本《黄帝内經太素》，屬類編《黄帝内經》最經典版本。原卷子抄寫時將楊上善撰注的《黄帝内經明堂類成》殘卷列首（因《黄帝内經太素》缺第一卷），今别析分刊。

本套叢書内的仁和寺本《黄帝内經太素》及《黄帝内經明堂》之底本由北京神黄科技股份有限公司總經理王和平先生免費提供，此義舉體現了王先生襄贊中華文化傳承事業的殷殷之念，在此謹致謝忱與敬意。

《〈黄帝内經〉版本通鑒》卷帙浩大，爲出版這套叢書，北京科學技術出版社章健總編、侍偉主任，以及編輯吴丹、吕艷、李兆弟等同仁以極高的使命感和責任心，付出了極大的心血和努力，克服了諸多困難，終成其功，謹此致以崇高敬意。相信這套叢書的推出，必不辜負同仁之望，在促進中醫藥事業發展、深化祖國傳統文化研究、增强國家文化軟實力等諸多方面做出應有的貢獻。

囿於執筆者眼界、學識，諸篇解題必有疏漏及訛誤之處，請方家、讀者不吝指正。

錢超塵

［説明：爲更準確地體現版本、訓詁學研究的學術内涵，撰寫時保留了部分異體字的使用，所選擇字樣如下：欬（欬嗽）、鍼（鍼灸）、並（並且）、併（合併）、嶽（山嶽）、異（異同）。］

目録

《黄帝内經》版本通鑒·第一輯

日本摹刻明顧從德本《素問》（上）

解題 錢超塵

解　題

顧從德，明萬曆年間人，其父定芳，嘉靖十七年（一五三八）進入太醫院任御醫。顧從德於嘉靖己酉（一五四九）從家鄉武陵來到北京拜見父親，其父把北宋校正醫書局《素問》刻本交給從德，囑他翻刻流傳。

北宋校正醫書局校讎《素問》，貫穿錯綜，磅礴彙通，精審細密。顧定芳、顧從德父子翻刻此書，真品乃得流傳，其功至大至偉！觀從德跋文，主持翻刻《素問》者爲顧從德，精校其書爲父子共襄其事，今通稱『顧從德本』，其父定芳倡導校讎之功，不可没也。

顧從德本二十四卷八十一篇，卷二十一之『刺法論七十二』及『本病論七十三』下皆注有『亡』字，表示只存篇名，文字早亡。林億注云：『詳此二篇，亡在王注之前。』『亡』字爲北宋校正醫書局所加。今存《素问》七十九篇，亡两篇。

顧從德本半葉十行，大字每行二十字，小注每行三十字。書口有刻工姓名。有避諱字，如『六節藏象論篇第九』之『竟』字缺末筆。『靈蘭秘典論篇第八』中『以爲天下者，其宗大危，戒之戒之』王冰注：『且人惟邦本，本固邦寧。』句中『人』字避唐世民之『民』字。顧從德本逼真北宋本。

顧從德本偶有訛字。如『移精變氣論』中『外無伸官之形』，新校正云：『按，全元起本「伸」作「臾」。』原文之『官』當作『宧』，形近而誤。全元起本之『伸作臾』，『臾（guì）』是『貴』字的古文形體，即『𧷸』字的上半部分，音『貴』。見《説文解字》草部『蕢』字。『伸官』古本作『臾（guì）宧』，即『貴宧』，意爲高貴的官宦。

顧從德《素問》翻宋本刊成於嘉靖二十九年庚戌（一五五〇），不是明代最早刻本，在它以前刻本有：金刻本（殘）；元後至元五年（一三三九）胡氏古林書堂本《素問》；元代讀書堂本《素問》；元刻《素問》，今存殘本（今存卷四、五、六）；明成化十年（一四七四）熊氏種德堂本《素問》；明嘉靖四年（一五二五）山東歷城儒學教諭田經校刻本（準確年代不詳）。以上諸書今皆存世。日本大阪遠東出版社《黄帝内經版本叢刊》皆影印之，北京神黄科技股份有限公司王和平總經理購歸，復印若干套，更名爲《域外中醫古籍叢書》，送北京中醫藥大學國學院完整一套，此套書是很好的版本資源。

顧從德本刊行後，在國内外産生巨大影響。清代據顧從德本翻刻者較多，見《中國中醫古籍總目》，此不詳述。日本和朝鮮亦有翻刻。如明萬曆四十三年（一六一五）朝鮮内醫院翻刻顧從德本。日本森立之、澀江全善精準翻刻顧從德本，且以《太素》校讎之，具有独特版本特点。

森立之（一八〇七—一八八五），字立夫，號枳園，代表作有《素問考注》二十卷、《傷寒論考注》三十五卷，是考證《素問》《傷寒論》集大成之作。他和澀江全善、度會常珍以顧從德原刻本爲底本進行翻刻的《素問》批注本，以《太素》校讎之，校語寫於書眉，頗多精彩之處。

日本摹刻明顧從德本《素問》翻刻精準，保存顧從德本原貌。本文所據爲日本摹刻明顧從德本

《素問》光碟版，字迹清晰，高度存真。森立之及其子森約之、澀江全善、度會常珍采《太素》詳加校勘。這是日本較早以《太素》校勘《素問》之舉，在《素問》版本研究上具有重大意義。謹將以《太素》校勘《素問》條目例舉如下。校注有的寫在書眉，有的寫在行間。

（1）『上古天真論篇第一』中『帝曰：人年老而無子者，材力盡邪？將天數然也？』書眉批注：『帝曰：人年老以下至今五藏皆衰，《太素》卷二《攝生》之二「壽限」篇中引，「壽限」篇末缺逸，不詳止終。』

《素問·上古天真論篇第一》『六八陽氣衰竭於上，面焦，髮鬢頒白』，『竭』字右側小字批注『《太》無』，謂《太素》無『竭』字。眉端批注：『《太素》《甲乙》並無竭字，是也。』在『髮鬢』二字之間勾以『乙』號，表示《太素》作『鬢髮』。

（2）『四氣調神大論篇第二』書眉批注：『此篇總旨《太素》卷二「順養」篇末引。』

《素問·四氣調神大論篇第二》『天氣以急，地氣以明』書眉批注：『楊上善曰：天氣急者，以風清氣涼也；地氣明者，山川景秀也。』《素問》『使志安寧，以緩秋刑』在『刑』字右側以小字批注：『形，《太》。』謂《太素》『刑』作『形』。『無外其志，使肺氣清』，在『清』字右側小字批注：『精，《太》。』指《太素》作『精』。

（3）『生氣通天論篇第三』眉批：『太素卷三「調陰陽」。』指《太素》卷三『調陰陽』有此篇。

（4）『金匱真言論篇第四』眉批：『太素卷三「陰陽雜説」。』

（5）『陰陽離合論篇第六』眉批：『《太素》卷五「陰陽合」。』

(6)『陰陽别論篇第七』眉批：『《太素》卷三「陰陽雜説」。』

(7)『靈蘭秘典論篇第八』眉批：『《太素》缺。』指《太素》缺此篇。

(8)『五藏生成篇第十』眉批：『《太素》卷十七證候之一前缺。』《素問》『診脉之始，五决爲紀』眉批：『《太素》十五診候之二「色脉診」。』

(9)『五藏别論篇第十一』眉批：『《太素》卷六藏府之一「藏府氣液間」。』《素問》『實而不滿，滿而不實也』句上眉批：『《太素》卷二四診候之一「人迎寸口診」。』謂此句見於《太素・人迎寸口診》。

(10)『異法方宜論篇第十二』眉批：『《太素・十九・知方地》。』

(11)『移精變氣論篇第十三』眉批：『《太素》卷十九「知祝由」。』謂此篇見於『知祝由』。《素問》『所以小病必甚，大病必死』眉批：『《太素》十五「色脉診」。』謂見於《太素》之『色脉診』篇。

(12)『湯液醪醴論篇第十四』眉批：『《太素》卷十九「知古今」。』《素問》『夫病之始生也，極精極微，必先入結於皮膚』句上眉批：『《太素》十九「知湯藥」。』在『入結』右側小字批注『舍』，謂《太素》作『舍』。

(13)『玉版論要篇第十五』眉批：『《太素》十五診候之二，「色診脉」全載。』篇内『女子右爲逆，左爲從；男子左爲逆，右爲從』，兩『從』字右側注以『順』字，謂《太素》作『順』也。

以《太素》校勘《素問》體例有二：一爲提示《素問》某篇見於《太素》某卷某篇；二爲行間小字簡注，以『太』字提示《太素》作某。這類提示很多，非常重要，本文無法細舉，示例而已。行間批注當細讀之。

唐初楊上善類編《素問》《靈樞》，分篇較細，查找《素問》某篇某段見於《太素》某卷某篇，頗非易事，森立之等於《素問》書眉寫明見《太素》某卷某篇，且於行間校其相異文字，爲後人研究這兩部經典著作奠定了很好的資料基礎。

日本摹刻明顧從德本《素問》卷二十四『解精微論篇第八十一』釋音之末有一行附言，對於鑒別《素問》初刻、翻刻有重要意義：

明修職郎直　聖濟殿太醫院御醫上海顧定芳校。

就筆者接觸到的《素問》版本而言，多缺此十九字。《素問》卷二十四之末有顧從德跋文，而森立之等翻宋本缺之，其跋文如下：

家大人未供奉内藥院時，見從德少喜醫方術，爲語曰：『世無長桑君指授，不得飲上池水盡見人五藏，必從黄帝之《脉書》《五色診候》始知逆順陰陽，按奇絡活人。不然者，雖聖儒無所從精也。今世所傳《内經素問》，即黄帝之《脉書》，廣衍於秦越人陽慶、淳于意諸長老，其文遂似漢人語，而旨意所從來遠矣！』客歲以試事北上，問視之暇，遂以宋刻善本見授，曰：『廣其傳，非細事也。汝圖之！』從德竊惟吴儒王光菴賓嘗學《内經素問》於戴原禮可一年所，即治病輒驗。晚歲以其學授盛啟東、韓叔陽，後被薦文皇帝，召對稱旨，俱留御藥院供御。一日入見便殿，上語次偶及白溝之勝爲識長蛇陣耳，啟東以天命對。是不但慷慨敢言，抑學術之正見於天人之際亦微矣。秦太醫令所謂上醫醫國，殆如此耶？故吴中多上醫，實出原禮，爲上古自來之正派，以從授是書也。家大人仰副今上仁壽天下之意甚切，亟欲廣其佳本。公暇校讎，至忘寢食。予小子敢遂翻刻，以見承訓之私云。嘉靖庚戌秋八月既望。武陵顧從德謹識。

跋文稱顧定芳『公暇校讎，至忘寢食』與附言所稱『太醫院御醫上海顧定芳校』正相吻合，則今稱之『《素問》顧從德本』，實父子共襄之作：定芳供以佳本——北宋校正醫書局原刻本，且精校之，其傳經之功不可没也。

顧從德翻宋本存世者其版式略有不同。其一爲有十九字附言而無跋文者，日本摹刻明顧從德本《素問》屬之；其一爲有跋文而無十九字附言者，日本經絡學會創立二十周年紀念影印之《素問·靈樞》合訂集屬之；其一爲既有十九字附言又有跋文者，一九六〇年臺灣中國醫藥研究所影印發行者屬之，惜將跋文移於書首且重抄跋文亦附於書首，是其小疵。

日本摹刻明顧從德本《素問》卷末有森立之墨迹附言：

文久壬戌十二月初七夜燈下與現存《太素》校合一過竟。

華他術人　七八翁　枳園。

日本文久壬戌當公元一八六二年，亦當中國清同治元年。此年森立之等完成以《太素》校讀《素問》重任。『校合』與『校勘』含義略别。『合』有符合、圓滿義。謂所校《素問》之字句與《太素》相符而且是全面圓滿校定。森立之等的校合，屬於材料之收集與鋪墊，爲研究《素問》《太素》語言文字之異同短長奠定了材料基礎；尚不屬於校勘工作，但是爲正式校勘奠定了資料基礎。

森立之等所校《素問》，所據校本不限於《太素》，尚以《脉經》《鍼灸甲乙經》《醫心方》《備急千金要方》等爲校本。如『脉要精微論篇第十七』眉批：『《脉經》卷一「平脉早晏法第二」載此文至死生之分。』『脉要精微論篇第十七』『黄帝問曰：診法何如？岐伯對曰：診法常以平旦，陰氣未動，陽氣未散』。森立之在『平旦』下墨筆補注曰：『何也？岐伯對曰，平旦者。』則此句《脉經·平脉早晏法第二》及《太素》均作『何也？岐伯對曰：平旦者，陰氣未動，陽氣未散』。《素問》『彼春之暖，爲夏之暑，彼秋之忿，爲冬之怒』，森立之眉批：『《醫心方》亦作急字，作忿訛。』考王冰注『忿一爲急，言秋氣勁急也』，作『急』義長。

日本摹刻明顧從德本《素問》卷末有度會常珍跋文，森立之墨筆抄録。該跋文主要講《素問》版本，如下：

《素問》次注二十四卷，明代翻雕宋本存於世者不一。醫庠藏有明初所鍥者，文字端正可喜，澀江道純所弆顧從德本全覆刻之。而吴勉學則從顧本重鐫者也。

余嘗病坊間俗刻，訛舛相仍，殆致不可讀，因今倩道純本，更校以醫庠本，纖毫無差。乃命工鋟梓，以廣其傳，庶乎不失宋本之舊，而嘉祐之真，厘然可以觀矣。而校讎之任，道純及森立夫俱有力焉。道純名全善，弘前醫員；立夫名立之，福山醫員，並爲醫庠講授云。安政丙辰（一八五六）季春度會常珍志。

右久志本左京度會常珍録漪氏跋文，其實茝庭先生代撰。今此一紙，家大人所書，偶探匡笥得之，故釘附諸此云。文久辛酉（一八六一）九月季三日昧爽書。今日成田玄昌、石川厚安補外班醫員也。梫庭森約之。

按，此補跋爲森約之（森立之之子）所寫，較度會常珍跋文低兩格，成於一八六一年，度會常珍跋成於一八五六年，則摹刻顧從德《素問》校讀本完成於安政丙辰春。

《素問》摹刻本所據底本是澀江全善所藏顧從德原刻本，又以日本所藏明代翻刻宋本《素問》爲校本，做到『纖毫無差』，同時又以《太素》爲主校本，以《脉經》《鍼灸甲乙經》《醫心方》《備急千金方》《外臺秘要》《諸病源候論》等爲參校本，校讀材料豐富，對於研治《素問》與《太素》有重要意義。這是日本摹刻明顧從德本《素問》入選《〈黄帝内經〉版本通鑒》的根本原因。

森立之等摹刻顧從德本不僅以多種古書校讀《素問》，而且考證王冰序詞語出處，堪稱細密，讀書周詳，精力所至，燁燁生輝。如王冰『素問序』右側墨筆書云：

宋序：臣聞安不忘危，存不忘亡者，往聖之先務；求民之瘼，恤民之隱者，上主之深仁。『天元紀大論六十五』王注云：安不忘危，存不忘亡，大聖之至教也；求民之瘼，恤民之隱，大聖之深仁也。『著至教論』首王注：夫求民之瘼，恤民之隱，大聖之用心。故召引雷公問拯濟生靈之道也。

森立之、澀江道純、度會常珍、森約之是當時著名的中醫文獻學家，他們通曉中國的語言文字之學，小學根底深厚，時改《素問》顧本訛字。如『瘧論篇第三十五』『邪氣内薄於五藏，横連募原也』，森約之以俗字學知識考證，『募』字應做『幕』。其説甚是。

森立之、度會常珍、澀江全善翻刻顧從德本《素問》，國内未見有藏。此書今藏日本早稻田大學圖書館。『黄帝内經目録』書眉鈐蓋『早稻田大學圖書』章，『目録』二字下鈐蓋『森氏』二字圖章。『森氏』謂森立之也。《經籍訪古志補遺》云：

《素問》明代覆刻者，凡有三種。其一爲嘉靖庚戌顧定芳所重雕，其行款體式一與此同（按，謂與明初翻宋本同）；其一爲無名氏所刊，板式亦同，不記梓行年月，文字或有訛，蓋係坊間重雕；其一爲吴勉學重雕顧氏本，收在《醫統正脉》中。明初摹宋本與顧氏所刻同從北宋板重雕者，若殷、匡、炅、玄、徵、鏡字並闕末筆，其楮墨鋟摹，並臻精妙。

森立之等摹刻顧本，對缺末筆之字，頗爲留意。卷一《黄帝内經目録》右側墨筆記録：『闕筆玄竟朗。』謂此三字均缺末筆也。

日本摹刻明顧從德本《素問》在版本史上有重要地位，校讀批注内容豐富，網絡群書，對校勘正訛，具有很高價值。二〇一五年錢超塵以森立之等摹刻顧從德本《素问》的電子版为底本影印綫裝成書，上下兩函，一函爲影印原文，一函爲《黄帝内經文獻簡史》。日本摹刻明顧從德本《素問》所據之原文，出自錢超塵影印之綫裝本。

錢超塵

短肌 一ノ五ウ　正理論 一ノ十七ヲ廿一ウ　剋賊 一ノ十四ヲ注 一ノ二十ヲ注

九墟 二ノ十三オ 十三ウ　胳字 二ノ四ヲ五行注　剋薄 二ノ十四ウ注

星衡 二ノ十オ　宣明五藏篇 二ノ四ウ五ヲ　腨痏 二ノ十四ウ

蚑味 二ノ八ウ　隔氣 二ノ十四ウ注　隔 首篇之隔ナリ　以肝為陰 九行 二ノ廿五ウ 三ノ八ウ

三毛 二ノ十三ウ　陰陽表裏 二ノ十二ヲ 十七ヲ 十五ウ　脉瘉 一ノ十八ヲ

曳醴 谷卷第二云醫說肇自黃帝儒者多疑之然余觀其書古質簡素原傳大精深洞乎陰陽

消息盈虧之理又明乎萬物之性蓋非割裂所不能作也云云然王介甫有言云醫書至難

讀吾輩雖博涉羣卷猶不能深曉其意況以責諸俗工乎蓋畏之也

道經義 二ノ七ウ五ヲノウ　谿水 二ノ八ウ　歷忌 一ノ二十三ヲ　邪風之至 一ノ九オ

易義 二ノ六ウ　血氣　舉 二ノ十四ウ

禮義 三ノ三ウ　藏府——卷三ノ八ウ

天祿琳琅書目卷八秦漢印記下云松江志稱顧定芳字世安上海人博綜典籍尤深於醫以貢文臨薦

授太醫院御醫負玄齋嚴八字黃庭稱醫顧世安書印其人晉其刻字也志又稱顧從禮字

汝由上海人以貢太臨薦供事天府志特授翰林院典籍累官光祿寺少卿顧從義字

汝和嘉靖二十八年以善書應御試第一授中書舍人加大理評事顧九錫字天錫國子

生萬曆中以薦授鴻事府主簿所言官爵世系蓋多貴而符合但達故從鴻

臚一人以書敍隱書中玉世貞跋語始收藏印記證之則汝修當名從德也又考六

館目乃言嘉靖三十八年丁未美榜題名碑為中書舍人顧從禮書則汝由又歷官

中書而為光祿且素工于書者——

臨麟奇館余本本書首有東井之庫印文

有經絶之門四字方印朱白藥書

欽華玄一ノ五ヲ二ノ四ヲ　章三ノ四ヲ
朗十二ノ十三ヲ
王氏增朱字二ノ九ヲ二字三ノ六ヲ十字

黃帝內經目録

第一卷

第二卷

第三卷

其人以天元紀以下七篇僞撰運氣七篇

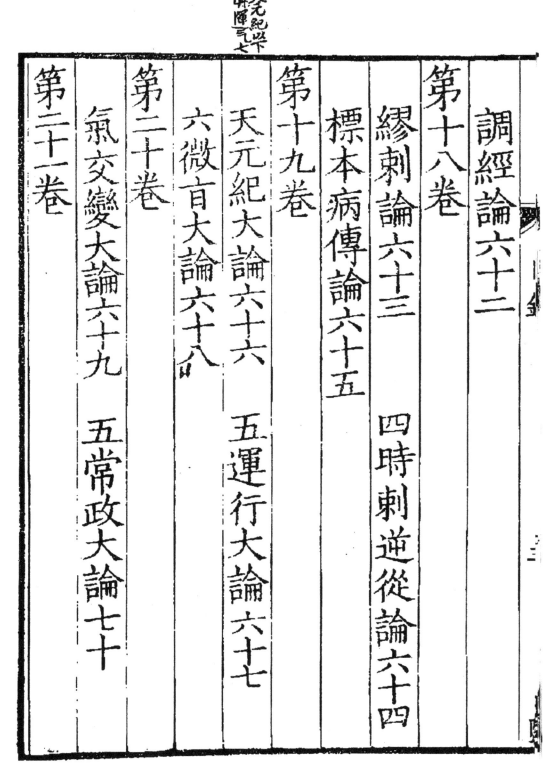

紀之政著至教論以下補雷公七篇

重廣補註黃帝內經素問序

啓玄子王冰撰 新校正云：按唐人物志，冰仕唐為太僕令，年八十餘以壽終。

夫釋縛脫艱，全真導氣，拯黎元於仁壽，濟羸劣以獲安者，非三聖道則不能致之矣。孔安國序尚書曰：伏羲、神農、黃帝之書，謂之三墳，言大道也。班固漢書藝文志曰：黃帝內經十八卷。素問即其經之九卷也，兼靈樞九卷，迺其數焉。新校正云：詳王氏此說，蓋本皇甫士安甲乙經之序。彼云：七略、藝文志：黃帝內經十八卷，今有鍼經九卷，素問九卷，共十八卷，即內經也。故王氏遵而用之。又素問外九卷，漢張仲景及西晉王叔和脉經只為之九卷，皇甫士安名為鍼經，亦專名九卷。楊玄操云：黃帝內經二帙，帙各九卷。按隋書經籍志謂之九靈，王冰名為靈樞。雖復年移代革，而授學猶存，懼非其人，而時有所隱，故第七一卷，師氏藏之，今

蚪之密藏者慧解理義也云辛者辭計徑攻也莫陸有十知者之所為也故曰微謹屬乎生知也

標格

至真要大論／三十七行

玄言十三玄藏解也屬是同又玄言十五及廣足蓋自藏偏也郭注藏亦訓藏皆非此義也

目牛以下詞之義疏五過論求王注可參

之奉行惟八卷爾然而其文簡其意博其理奥其趣深天地之象分陰陽之候列變化之由表死生之兆彰不謀而遐邇自同勿約而幽明斯契稽其言有徵驗之事不忒誠可謂至道之宗奉生之始矣假若天機迅發妙識玄通蕆謀雖屬乎生知標格亦資於詁訓未嘗有行不由逕出不由戶者也然刻意研精探微索隱或識契真要則目牛無全故動則有成猶鬼神幽贊而命世奇傑時時間出焉則周有秦公新校正云按別本一作和緩漢有淳于公魏有張公華公皆得斯妙道者也咸日新其用大濟蒸人華葉遞榮聲實相副蓋教之

約之蓋崇先師蓋亦古齊所刪張公作上文張公即仲景也蓋

著矣亦天之假也冰弱齡慕道夙好養生幸遇眞經式爲龜鏡而世本紕繆篇目重疊前後不倫文義懸隔施行不易披會亦難歲月既淹襲以成弊或一篇重出而別立二名或兩論併吞而都爲一目或問荅未已別樹篇題或脫簡不書而云世闕重合經而冠鍼服併方宜而爲欬篇隔虛實而爲逆從合經絡而爲論要節皮部爲經絡退至教以先鍼諸如此流不可勝數且將升岱嶽非逕奚爲欲詣扶桑無舟莫適乃精勤博訪而并有其人歷十二年方臻理要詢謀得失深遂夙心時於先生郭子齋堂受得先師張公秘

內經二　四

冰時有八卷之素問傳曰仲景所欽今猶孔氏壁中古文也至真要論等九頁止初行有張公治述似非仲景也

本文字昭晰義理環周一以參詳群疑冰釋恐散於末學絶彼師資因而撰註用傳不朽兼舊藏之卷合八十一篇二十四卷勒成一部新校正云詳素問第七卷亡已久矣按皇甫士安晉人也序甲乙經云亦有亡失隋書經籍志載梁七録亦云止存八卷全元起隋人所注本乃無第七王冰唐寶應中人上至晉皇甫謐甘露中已六百餘年而冰自爲得舊藏之卷今竊疑之仍觀天元紀大論五運行論六微旨論氣交變論五常政論六元正紀論至真要論七篇居今素問四卷篇卷浩大不與素問前後篇卷等又且所載之事與素問餘篇略不相通竊疑此七篇乃陰陽大論之文王氏取以補所亡之卷猶周官亡冬官以考功記補之之類也又按漢張仲景傷寒論序云撰用素問九卷八十一難經陰陽大論是素問與陰陽大論兩書甚明乃王氏并陰陽大論於素問中也要之陰陽大論亦古醫經終非素問第七矣冀乎究尾明首尋註會經開發童蒙宣揚至理而已其中簡脱文斷義不相接者搜求經論所有遷移以補其處篇目墜缺指事不明者量其意趣加字以昭

此行玄字誤不缺末畫。廣韵去四十六徑：瀅，小水，与鎣瀅同音，烏定切。本篇音歎瀅，音瑩。

其義。篇論吞并。義不相涉。闕漏名目者。區分事類。別目以冠篇首。君臣請問。禮儀乖失者。考校尊卑。增益以光其意。錯簡碎文。前後重疊者。詳其指趣。削去繁雜。以存其要。辭理秘密。難粗論述者。別撰玄珠。以陳其道。新校正云：詳王氏玄珠，世無傳者，今有玄珠十卷、昭明隱旨三卷，蓋後人附託之文也。雖非王氏之書，亦於素問第十九卷至二十二四卷頗有發明。其隱旨三卷與今世所謂天元玉冊者正相表裏，而與王冰之義多不同。凡所加字。皆朱書其文。使今古必分。字不雜糅。庶厥昭彰聖旨。敷暢玄言。有如列宿高懸。奎張不亂。深泉淨瀅。鱗介咸分。君臣無夭枉之期。夷夏有延齡之望。俾工徒勿誤。學者惟明。至道流行。徽音累屬。千載之後。方

知大聖之慈惠無窮時大唐寶應元年歲次壬寅序

將仕郎守殿中丞孫　兆　重改誤

朝奉郎守國子博士同校正醫書上騎都尉賜緋魚袋高　保衡

朝奉郎守尚書屯田郎中同校正醫書騎都尉賜緋魚袋孫　奇

朝散大夫守光祿卿直秘閣判登聞檢院上護軍林　億

重廣補註黃帝内經素問卷第一

新校正云按王氏不解所以名素問之義及素問之名起於何代按隋書經籍志始有素問之名甲乙經序晉皇甫謐之文已云素問論病精辨王叔和西晉人撰脉經云出素問鍼經漢張仲景撰傷寒卒病論集云撰用素問是則素問之名著於隋志上見於漢代也自仲景已前無文可見莫得而知據今世所存之書則素問之名起漢世也所以名素問之義全元起有説云素者本也問者黃帝問岐伯也方陳性情之源五行之本故曰素問元起雖有此解義未甚明按乾鑿度云夫有形者生於無形故有太易有太初有太始有太素太易者未見氣也太初者氣之始也太始者形之始也太素者質之始也氣形質具而痾瘵由是萌生故黃帝問此太素質之始也素問之名義或由此

啓玄子次註林億孫奇高保衡等奉敕校正孫兆重改誤

上古天眞論篇第一

新校正云按全元起注本在第九卷王氏重次篇第移冠篇首今注逐篇必具全元起本之卷

余聞上古以下至其德全不危也千金卷廿七養性序第一中引 選年樂秘引 太素經 千金 太素卷廿七 甲乙廿一

第者欲存素問舊第目見今之篇次皆王氏之所移也

昔在黃帝生而神靈弱而能言幼而徇齊長而敦敏成而登天有熊國君少典之子姓公孫徇疾也敦信也敏達也習用干戈以征不享平定天下殄滅蚩尤以土德王都軒轅之丘故號之曰軒轅黃帝後鑄鼎於鼎湖山鼎成而白日升天羣臣葬衣冠於橋山墓今猶在迺問於天師曰余聞上古之人春秋皆度百歲而動作不衰今時之人年半百而動作皆衰者時世異耶人將失之耶天師岐伯也岐伯對曰上古之人其知道者法於陰陽和於術數上古謂玄古也知道謂知修養之道也夫陰陽者天地之常道術數者保生之大倫故修養者必謹先之老子曰萬物負陰而抱陽沖氣以為和四氣調神大論曰陰陽四時者萬物之終始死生之本逆之則災害生從之則苛疾不起是謂得道此之謂也食飲有節起居有常不妄作勞食飲者充虛之滋味起居者動止之綱紀故修養者謹而行之痺論曰飲食自倍腸胃乃傷生氣通天論曰起居如驚神氣乃浮是恃妄動也

注文按第十六……注家壽不能終盡於天年矣據此文則此注得盡字誤例作盡得歟

暨世家不若引與和去以德齊此持滿之術也

廣成子曰必靜必清無勞汝形無摇汝精乃可以長生故聖人奉之也新校正云按全元起注本云飲食有常節起居有常度不妄不作太素同楊上善云以理而取聲色芳味不妄視聽也循理而動不爲分外之事故能形與神俱而盡終其天年度百歲乃去形與神俱同臻壽分謹於修養以奉天眞故盡得終其天年去謂去離於形骸也靈樞經曰人百歲五藏皆虛神氣皆去形骸獨居而終矣以其知道故年長壽延年度百歲謂至一百二十歲也尚書洪範曰一曰壽百二十歲也今時之人不然也動之死地離於道也以酒爲漿溺於飲也以妄爲常寡於信也醉以入房過於色也以欲竭其精以耗散其眞樂色曰欲輕用曰耗樂色不節則精竭輕用不止則眞散是以聖人愛精重施髓滿骨堅老子曰弱其志強其骨河上公曰有欲者亡身曲禮曰欲不可縱新校正云按甲乙經耗作好不知持滿不時御神言輕用而縱欲也老子曰持而盈之不如其已言愛精保神如持盈滿之器不愼而動則傾竭天眞眞誥曰常不能愼事自致百痾豈可怨咎於神明乎此之謂也新校正云按別本時作解務快其心逆於生樂快於心欲之用則逆養生之樂矣老子曰甚愛必大費此之類歟夫甚愛而不能救議道而以爲未然者伐生之大患也起居無節故半百

而衰也。亦耗散而致是也夫道者不可斯須離於道則壽不能終盡於天年矣老子曰物壯則老謂之不道不道早亡此之謂離道也夫上古聖人之教下也。皆謂之虛邪賊風。避之有時。邪乘虛入是謂虛邪竊害中和謂之賊風避之有時謂八節之日及太一入從之於中宮朝八風之日也靈樞經曰邪氣不得其虛不能獨傷人明人虛乃邪勝之也新校正云按全元起注本云上古聖人之教也下皆為之太素千金同楊上善云上古聖人使人行者身先行之為不言之教不言之教勝有言之教故下百姓倣行者衆故曰下皆為之太一入從於中宮朝八風義具天元玉冊中恬惔虛无。真氣從之。精神內守。病安從來。恬惔虛无靜也法道清淨精氣內持故其氣邪不能為害是以志閑而少欲。心安而不懼。形勞而不倦。內機息故少欲外紛靜故心安然情欲兩亡是非一貫起居皆適故不倦也氣從以順。各從其欲。皆得所願。志不貪故所欲皆順心易足故所願必從以不異求故無難得也老子曰知足不辱知止不殆可以長久故美其食。順精麤也新校正云按別本美一作甘任其服。隨美惡也樂其俗。去傾慕也高下不相慕。其民故曰朴。至無求也是所謂心足也老子曰禍莫大於不知足咎莫大於欲得故知

帝曰人年老以下至今五藏皆衰太素卷二攝生之二壽限篇中引壽限篇末缺逸不詳止終甲乙卷六形氣盛衰

足之足常足矣蓋非謂物足者爲知足心足者乃爲知足矣不恣於欲是則朴同故聖人云我無欲而民自朴新校正云按別本云曰作日是以嗜欲不能勞其目淫邪不能惑其心目不妄視故嗜欲不能勞心與玄同故淫邪不能惑老子曰不見可欲使心不亂又曰聖人爲腹不爲目也愚智賢不肖不懼於物故合於道情計兩亡不爲謀府冥心一觀勝負俱捐故心志保安合同於道庚桑楚曰全汝形抱汝生無使汝思慮營營新校正云按全元起注本云合於道數所以能年皆度百歲而動作不衰者以其德全不危也不涉於危故德全也莊子曰執道者德全德全者形全形全者聖人之道也又曰無爲而性命不全者未之有也

帝曰人年老而無子者材力盡邪將天數然也材謂材幹可以立身者岐伯曰女子七歲腎氣盛齒更髮長老陽之數極於九少陽之數次於七女子爲少陰之氣故以少陽數偶之明陰陽氣和乃能生成其形體故七歲腎氣盛齒更髮長二七而天癸至任脈通太衝脈盛月事以時下故有子癸謂壬癸北方水干名也任脈衝脈皆奇經脈也腎氣全盛衝任流通經血漸盈應

時而下天眞之氣降與之從事故云天癸也然衝爲血海任主胞胎二者相資故能有子所以謂之月事者平和之氣常以三旬而一見也故愆期者謂之有病 新校正云按全元起注本及太素甲乙經俱作伏衝下太衝同 三七腎氣平均故眞牙生而長極 眞牙謂牙之最後生者腎氣平而眞牙生者表牙齒爲骨之餘也 四七筋骨堅髮長極身體盛壯 女子天癸之數七七而終年居四七材力之半故身體盛壯長極於斯 五七陽明脉衰面始焦髮始墮 陽明之脉氣營於面故其衰也髮墮面焦靈樞經曰足陽明之脉起於鼻交頞中下循鼻外入上齒中還出俠口環脣下交承漿却循頤後下廉出大迎循頰車上耳前過客主人循髮際至額顱手陽明之脉上頸貫頰入下齒縫中還出俠口故面焦髮墮也 六七三陽脉衰於上面皆焦髮始白 三陽之脉盡上於頭故三陽衰則面皆焦髮始白所以衰者婦人之生也有餘於氣不足於血以其經月數泄脫之故 七七任脉虛太衝脉衰少天癸竭地道不通故形壞而無子也 經水絕止是爲地道不通衝任衰微故云形壞無子 丈夫八歲腎氣實髮長齒更 老陰之數極於十少陰之數次於八男子爲少陽之氣故以少陰數合之易繫辭曰天九地十則其八

數也。二八腎氣盛天癸至精氣溢寫陰陽和故能有子。男女有陰陽之質不同天癸則精血之形亦異陰靜海滿而去血陽動應合而泄精二者通和故能有子易繫辭曰男女構精萬物化生此之謂也三八腎氣平均筋骨勁強故眞牙生而長極。以其好用故爾四八筋骨隆盛肌肉滿壯。丈夫天癸八八而終年居四八亦材之半也五八腎氣衰髮墮齒槁。腎主於骨齒為骨餘腎氣既衰精無所養故令髮墮齒復乾枯六八陽氣衰竭於上面焦髮鬢頒白。陽氣亦陽明之氣也靈樞經曰足陽明之脈起於鼻交頞中下循鼻外入上齒中還出俠口環脣下交承漿却循頤後下廉出大迎循頰車上耳前過客主人循髮際至額顱故衰於上則面焦髮鬢白也七八肝氣衰筋不能動天癸竭精少腎藏衰形體皆極。肝氣養筋肝衰故筋不能動腎氣養骨腎衰故形體疲極天癸已竭故精少也匪惟材力衰謝固當天數使然八八則齒髮去。陽氣竭精氣衰故齒髮不堅離形骸矣去落也腎者主水受五藏六府之精而藏之故五藏盛乃能寫。五藏六府精氣

淫溢而滲灌於腎腎藏乃受而藏之何以明之靈樞經曰五藏主藏精藏精者不可傷由是則五藏各有精隨用而灌注於腎此乃腎爲都會關司之所非腎一藏而獨有精故曰五藏盛乃能寫也今五藏皆衰筋骨解墮天癸盡矣故髮鬢白身體重行步不正而無子耳所謂物壯則老謂之天道者也帝曰有其年已老而有子者何也言似非天癸之數也歧伯曰此其天壽過度氣脈常通而腎氣有餘也所禀天真之氣本自有餘也此雖有子男不過盡八八女不過盡七七而天地之精氣皆竭矣雖老而生子子壽亦不能過天癸之數帝曰夫道者年皆百數能有子乎歧伯曰夫道者能却老而全形身年雖壽能生子也是所謂得道之人也道成之證如下章古黃帝曰余聞上古有真人者提挈天地把握陰陽真人謂成道之人也夫真人之身隱見莫測其爲小也入於无間其爲大也徧於空境其變化也出入天地內外莫見迹順至真以表道成之

謂如此者，故能提挈天地，把握陰陽也。呼吸精氣，獨立守神，肌肉若一。真人心合於氣，氣合於神，神合於无，故呼吸精氣，獨立守神，肌膚若冰雪，綽約如處子。新校正云：按全元起注本云：身肌宗一。太素同。楊上善云：真人身之肌體與太極同質，故云宗一。故能壽敝天地，无有終時。體同於道，壽與道同，故能无有終時而壽盡天地也。敝，盡也。此其道生。惟至道生，乃能如是。中古之時，有至人者，淳德全道，全其至道，故曰至人。然至人以此淳朴之德，全彼妙用之道。新校正云：詳楊上善云：積精全神，能至於德，故稱至人。和於陰陽，調於四時。和謂同和，調謂調適。言至人動靜必適中於四時生長收藏之令，參同於陰陽寒暑升降之宜。去世離俗，積精全神。心遠世紛，身離俗染，故能積精而復全其神。游行天地之間，視聽八遠之外。神全故也。庚桑楚曰：神全之人，不慮而通，不謀而當，精照无外，志凝宇宙，若天地然。又曰：體合於心，心合於氣，氣合於神，神合於无，其有介然之有，唯然之音，雖遠際八荒之外，近在眉睫之內，來于我者，吾必盡知之。夫如是者，神全，故所以能矣。此蓋益其壽命而強者也，亦歸於真人。同歸於道也。其次有聖人者，處天地之和，從八風之理。與天地合德，與日月合明，與四時合其序，與鬼神合其吉凶，故曰聖人。所以處天地之淳和，順八風之正理者，欲其養正，避彼虛邪。適嗜欲於世俗之間，无恚嗔之心。聖人志深於道，故適於嗜欲，心全廣愛，故不有恚嗔。是以常德不離，殁身不殆。行不欲離於世，被服章。新校正云：詳被服章三字疑衍，此三字上下文不屬。舉不欲觀於俗。聖人舉事行止，雖常在時俗之間，然其見爲則與時俗有異爾。何者？貴法道之清靜也。老子曰：我獨異於人，而貴求食於母。亦諭道也。外不勞形於事，内无思想之患。聖人爲无爲，事無事，是以内无思想，外不勞形。以恬愉爲務，以自得爲功。恬，靜也。愉，悦也。法道清靜，適性而動，故悦而自得也。形體不敝，精神不散，亦可以百數。外不勞形，内无思想，故形體不敝，精神保全，神守不離，故年登百數。此蓋全性之所致爾。庚桑楚曰：聖人之於聲色滋味也，利於性則取之，害於性則捐之。此全性之道也。敝，疲敝也。其次有賢人者，法則天地，象似日月。次聖人者，謂之賢人。然自強不息，精了百端，不慮而通，發謀必當，志同於天地，心燭於洞幽。故云法則天地，象似日月也。辯列星辰，逆從陰陽，分別四時。星，衆星也。辰，北辰也。

此篇總皆 大素卷二 順養篇 引 醫心方廿七 引 病源本引 養生方 千金廿七

辯列者謂定內外星官座位之所於天三百六十五度遠近之分次也逆從陰陽者謂以六甲等法逆順數而推步吉凶之徵兆也陰陽書曰人中甲子從甲子起以乙丑爲次順數之地下甲子從甲戌起以癸酉爲次逆數之此之謂逆從也分別四時者謂分其氣序也春溫夏暑熱秋清涼冬冰冽此四時之氣序也

將從上古合同於道亦可使益壽而有極時將從上古合同於道謂如上古知道之人法於陰陽和於術數食飲有節起居有常不妄作勞也上古知道之人年度百歲而去故可使益壽而有極時也

四氣調神大論篇第二

新校正云按全元起本在第九卷

春三月此謂發陳春陽上升氣潛發散生育庶物陳其姿容故曰發陳也所謂春三月者皆因節候而命之夏秋冬亦然天地俱生萬物以榮天氣溫地氣發溫發相合故萬物滋榮夜臥早起廣步於庭溫氣生寒氣散故夜臥早起廣步於庭被髮緩形以使志生法象也春氣發生於萬物之首故被髮緩形以使志意發生也生而勿殺予而勿奪賞而勿罰春氣發生施无求報故養生者必順於時也此春氣之應養生之道也所謂因時之序也然立春之節初五日東風解凍次五日蟄蟲

始振後五日魚上氷次雨水氣初五日獺祭魚次五日鴻鴈來後五日草木萌動次仲春驚蟄之節初五日小桃華 新校正云詳小桃華月令作桃始華次五日倉庚鳴後五日鷹化爲鳩次春分氣初五日玄鳥至次五日雷乃發聲芍藥榮後五日始電次季春清明之節初五日桐始華次五日田鼠化爲鴽牡丹華後五日虹始見次穀雨氣初五日萍始生次五日鳴鳩拂其羽後五日戴勝降于桑凡此六氣一十八候皆春陽布發生之令故養生者必謹奉天時也 新校正云詳芍藥榮牡丹華今月令無

逆之則傷肝夏爲寒變奉長者少 逆謂反行秋令也肝象木王於春故行秋令則肝氣傷夏火王而木廢故病生於夏然四時之氣春生夏長逆春傷肝故少氣以奉於夏長之令也

夏三月此謂蕃秀 陽自春生至夏洪盛物生以長故蕃秀也蕃茂也盛也秀華也美也

天地氣交萬物華實 舉夏至也脈要精微論曰夏至四十五日陰氣微上陽氣微下由是則天地氣交也然陽氣施化陰氣結成成化相合故萬物華實也陰陽應象大論曰陽化氣陰成形

夜臥早起無厭於日使志無怒使華英成秀使氣得泄若所愛在外 緩陽氣則物化寬志意則氣泄物化則華英成秀氣泄則膚腠宣通時令發陽故所愛亦順陽而在外也

此夏氣之應養長之道也 立夏之節初五日螻蟈鳴次五日蚯蚓出後五日赤箭生 新校正云按月令

楊上善云天氣急者風清氣涼也地氣明者山川景淨也 [illegible]

作王瓜生次小滿氣初五日吴葵華新校正云按月令作苦菜秀次五日靡草死後五日小暑至次仲夏芒種之節初五日螗螂生次五日鵙始鳴後五日反舌無聲次夏至氣初五日鹿角解次五日蜩始鳴後五日半夏生木堇榮次季夏小暑之節初五日溫風至次五日蟋蟀居壁後五日鷹乃學習次大暑氣初五日腐草化為螢次五日土潤溽暑後五日大雨時行凡此六氣一十八候皆夏氣揚蕃秀之令故養生者必敬順天時也新校正云詳木堇榮今月令無

逆之則傷心，秋為痎瘧，奉收者少，冬至重病。逆謂反行冬令也痎瘦瘧也心象火王於夏故行冬令則心氣傷秋金王而火廢故病發於秋而為痎瘧也然四時之氣秋收冬藏逆夏傷心故少氣以奉於秋收之令也冬水勝火故重病於冬至之時也

秋三月，此謂容平。萬物夏長華實已成容狀至秋平而定也天氣以急，地氣以明。天氣以急風聲切也地氣以明物色變也早臥早起，與雞俱興。懼中寒露故早臥欲使安寧故早起使志安寧，以緩秋刑。志氣躁則不慎其動不慎其動則助秋刑急順殺伐生故使志安寧緩秋刑也收斂神氣，使秋氣平。神蕩則欲熾欲熾則傷和氣和氣既傷則秋氣不平調也故收斂神氣使秋氣平也無外其志，使肺氣清。亦順秋氣之收斂也此秋氣之應養

收之道也　立秋之節初五日涼風至次五日白露降後五日寒蟬鳴次處
暑氣初五日鷹乃祭鳥次五日天地始肅後五日禾乃登次仲
秋白露之節初五日鴻鴈來次五日玄鳥歸後五日羣鳥養羞次秋分
氣初五日雷乃收聲次五日蟄蟲坯戶景天華後五日水始涸次季秋寒露之
節初五日鴻鴈來賓次五日雀入大水爲蛤後五日菊有黃華次霜降氣初五
日豺乃祭獸次五日草木黃落後五日蟄蟲咸俯凡此六氣一十八候皆秋氣
正收斂之令故養生者必謹奉天時也　新校正云詳景天華三字今月令無

逆之則傷肺冬爲飧泄奉藏者少　逆謂反行夏令也肺象金王於秋故行夏令則氣傷冬水王而金廢故病發於冬飧泄者食不化而泄出也逆秋傷肺故少氣以奉於冬藏之令也

冬三月此謂閉藏　草木凋蟄蟲去地戶閉塞陽氣伏藏　水冰地坼無擾乎陽　陽氣下沉水冰地坼故宜周密不欲煩勞擾謂煩也勞也　早臥晚起必待日光　避於寒也　使志若伏若匿若有私意若已有得　皆謂不欲妄出於外觸冒寒氣也故下文云　去寒就溫無泄皮膚使氣亟奪　去寒就溫言居深室也靈樞經曰冬日在骨蟄蟲周密君子居室無泄皮膚謂勿汗也汗則陽氣發泄陽氣發泄則數爲寒氣所迫奪之亟數也　此冬氣之應養藏之道也　立冬之節初五日水始冰次五日地

坼元　恐當作　元板正作生

始凍，後五日雉入大水為蜃。次小雪氣，初五日虹藏不見，次五日天氣上騰地氣下降，後五日閉塞而成冬。次仲冬大雪之節，初五日鶡鳥不鳴，次五日虎始交，後五日荔挺出。次冬至氣，初五日蚯蚓結，次五日麋角解，後五日水泉動。次季冬小寒之節，初五日鴈北鄉，次五日鵲始巢，後五日雉雊。次大寒氣，初五日雞乳，次五日鷙鳥厲疾，後五日水澤腹堅。凡此六氣一十八候，皆冬氣正養藏之令，故養生者必謹奉天時也。

逆之則傷腎，春為痿厥，奉生者少。逆，謂反行夏令也。腎象水，王於冬，故行夏令則腎氣傷，春木王而水廢，故病發於春也。逆冬傷腎，故少氣以奉於春生之令也。

天氣清淨光明者也。言天明不竭，以清淨故致人之壽延長，亦由順動而得，故言天氣以示於人也。

藏德不止，故不下也。新校正云：按別本止一作上。四時成序，七曜周行，天不形言，是藏德也。德隱則應用不屈，故不下也。老子曰：上德不德，是以有德也。言天至尊高，德猶見隱也，況全生之道而不順天乎。

天明則日月不明，邪害空竅。天所以藏德者，為其欲隱大明，故大明見則小明滅，故大明之德不可不藏。天若自明，則日月之明隱矣。所諭者何？言人之真氣亦不可泄露，當清淨法道，以保天真，苟離於道，則虛邪入於空竅。

陽氣者閉塞，地氣者冒明。陽謂天氣，亦風熱也。地氣謂濕，亦雲霧也。風熱之害人，則九竅閉塞；霧濕之為病，則掩翳精明。取類者，在天則日月不光，在人則兩目藏曜也。靈樞經曰：天有日月，人有眼目。易曰：喪明于易。豈非失養正之道邪。

雲霧不精，則上

應白露不下。霧者雲之類，露者雨之類。夫陽盛則地不上應，陰虛則天不下交，故雲霧不化精微之氣上應於天而爲白露不下之咎矣。陰陽應象大論曰：地氣上爲雲，天氣下爲雨，雨出地氣，雲出天氣。明二氣交合乃成雨露。方盛衰論曰：至陰虛，天氣絕；至陽盛，地氣不足。明氣不相召，亦不能交合也。交通不表，萬物命故不施，不施則名木多死。夫雲霧不化其精微，雨露不霑於原澤，是爲天氣不降，地氣不騰，變化之道既虧，生育之源斯泯，故萬物之命無稟而生。然其死者，則名木先應，故云名木多死也。名謂名果珍木。表謂表陳其狀也。易繫辭曰：天地絪緼，萬物化醇。然不表交通，則爲否也。易曰：天地不交，否。惡氣不發，風雨不節，白露不下，則菀槀不榮。惡謂害氣也，發謂散發也，節謂節度也，菀謂蘊積也，槀謂枯槀也。言害氣伏藏而不散發，風雨無度，折傷復多，槀木蘊積，春不榮也。豈惟其物獨遇是而有之哉，人離於道亦有之矣。故下文曰：賊風數至，暴雨數起。天地四時不相保，與道相失，則未央絕滅。不順四時之和，數犯八風之害，與道相失，則天真之氣未期久遠而致滅亡。央，久也，遠也。唯聖人從之，故身無奇病，萬物不失，生氣不竭。道非遠於人，人心遠於道，惟聖人心合於道，故壽命无窮。從猶順也，謂順四時之令也。然四時之令不可逆之，

千金十一肝勞　又十三心勞　甲乙一五藏變腧　千金十七肺勞　又十九腎勞　醫心方廿七引　千金十五上脾勞

逆之則五藏內傷而他疾起。逆春氣則少陽不生，肝氣內變。生謂動出也。陽氣不出，內鬱於肝，則肝氣混糅，變而傷矣。逆夏氣則太陽不長，心氣內洞。長謂外茂也。洞謂中空也。陽不外茂，內薄於心，燠熱內消，故心中空也。逆秋氣則太陰不收，肺氣焦滿。收謂收斂。焦謂上焦也。太陰行氣主化上焦，故肺氣不收，上焦滿也。新校正云：按焦滿，全元起本作進滿，甲乙、太素作焦滿。逆冬氣則少陰不藏，腎氣獨沉。沉謂沉伏也。少陰之氣內通於腎，故少陰不伏，腎氣獨沉。新校正云：詳獨沉，太素作沉濁。夫四時陰陽者，萬物之根本也。時序運行，陰陽變化，天地合氣，生育萬物，故萬物之根悉歸於此。所以聖人春夏養陽，秋冬養陰，以從其根。陽氣根於陰，陰氣根於陽，無陰則陽無以生，無陽則陰無以化。全陰則陽氣不極，全陽則陰氣不窮。春食涼，夏食寒，以養於陽；秋食溫，冬食熱，以養於陰。滋苗者必固其根，伐下者必枯其上，故以斯調節，從順其根。二氣常存，蓋由根固，百刻曉暮，食亦宜然。故與萬物沉浮於生長之門。聖人所以身無奇病，生氣不竭者，以順其根也。逆其根則伐其本，壞其真矣。是則失四時陰陽之道也。故陰陽四時者萬物之終始也死生之本也逆之則災害生從之則苛疾不起是謂得道謂得養生之道苛者重也道者聖人行之愚者佩之聖人心合於道故勤而行之愚者性守於迷故佩服而已老子曰道者同於道德者同於德失者同於失同於道者道亦得之同於德者德亦得之同於失者失亦得之愚者未同於道德則可謂失道者也從陰陽則生逆之則死從之則治逆之則亂反順為逆是謂內格格拒也謂內性格拒於天道也是故聖人不治已病治未病不治已亂治未亂此之謂也知之至也夫病已成而後藥之亂已成而後治之譬猶渴而穿井鬬而鑄錐不亦晚乎知不及時也備禦虛邪事符握虎噬而後藥雖悔何為

生氣通天論篇第三

新校正云按全元起注本在第四卷

黃帝曰夫自古通天者生之本本於陰陽天地之間

六合之内。其氣九州。九竅。五藏。十二節。皆通乎天氣。六合謂四方上下也。九州謂冀兗青徐楊荊豫梁雍也。外布九州而内應九竅。故云九州九竅也。五藏謂五神藏也。五神藏者肝藏魂。心藏神。脾藏意。肺藏魄。腎藏志。而此成形矣。十二節者十二氣也。天之十二節氣。人之十二經脉而外應之。咸同天紀。故云皆通乎天氣也。十二經脉者謂手三陰三陽足三陰三陽也。新校正云。詳通天者生之本六節藏象注甚詳。又按鄭康成云。九竅者謂陽竅七陰竅二也。其生五。其氣三。數犯此者。則邪氣傷人。此壽命之本也。言人生之所運為。則内依五氣以立。然其鎮塞天地之内。則氣應三元以成。三謂天氣地氣運氣也。犯謂邪氣觸犯於生氣也。邪氣數犯。則生氣傾危。故寶養天真以為壽命之本也。庚桑楚曰。聖人之制萬物也。以全其天。天全則神全矣。靈樞經曰。血氣者人之神。不可不謹養。此之謂也。蒼天之氣清淨。則志意治。順之則陽氣固。春為蒼天。發生之主也。陽氣者天氣也。陰陽應象大論曰。清陽為天。則其義也。本天全神全之理。全則形亦全矣。雖有賊邪。弗能害也。此因時之序。以因天四時之氣序。故賊邪之氣弗能害也。故聖人傳精神。服天氣。而通神明。夫精神可傳。惟聖人得道者乃能爾。久服天真之氣。

則妙用自通於神明也。失之則內閉九竅，外壅肌肉，衛氣散解。失謂逆蒼天清淨之理也。然衛氣者，合天之陽氣也。上篇曰：陽氣者閉塞。謂陽氣之病人，則竅寫閉塞也。靈樞經曰：衛氣者，所以溫分肉而充皮膚，肥腠理而司開闔。故失其度，則內閉九竅，外壅肌肉，以衛不營運，故言散解也。此謂自傷，氣之削也。夫逆蒼天之氣，違清淨之理，使正真之氣如削去之者，非天降之，人自為之爾。陽氣者若天與日，失其所則折壽而不彰。此明前陽氣之用也。諭人之有陽，若天之有日。天失其所則日不明，人失其所則陽不固。日不明則天境暝昧，陽不固則人壽夭折。故天運當以日光明。言人之生，固宜藉其陽氣也。是故陽因而上，衛外者也。此所以明陽氣運行之部分，輔衛人身之正用也。因於寒，欲如運樞，起居如驚，神氣乃浮。欲如運樞，謂內動也。起居如驚，謂暴卒也。言因天之寒，當深居周密，如樞紐之內動，不當煩擾筋骨，使陽氣發泄於皮膚，而傷於寒毒也。若起居暴卒，馳騁荒佚，則神氣浮越，无所綏寧矣。脉要精微論曰：冬日在骨，蟄蟲周密，君子居室。四氣調神大論曰：冬三月，此謂閉藏，水冰地坼，無擾乎陽。又曰：使志若伏若匿，若有私意，若已有得，去寒就溫，无泄皮膚，使氣亟奪。此之謂也。新校正云：按全元起本作連樞。元起云：陽氣定如連樞者，動繫也。因於暑，汗。

救

煩則喘喝。靜則多言。此則不能靜慎，傷於寒毒，至夏而變暑病也。煩謂煩躁，靜謂安靜，喝謂大呵出聲也。言病因於暑，則當汗泄，不爲發表，邪熱內攻，中外俱熱，故煩躁喘數，大呵而出其聲也。若不煩躁，內熱外涼，瘀熱攻中，故多言而不次也。喝，一爲鳴。

體若燔炭，汗出而散。此重明可汗之理也。爲體若燔炭之炎熱者，何以救之？必以汗出，乃熱氣施散。燔，一爲躁，非也。

因於濕，首如裹，濕熱不攘，大筋緛短，小筋弛長，緛短爲拘，弛長爲痿。表熱爲病，當汗泄之，反濕其首，若濕物裹之，望除其熱。熱氣不釋，兼濕內攻，大筋受熱則縮而短，小筋得濕則引而長。縮短故拘攣而不伸，引長故痿弱而無力。攘，除也。緛，縮也。弛，引也。

因於氣，爲腫，四維相代，陽氣乃竭。素常氣疾，濕熱加之，氣濕熱爭，故爲腫也。然邪氣漸盛，正氣浸微，筋骨血肉，互相代負，故云四維相代也。致邪代正，氣不宣通，衛無所從，便至衰竭，故言陽氣乃竭也。衛者，陽氣也。

陽氣者，煩勞則張，精絕，辟積於夏，使人煎厥。此又誡起居暴卒，煩擾陽和也。然煩擾陽和，勞疲筋骨，動傷神氣，耗竭天真，則筋脈䐜脹，精氣竭絕，既傷腎氣，又損膀胱，故當於夏時，使人煎厥。以煎迫而氣逆，因以煎厥爲名。厥，謂氣逆也。煎厥之狀，當如下說。新校正云：按《脈解》云：所謂少氣善怒者，陽氣不治，陽氣不治則陽氣不得出，肝氣當治而未得，故善怒。善怒

醫心方大素本亦作痤注云痤癤之類然也皆謂之癤

者名曰煎厥目盲不可以視耳閉不可以聽潰潰乎若壞都汩汩乎不可止。既且傷腎又竭膀胱腎經內屬於耳中膀胱脈生於目皆故目盲所視耳閉厥聽大矣哉斯乃房之患也既盲目視又閉耳聦則志意心神筋骨腸胃潰潰乎若壞都汩汩乎煩悶而不可止也陽氣者大怒則形氣絕而血菀於上使人薄厥。此又誡喜怒不節過用病生也然怒則傷腎甚則氣絕大怒則氣逆而陽不下行陽逆故血積於心胷之內矣上謂心胷也然陰陽相薄氣血奔并因薄厥生故名薄厥舉痛論曰怒則氣逆甚則嘔血靈樞經曰盛怒而不止則傷志陰陽應象大論曰喜怒傷陽氣由此則怒甚氣逆血積於心胷之內矣菀積也有傷於筋縱其若不容怒而過用氣或迫筋筋絡內傷機關縱緩形容痿廢若不維持汗出偏沮使人偏枯夫人之身常偏汗出而濕潤者久久偏枯半身不隨新校正云按沮千金作祖全元起本作恒汗出見濕乃生痤疿陽氣發泄寒水制之熱怫內餘鬱於皮裏甚爲痤癤微作疿瘡疿風癮也高梁之變足生大丁受如持虛高膏也梁粱也不忍之人汗出淋洗則結爲痤疿膏粱之人內多滯熱皮厚肉密故內變爲丁矣外濕既侵中熱相感如持虛器受此邪毒故曰受如持虛所以丁生於足者四支爲諸陽之本也以其甚費於下

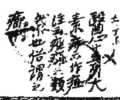

邪毒襲虛故爾。新校正云：按丁生之處不常於足，蓋謂膏粱之變，饒生大丁，非偏著足也。勞汗當風，寒薄爲皶，鬱乃痤。時月寒涼，形勞汗發，淒風外薄，膚腠居寒，脂液遂凝，稸於玄府，依空滲涸，皶刺長於皮中，形如米，或如鍼，久者上黑，長一分，餘色白黃而瘦，於玄府中，俗曰粉刺，解表已。玄府謂汗空也。痤謂色赤䐜憤，內蘊血膿，形小而大，如酸棗，或如按豆，此皆陽氣內鬱所爲，待耎而攻之，大甚焫出之。

陽氣者，精則養神，柔則養筋。此又明陽氣之運養也。然陽氣者，內化精微，養於神氣；外爲柔耎，以固於筋。動靜失宜，則生諸疾。開闔不得，寒氣從之，乃生大僂。開謂皮腠發泄，闔謂玄府閉封。然開闔失宜，爲寒所襲，內深筋絡，結固虛寒，則筋絡拘緛，形容僂俯矣。《靈樞經》曰：寒則筋急。此其類也。陷脈爲瘻，留連肉腠。陷脈謂寒氣陷缺其脈也。積寒留舍，經血稽凝，久瘀內攻，結於肉理，故發爲瘍瘻，肉腠相連。俞氣化薄，傳爲善畏，及爲驚駭。言若寒中於背俞之氣，變化入深而薄於藏府者，則善爲恐畏，及發爲驚駭也。營氣不從，逆於肉理，乃生癰腫。營逆則血鬱，血鬱則熱聚爲膿，故爲癰腫也。《正理論》云：熱之所過，則爲癰腫。魄汗未盡，形弱而氣爍，穴俞以閉，發爲風瘧。汗出未止，形弱氣消，風寒薄之，穴俞隨閉，熱藏不出以至於秋秋陽復收兩熱相合故令振慄寒熱相移以所起為風故名風瘧也金匱真言論曰夏暑汗不出者秋成風瘧蓋論從風而為是也故下文曰

故風者百病之始也清靜則肉腠閉拒雖有大風苛毒弗之能害此因時之序也夫嗜欲不能勞其目淫邪不能惑其心不妄作勞是為清靜以其清靜故能肉腠閉皮膚密真正內拒虛邪不侵然大風苛毒不必常求於人蓋由人之冒犯爾故清淨則肉腠閉陽氣拒大風苛毒弗能害之清靜者但因循四時氣序養生調節之宜不妄作勞起居有度則生氣不竭永保康寧

故病久則傳化上下不并良醫弗為并謂氣交通也然病之深久變化相傳上下不通陰陽否隔雖醫良法妙亦何以為之陰陽應象大論曰夫善用鍼者從陰引陽從陽引陰以右治左以左治右若是氣相格拒故良醫弗可為也

故陽畜積病死而陽氣當隔隔者當寫不亟正治粗乃敗之言三陽畜積怫結不通不急寫之亦病而死何者畜積不已亦上下不并矣何以驗之隔塞不便則其證也若不急寫粗工輕侮必見敗亡也陰陽別論曰三陽結謂之隔又曰剛與剛陽氣破散陰氣乃消亡淖則剛柔不和經氣乃絕

故陽氣者一日而主外晝則陽氣在外周身行二十五度靈樞經曰目開則氣上行於頭衛氣行於陽二十五度也

平旦人氣生，日中而陽氣隆，日西而陽氣已虛，氣門乃閉。隆猶高也，盛也。夫氣之有者，皆自少而之壯，積暖以成炎，炎極又涼，物之理也。故陽氣平曉生，日中盛，日西而已減虛也。氣門謂玄府也，所以發泄經脉營衛之氣，故謂之氣門也。是故暮而收拒，無擾筋骨，無見霧露，反此三時，形乃困薄。皆所以順陽氣也。陽出則出，陽藏則藏。暮陽氣衰，內行陰分，故宜收斂以拒虛邪。擾筋骨則逆陽精耗，見霧露則寒濕俱侵，故順此三時，乃天真久遠也。岐伯曰：新校正云：詳篇首云帝曰，此岐伯曰，非相對問也。陰者藏精而起亟也，陽者衛外而為固也。言在人之用也。亟，數也。陰不勝其陽，則脉流薄疾，并乃狂。薄疾謂極虛而急數也。并謂盛實也。狂謂狂走或妄攀登也。陽并於四支則狂。陽明脉解曰：四支者，諸陽之本也，陽盛則四支實，實則能登高而歌也。熱盛於身，故棄衣欲走也。夫如是者，皆為陰不勝其陽也。陽不勝其陰，則五藏氣爭，九竅不通。九竅者，內屬於藏，外設為官，故五藏氣爭則九竅不通也。言九竅，謂前陰後陰不通，兼言上七竅也。若兼則目為肝之官，鼻為肺之官，口為脾之官，耳為腎之官，舌為心之官，舌非通竅也。金匱真言論曰：南方赤色，入通於心，開竅於耳；北方黑色，入通於腎開竅於二陰故也。

是以聖人陳陰陽，筋脈和同，骨髓堅固，氣血皆從。從，順也。言循陰陽法，近養生道，則筋脈骨髓各得其宜，故氣血皆能順時和氣也。如是則內外調和，邪不能害，耳目聰明，氣立如故。邪氣不能爲害，故真氣獨立而如常。若失聖人之道，則致疾於身，故下文曰：

風客淫氣，精乃亡，邪傷肝也。自此已下四科，並謂失聖人之道也。風氣應肝，故風淫精亡則傷肝也。陰陽應象大論曰：風氣通於肝也。風薄則熱起，熱盛則水乾，水乾則腎氣不營，故精乃無也。亡，無也。新校正云：按全元起云：淫氣者，陰陽之亂氣，因其相亂而風客之，則傷精，傷精則邪入於肝也。

因而飽食，筋脈橫解，腸澼爲痔。甚飽則腸胃橫滿，腸胃滿則筋脈解而不屬，故腸澼而爲痔也。痺論曰：飲食自倍，腸胃乃傷。此傷之信也。

因而大飲，則氣逆。飲多則肺布葉舉，故氣逆而上奔也。

因而強力，腎氣乃傷，高骨乃壞。強力，謂強力入房也。高骨，謂腰高之骨也。然強力入房則精耗，精耗則腎傷，腎傷則髓氣內枯，故高骨壞而不用也。聖人交會則不如此，當如下句云。

凡陰陽之要，陽密乃固。陰陽交會之要者，正在於陽氣閉密而不妄泄爾。密不妄泄，乃生氣強固而能久長，此聖人之道也。

兩者不和，若

春無秋，若冬無夏。兩謂陰陽，和謂和合，則交會也。若，如也。言絕陰陽和合之道者，如天四時有春無秋，有冬無夏也。所以然者，絕廢於生成也。故聖人不絕和合之道，但貴於閉密以守固天眞法也。

因而和之，是謂聖度。因陽氣盛發，中外相應，賈勇有餘，乃相交合，則聖人交會之制度也。

故陽強不能密，陰氣乃絕。陽自強而不能閉密，則陰泄寫而精氣竭絕矣。

陰平陽祕，精神乃治。陰氣和平，陽氣閉密，則精神之用日益治也。

陰陽離決，精氣乃絕。若陰不和平，陽不閉密，強用施寫，損耗天眞，二氣分離，經絡決憊，則精氣不化，乃絕流通也。

因於露風，乃生寒熱。因於露體，觸冒風邪，風氣外侵，陽氣內拒，風陽相薄，故寒熱由生。

是以春傷於風，邪氣留連，乃爲洞泄。風氣通肝，春肝木王，木勝脾土，故洞泄生也。新校正云：按陰陽應象大論曰：春傷於風，夏生飧泄。

夏傷於暑，秋爲痎瘧。夏熱已甚，秋陽復收，陽熱相攻，則爲痎瘧。痎，老也，亦曰瘦也。

秋傷於濕，上逆而欬，濕謂地濕氣也。秋濕既勝，冬水復王，水來乘肺，故欬逆病生。新校正云：按陰陽應象大論云：秋傷於濕，冬生欬嗽。

發爲痿厥。濕熱內攻於藏府則欬逆，外散於筋脈則痿弱也。陰陽應象大論曰：地之濕氣，感則害皮肉筋脈。故濕氣之資，發爲痿厥。厥謂逆氣也。

冬傷於

内經二　十七　顧

寒春必溫病冬寒且凝，春陽氣發，寒不爲釋，陽怫于中，寒怫相持，故爲溫病。新校正云：按此與陰陽應象大論重，彼注甚詳。四時之氣，更傷五藏。寒暑溫凉，遞相勝負，故四時之氣更傷五藏之和也。陰之所生，本在五味；陰之五宮，傷在五味。所謂陰者，五神藏也。宮者，五神之舍也。言五藏所生，本資於五味，五味宣化，各湊於本宮，雖因五味以生，亦因五味以損，正爲好而過節，乃見傷也。故下文曰：是故味過於酸，肝氣以津，脾氣乃絕。酸多食之，令人癃，小便不利，則肝多津液，津液内溢，則肝葉舉，肝葉舉則脾經之氣絕而不行。何者？木制土也。味過於鹹，大骨氣勞，短肌，心氣抑。鹹多食之，令人肌膚縮短，又令心氣抑滯而不行。何者？鹹走血也。大骨氣勞，鹹歸腎也。味過於甘，心氣喘滿，色黑，腎氣不衡。甘多食之，令人心悶。甘性滯緩，故令氣喘滿而腎不平。何者？土抑木也。衡，平也。味過於苦，脾氣不濡，胃氣乃厚。苦性堅燥，又養脾胃，故脾氣不濡，胃氣強厚。味過於辛，筋脉沮弛，精神乃央。沮，潤也。弛，緩也。央，久也。辛性潤澤，散養於筋，故令筋緩脉潤，精神長久。何者？辛補肝也。藏氣法時論曰：肝欲散，急食辛以散之，用辛補之。新校正云：按此論味過所傷，難作精神長久之解史乃缺也古文通用如膏粱之作高梁草滋之作草兹之類蓋古文簡略字多假借用者也 是故謹和五味骨正筋柔氣血以流湊理以密如是則骨氣以精謹道如法長有天命 是所謂修養天眞之至道也

金匱眞言論篇第四 新校正云按全元起注本在第四卷

黃帝問曰天有八風經有五風何謂 經謂經脉所以流通營衛血氣者也 岐伯對曰八風發邪以爲經風觸五藏邪氣發病 原其所起則謂八風發邪經脉受之則循經而觸於五藏以邪干正故發病也 所謂得四時之勝者春勝長夏長夏勝冬冬勝夏夏勝秋秋勝春所謂四時之勝也 春木夏火長夏土秋金冬水皆以所剋殺而爲勝也言五時之相勝者不謂八風中人則病各謂隨其不勝則發病也勝謂制剋之也 東風生於春病在肝俞在頸項 春氣發榮於萬物之上故俞在頸項歷忌曰甲乙不治頸此之謂也 南風

○藏精者身之本也

生於夏，病在心，俞在胷脇。心少陰脉循胷出脇，故俞在焉。西風生於秋，病在肺，俞在肩背。肺處上焦，背為胷府，肩背相次，故俞在焉。北風生於冬，病在腎，俞在腰股。腰為腎府，股接次之，以氣相連，故兼言也。中央為土，病在脾，俞在脊。以脊應土，言居中爾。故春氣者病在頭，春氣謂肝氣也。各隨其藏氣之所應。新校正云：按周禮云：春時有痟首疾。夏氣者病在藏，心之應也。秋氣者病在肩背，肺之應也。冬氣者病在四支。四支氣少，寒毒善傷，隨所受邪，則為病處。故春善病鼽衄，以氣在頭也。禮記月令曰：季秋行夏令，則民多鼽嚏。仲夏善病胷脇，心之脉循胷脇故也。長夏善病洞泄寒中，土主於中，是為倉廩，糟粕水穀，故為洞泄寒中也。秋善病風瘧，以涼折暑，乃為是病。生氣通天論曰：魄汗未盡，形弱而氣爍，穴俞以閉，發為風瘧。此謂以涼折暑之義也。禮記月令曰：孟秋行夏令，則民多瘧疾也。冬善病痺厥，血象於水，寒則水凝，以氣薄流，故為痺厥。故冬不按蹻，春不鼽衄，按謂按摩，蹻謂如蹻捷者之舉動手足，是所謂導引也。然擾動筋骨，則陽氣不藏，春陽氣上升，重熱熏肺，肺通於鼻，病則形之，故冬不按蹻，春不鼽衄。鼽謂鼻中水出衄謂鼻中血出。春不病頸項，仲夏不病胷脇，長夏不病洞泄寒中，秋不病風瘧，冬不病痺厥飧泄而汗出也。此上五句並爲冬不按蹻之所致也。新校正云：詳飧泄而汗出也六字，上文疑剩。夫精者身之本也，故藏於精者春不病温。此正謂冬不按蹻則精氣伏藏，以陽不妄升，故春无温病。夏暑汗不出者，秋成風瘧。此正謂以風凉之氣折暑汗也。新校正云：詳此下義與上文不相接。此平人脉法也。謂平病人之脉法也。故曰：陰中有陰，陽中有陽。言其初起與其王也。平旦至日中，天之陽，陽中之陽也；日中至黄昏，天之陽，陽中之陰也。日中陽盛，故曰陽中之陽；黄昏陰盛，故曰陽中之陰。陽氣主晝，故平旦至黄昏皆爲天之陽，而中復有陰陽之殊耳。合夜至雞鳴，天之陰，陰中之陰也；雞鳴至平旦，天之陰，陰中之陽也。雞鳴陽氣未出，故曰天之陰；平旦陽氣已升，故曰陰中之陽。故人亦應之。夫言人之陰陽，則外爲陽，內爲陰。言人身之陰陽，則背爲陽，腹爲陰。言人身之藏府中陰陽，則藏者爲陰，府者爲陽。藏謂五神藏，府謂六化府。肝心脾肺腎五藏皆爲陰，膽胃大腸小腸膀胱三焦六府皆爲陽。靈樞經曰：三焦者，上合於手心主。又曰：足三焦者，太陽之別名也。正理論曰：三焦者，有名无形，上合於手心主，下合右腎，主謁道諸氣，名爲使者也。所以欲知陰中之陰、陽中之陽者何也？爲冬病在陰，夏病在陽，春病在陰，秋病在陽，皆視其所在，爲施鍼石也。故背爲陽，陽中之陽，心也；心爲陽藏，位處上焦，以陽居陽，故爲陽中之陽也。靈樞經曰：心爲牡藏，牡，陽也。背爲陽，陽中之陰，肺也；肺爲陰藏，位處上焦，以陰居陽，故謂陽中之陰也。靈樞經曰：肺爲牝藏，牝，陰也。腹爲陰，陰中之陰，腎也；腎爲陰藏，位處下焦，以陰居陰，故謂陰中之陰也。靈樞經曰：腎爲牝藏，牝，陰也。腹爲陰，陰中之陽，肝也；肝爲陽藏，位處中焦，以陽居陰，故謂陰中之陽也。靈樞經曰肝爲牡藏牡陽也腹爲陰陰中之至陰脾也脾爲陰藏位處中焦以太陰居陰故謂陰中之至陰也靈樞經曰脾爲牝藏牝陰也此皆陰陽表裏內外雌雄相輸應也故以應天之陰陽也以其氣象參合故能上應於天帝曰五藏應四時各有收受乎岐伯曰有東方青色入通於肝開竅於目藏精於肝精謂精氣也木精之氣其神魂陽升之方以目爲用故開竅於目其病發驚駭象木屈伸有搖動也新校正云詳東方云病發驚駭餘方各闕者按五常政大論委和之紀其發驚駭疑此文爲衍其味酸其類草木性柔脆而曲直其畜雞以雞爲畜取巽言之易曰巽爲雞其穀麥五穀之長者麥故東方用之本草曰麥爲五穀之長新校正云按五常政大論云其畜犬其穀麻其應四時上爲歲星木之精氣上爲歲星十二年一周天是以春氣在頭也萬物發榮於上故春氣在頭新校正云詳東方言春氣在頭不言故病在頭餘方言故病在其不言某氣在某者互文也其音角角木聲也孟春之月律中太簇林鍾所生三分益一管率長八寸仲春之月律中夾鍾夷則所生三分益一管率長七寸五分新校正云按

鄭康成云七寸二千一百八十七分寸之千七十五　季春之月律中姑洗南呂所生三分益一管率長七寸又二十分寸之一　新校正云按鄭康成云九分寸之一　凡是三管皆木氣應之其數八木生數三成數八尚書洪範曰三曰木是以知病之在筋也木之堅柔類筋氣故其臭臊凡氣因木變則爲臊　新校正云詳臊月令作羶南方赤色入通於心開竅於耳藏精於心火精之氣其神神舌爲心之官當言於舌舌用非竅故云耳繆刺論曰手少陰之絡會於耳中義取此也故病在五藏以夏氣在藏也其味苦其類火性炎上而燔灼其畜羊以羊爲畜言其未也以土同王故通而言之　新校正云按五常政大論云其畜馬其穀黍黍色赤其應四時上爲熒惑星火之精氣上爲熒惑星七百四十日一周天是以知病之在脈也火之躁動類於脈氣其音徵徵火聲也孟夏之月律中仲呂无射所生三分益一管率長六十七分　新校正云按鄭康成云六寸萬九千六百八十三分寸之萬二千九百七十四　仲夏之月律中蕤賓應鍾所生三分益一管率長六寸三分　新校正云按鄭康成云六寸八十一分寸之二十六　季夏之月律中林鍾黃鍾所生三分減一管率長六寸凡是三管皆火氣應之其數七火生數二成數七尚書洪範曰二曰火其

臭焦。凡氣因火變則為焦。中央黃色，入通於脾，開竅於口，藏精於脾，土精之氣，其神意。脾為化穀，口主迎糧，故開竅於口。故病在舌本，脾脈上連於舌本，故病氣居之。其味甘，其類土，性安靜而化造。其畜牛，土王四季，故畜取丑牛，又以牛色黃也。其穀稷，色黃而味甘也。其應四時，上為鎮星。土之精氣上為鎮星，二十八年一周天。是以知病之在肉也，土之柔厚，類肉氣故。其音宮，宮，土聲也。律書以黃鍾為濁宮，林鍾為清宮，蓋以林鍾當六月管也。五音以宮為上，律呂初起於黃鍾，為濁宮，林鍾為清宮也。其數五，土數五。尚書洪範曰：五曰土。其臭香。凡氣因土變則為香。

西方白色，入通於肺，開竅於鼻，藏精於肺，金精之氣，其神魄。肺藏氣，鼻通息，故開竅於鼻。故病在背。以肺在胸中，背為胸中之府也。其味辛，其類金，性音聲而堅勁。其畜馬，畜馬者，取乾也。易曰：乾為馬。新校正云：按五常政大論云其畜雞。其穀稻，稻堅白。其應四時，上為太白星，金之精氣上為太白星，三百六十五日一周天。是以知病之在皮毛也。金之堅密，類皮毛也。其音商，商，金聲也。孟秋之月，律中夷則，大呂所生，三分減一，管率長五寸七分仲

岐伯曰

秋之月律中南呂太蔟所生三分減一管率長五寸三分季秋之月律中無射夾鍾所生三分減一管率長五十凡是三管皆金氣應之 其數九 金生數四成數九尚書洪範曰四曰金 其臭腥 凡氣因金變則為腥膻之氣也 北方黑色入通於腎開竅於二陰藏精於腎 水精之氣其神志腎藏精陰泄注故開竅於二陰也 故病在谿 谿謂肉之小會也氣穴論曰肉之大會為谷肉之小會為谿 其味鹹其類水 性潤下而滲灌 其畜彘 彘豕也 其穀豆 豆黑色 其應四時上為辰星 水之精氣上為辰星三百六十五日一周天 是以知病之在骨也 腎主幽暗骨體內藏以類相同故病居骨也 其音羽 羽水聲也孟冬之月律中應鍾沽洗所生三分減一管率長四寸七分半仲冬之月律中黃鍾仲呂所生三分益一管率長九寸季冬之月律中太呂甤賓所生三分益一管率長八寸四分凡是三管皆水氣應之 其數六 水生數一成數六尚書洪範曰一曰水 其臭腐 凡氣因水變則為腐朽之氣也 故善為脈者謹察五藏六府一逆一從陰陽表裏雌雄之紀藏之心意合心於精 心合精微則深知通變 非其人勿教非其真

作玄

古鈔本釋音在每句注文末

疾

任如林切

勿授是謂得道隨其所能而與之，是謂得師資教授之道也。靈樞經曰：明目者可使視色，耳聰者可使聽音，捷疾辭語者可使論語，徐而安靜手巧而心審諦者可使行針艾，理血氣而調諸逆順，察陰陽而兼諸方論，緩節柔筋而心和調者可使導引行氣，痛毒言語輕人者可使唾癰呪病，爪苦手毒為事善傷者可使按積抑痺。由是則各得其能，方乃可行，其名乃彰。故曰非其人勿教，非其真勿授也。

重廣補註黃帝內經素問卷第一

序 迺其上音乃

蕆勑輦切 糅女救切雜也 瀅音瀅 上古天真論 徇徐閏切病也 痺必至切 更齒上古行切

下齒更同 恬憺上啼廉切下音淡 頞於葛切 俠口胡夾切下同 額顱落胡切 滲灌上所禁切 解

憜上上聲 壽敝毗祭切 眉睫音接 恚嗔上於桂切 愉音俞 四氣調神大論

予而上音與 獺他達切 鴽音如鶉也 蕃秀上音煩 螻蟈上音樓下古獲切蛙也 蚯蚓上音

丘下以忍切 鵙古闃切勞鳥也 摶 蜩音條 溽暑上音辱 痎音皆瘦瘧也 欲熾尺志切 坏戶

飧音孫
空音孔 穀苦角切
莞胡官切 處下音
痿於内切

踣步回切 始 凅胡各切 豺音柴 敺奪上去吏切 鶡苦割切 荔挺上力計切下大項切 薌音向
雊古豆切雉鳴 爲否符鄙切下不交否同 燠熱上於六切 生氣通天論 分上聲 暴
卒倉没切 荒佚音逸 躁則到切 喝呼葛切 瘀依倨切 褰攘汝陽切 緛音歉
緒也 潰潰古没切煩悶不止也 眥在計切又前計切 奔并 併下去聲 偏沮子魚切潤也 痤昨禾切
切 痱方味切 怫符弗切 皻織加切 稸許竹切 瘛尺制切 焫而劣切 大僂
力主切 瘻力鬭切癰瘻 瘍音陽下並同 俞音庶 否隔符鄙切塞也 粗千胡切 淖奴教切
切下並同 腸澼普擊切 决儽蒲拜切 癃音隆 金匱眞言論 鼽音求 按
蹻音腳 燔灼上音煩 彘直利切

重廣補注黄帝内經素問卷第二

啓玄子次注林億孫奇高保衡等奉敕校正孫兆重改誤

陰陽應象大論　陰陽離合論

陰陽别論

陰陽應象大論篇第五 新校正云按全元起本在第九卷

黄帝曰陰陽者天地之道也 謂變化生成之道也老子曰萬物負陰而抱陽沖氣以爲和易繫辭曰一陰一陽之謂道此之謂也 萬物之綱紀 滋生之用也陽與之正氣以生陰爲之主持以立故爲萬物之綱紀也陰陽離合論曰陽與之正陰爲之主則謂此也 變化之父母 異類之用也何者然鷹化爲鳩田鼠化爲鴽腐草化爲螢雀入大水爲蛤雉入大水爲蜃如此皆異類因變化而成有也 生殺之本始 寒暑之用也萬物假陽氣溫而生因陰氣寒而死故知生殺本始是陰陽之所運爲也 神明之府也 府宮府也言所以生殺變化之多端者何哉以神明居其中也下文曰天地之動靜神明爲之綱紀故易繫辭曰陰

見六陰陽大論

陽不測之謂神亦謂居其中也新校正云詳陰陽至神明之府與天元紀大論同注頗異治病必求於本陰陽與萬類生殺變化猶然在於人身同相參合故治病之道必先求之故積陽爲天積陰爲地言陰陽爲天地之道者何以此陰靜陽躁言應物類運用之標格也陽生陰長陽殺陰藏明前天地殺生之殊用也神農曰天以陽生陰長地以陽殺陰藏新校正云詳陰長陽殺之義或者疑之按周易八卦布四方之義則可見矣坤者陰也位西南隅時在六月七月之交萬物之所盛長也安謂陰無長之理乾者陽也位戌亥之分時在九月十月之交萬物之所收殺也孰謂陽無殺之理以是明之陰長陽殺之理可見矣此語又見天元紀大論其說自異陽化氣陰成形明前萬物滋生之綱紀也寒極生熱熱極生寒明前之大體也寒氣生濁熱氣生清言正氣也清氣在下則生飧泄濁氣在上則生䐜脹熱氣在下則穀不化故飧泄寒氣在上則氣不散故䐜脹何者以陰靜而陽躁也此陰陽反作病之逆從也反謂反覆作謂作務反覆作務則病如是故清陽爲天濁陰爲地地氣上爲雲天氣下爲雨雨出地氣雲出天

又論治一

氣。陰凝上結則合以成雲陽散下流則注而爲雨雨從雲以施化故言雨出地雲憑氣以交合故言雲出天天地之理且然人身清濁亦如是也。故清陽出上竅濁陰出下竅氣本乎天者親上氣本乎地者親下各從其類也上竅謂耳目鼻口下竅謂前陰後陰。清陽發腠理濁陰走五藏腠理謂滲泄之門故清陽可以散發五藏爲包藏之所故濁陰可以走之。清陽實四支濁陰歸六府。四支外動故清陽實之六府内化故濁陰歸之。水爲陰。火爲陽。水寒而靜故爲陰火熱而躁故爲陽。陽爲氣陰爲味。氣惟散布故陽爲之味曰從形故陰爲之。味歸形形歸氣氣歸精精歸化。形食味故味歸形氣養形故形歸氣精食氣故氣歸精化生精故精歸化。故下文曰精食氣形食味。氣化則精生味和則形長故云食之也。化生精。氣生形。精微之液惟血化而成形質之有資氣行營立故斯二者各奉生乎。味傷形氣傷精過其節也。精化爲氣。氣傷於味。精承化養則食氣精若化生則不食氣精血内結鬱爲癥瘕攻胃則五味倨然不得入也女人重身精化百日皆傷於味也。陰味出下竅陽氣出上竅。味有質故下流於便瀉之竅氣無形故上出於呼吸之門。味厚者為陰。薄為陰之陽。氣厚者為陽。薄為陽之陰。陽為氣，氣厚者為純陽，陰為味，味厚者為純陰，故味薄者為陰中之陽，氣薄者為陽中之陰。味厚則泄，薄則通。氣薄則發泄，厚則發熱。陰氣潤下，故味厚則泄利；陽氣炎上，故氣厚則發熱。味薄為陰少，故通泄；氣薄為陽少，故汗出。發泄，謂汗出也。壯火之氣衰，少火之氣壯。火之壯者，壯已必衰；火之少者，少已則壯。壯火食氣，氣食少火，壯火散氣，少火生氣。氣生壯火，故云壯火食氣；少火滋氣，故云氣食少火。以壯火食氣，故氣得壯火則耗散；以少火益氣，故氣得少火則生長。人之陽氣，壯少亦然。氣味辛甘發散為陽，酸苦涌泄為陰。非惟氣味分正陰陽，然辛甘酸苦之中，復有陰陽之殊氣爾。何者？辛散甘緩，故發散為陽；酸收苦泄，故涌泄為陰。陰勝則陽病，陽勝則陰病。勝則不病，不勝則病。陽勝則熱，陰勝則寒。是則太過而致也。新校正云：按甲乙經作陰病則熱，陽病則寒，文異意同。重寒則熱，重熱則寒。物極則反，亦猶壯火之氣衰，少火之氣壯也。寒傷形，熱傷氣。寒則衛氣不利，故傷形；熱則榮氣內消，故傷氣。雖陰成形，陽化氣，一過其節，則形氣被傷。

傷腫故先痛而以下至篇末宜制手引之大素卷三首篇引但其篇名缺失其篇全皆此文耳

千金卷十七

氣傷痛，形傷腫。氣傷則熱結於肉分，故痛；形傷則寒薄於皮腠，故腫。故先痛而後腫者，氣傷形也；先腫而後痛者，形傷氣也。先氣證而病形，故曰氣傷形；先形證而病氣，故曰形傷氣。風勝則動，風勝則庶物皆搖，故為動。新校正云：按左傳曰風淫末疾，即此義也。熱勝則腫，熱勝則陽氣內鬱，故洪腫暴作，甚則榮氣逆於肉理，聚為癰膿之腫。燥勝則乾，燥勝則津液竭涸，故皮膚乾燥。寒勝則浮，寒勝則陰氣結於玄府，玄府閉密，陽氣內攻，故為浮。濕勝則濡寫，濕勝則內攻於脾胃，脾胃受濕則水穀不分，水穀相和，故大腸傳道而注寫也。以濕內盛而寫，故謂之濡寫。新校正云：按左傳曰雨淫腹疾，則其義也。風勝則動至此五句，與天元紀大論文重，彼注頗詳矣。

天有四時五行，以生長收藏，以生寒暑燥濕風。春生夏長，秋收冬藏，謂四時之生長收藏。冬水寒，夏火暑，秋金燥，春木風，長夏土濕，謂五行之寒暑濕燥風也。然四時之氣，土雖寄王，原其所主，則濕屬中央，故云五行以生寒暑燥濕風五氣也。人有五藏化五氣，以生喜怒悲憂恐。五藏謂肝心脾肺腎，五氣謂喜怒悲憂恐，然是五氣更傷五藏之和氣矣。新校正云：按天元紀大論悲作思，又本篇下文肝在志為怒，心在志為喜，脾在志為思，肺在志為憂，腎在志為恐，玉機真藏論作悲諸論不同皇甫士安甲乙經精神五藏篇具有其說蓋言悲者以悲能勝怒取五志迭相勝而爲言也舉思者以思爲脾之志也各舉一則義俱不足兩見之則互相成義也

故喜怒傷氣寒暑傷形

喜怒之所生皆生於氣故云喜怒傷氣寒暑之所勝皆勝於形故云寒暑傷形近取譬凡則如斯矣細而言者則熱傷於氣寒傷於形

暴怒傷陰暴喜傷陽

怒則氣上喜則氣下故暴卒氣上則傷陰暴卒氣下則傷陽

厥氣上行滿脉去形

厥氣逆也逆氣上行滿於經絡則神氣浮越去離形骸矣

喜怒不節寒暑過度生乃不固

靈樞經曰智者之養生也必順四時而適寒暑和喜怒而安居處然喜怒不恒寒暑過度天真之氣何可久長

故重陰必陽重陽必陰

言傷寒傷暑亦如是

故曰冬傷於寒春必溫病

夫傷於四時之氣皆能爲病以傷寒爲毒者最爲殺厲之氣中而即病故曰傷寒不即病者寒毒藏於肌膚至春變爲溫病至夏變爲暑病故養生者必慎傷於邪也

春傷於風夏生飧泄

風中於表則內應於肝肝氣乘脾故飧泄　新校正云按生氣通天論云春傷於風邪氣留連乃爲洞泄

夏傷於暑秋必痎瘧

夏暑已甚秋熱復收兩熱相攻故爲痎瘧痎瘦也

秋傷於濕冬生欬嗽

秋濕既多冬水復王水濕相得肺氣又衰故冬寒甚則爲嗽　新校正

按生氣通天論云：秋傷於濕，上逆而欬，發爲痿厥。帝曰：余聞上古聖人論理人形，列別藏府，端絡經脈，會通六合，各從其經，氣穴所發，各有處名，谿谷屬骨，皆有所起，分部逆從，各有條理，四時陰陽，盡有經紀，外内之應，皆有表裏，其信然乎。六合謂十二經脈之合也。靈樞經曰：太陰陽明爲一合，少陰太陽爲一合，厥陰少陽爲一合，手足之脈各三，則爲六合也。手厥陰則心包胳脈也。氣穴論曰：肉之大會爲谷，肉之小會爲谿，肉分之間，谿谷之會，以行榮衛，以會大氣。屬骨者，爲骨相連屬處。表裏者，諸陽經脈皆爲表，諸陰經脈皆爲裏。新校正云：詳帝曰至信其然乎，全元起本及太素在上古聖人之教也上。岐伯對曰：東方生風，陽氣上騰，散爲風也。風者天之號令，風爲教始，故生自東方。風生木，風鼓木榮，則風生木也。木生酸，凡物之味酸者，皆木氣之所生也。尚書洪範曰：曲直作酸。酸生肝，生謂生長也。凡味之酸者，皆先生長於肝。肝生筋，肝之精氣，生養筋也。筋生心，陰陽書曰：木生火。然肝之木氣内養筋已，乃生心也。肝主目，目見日明，類齊同也。其在天爲玄，玄謂玄冥，言天色高遠，尚未盛明也。在人爲

甲乙精神五藏論木金土肝欬脈論

道。道謂道化，以道而化，人則歸從。在地爲化。化謂造化也。庶類時育，皆造化者也。化生五味。萬物生，五味具，皆變化爲毋而使生成也。道生智。智從正化而有，故曰道生智。玄生神。玄冥之內，神處其中，故曰玄生神。神在天爲風。飛揚鼓坼，風之用也。然發而周遠，无所不通，信乎神化而能爾。在地爲木。柔軟曲直，木之性也。新校正云：詳其在天至爲木與天元紀大論同，注頗異。在體爲筋。束絡連綴而爲力也。在藏爲肝。其神魂也。道經義曰：魂居肝，魂靜則至道不亂。在色爲蒼。蒼謂薄青色，象木色也。在音爲角。角謂木音，調而直也。樂記曰：角亂則憂，其民怨。在聲爲呼。呼謂叫呼，亦謂之嘯。在變動爲握。握所以牽就也。新校正云：按楊上善云：握憂噦欬慄，五者改志而有名曰變動也。在竅爲目。目所以司見形色。在味爲酸。酸可用收斂也。在志爲怒。怒所以禁非也。怒傷肝。雖志爲怒，甚則自傷。悲勝怒。悲則肺金并於肝木，故勝怒也。宣明五藏篇曰：精氣并於肺則悲。新校正云：詳五志云怒喜思憂恐，悲當云憂，今變憂爲悲者，蓋以恚憂而不解則傷意，悲哀而動中則傷魂，故不云憂也。風傷筋。風勝則筋絡拘急。新校正云：按五運行大論曰：風傷肝。燥勝風。燥爲金氣，故勝木風。酸傷筋。過節也。辛勝酸。辛金味，故勝木酸。南方

甲乙一卷上 千金十三心藏

生熱。陽氣炎燥，故生熱。熱生火。鑽燧改火，惟熱是生。火生苦。凡物之味苦者，皆火氣之所生也。尚書洪範曰：炎上作苦。苦生心。凡味之苦者，皆先生長於心。心生血。心之精氣，生養血也。血生脾。陰陽書曰：火生土。然心火之氣，內養血已，乃生脾土。新校正云：按太素血作脈。心主舌。心別是非，舌以言事，故主舌。其在天為熱。暄暑熾燠，熱之用也。在地為火。炎上翕赩，火之性也。在體為脈。通行榮衛而養血也。在藏為心。其神心也。道經義曰：神處心，神守則血氣流通。在色為赤。象火色。在音為徵。徵謂火音，和而美也。樂記曰：徵亂則哀，其事勤。在聲為笑。笑，喜聲也。在變動為憂。憂可以成務。新校正云：按楊上善云：心之憂在心變動，肺之憂在肺之志，是則肺主於秋，憂為正也；心主於夏，變而生憂也。在竅為舌。舌所以司辨五味也。金匱真言論曰：南方赤色，入通於心，開竅於耳。尋其為竅，則舌義便乖，以其主味，故云舌也。在味為苦。苦可用燥泄也。在志為喜。喜所以和樂也。喜傷心。雖志為喜，甚則自傷。恐勝喜。恐則腎水并於心火，故勝喜也。宣明五藏篇曰：精氣并於腎則恐。熱傷氣。熱勝則喘息促急。寒勝熱。寒為水氣，故勝火熱。苦傷氣。以火生也。新校正云：詳此篇論所傷之旨，其例有三：東方云風傷筋、酸傷筋，中央云濕傷肉、甘傷肉，是自傷者也；南方

內經二　五

主 思乙百 黍土去上脾

云熱傷氣甚傷氣此方云寒傷血鹹傷血是傷已所勝西方云熱傷皮毛是被勝傷已辛傷皮毛是自傷者也凡此五方所傷有此三例不同太素則俱云自傷。鹹勝苦。鹹水味故勝火苦。中央生濕。陽氣盛薄陰氣固外外薄相合故生濕也易義曰陽上薄陰陰能固之然後蒸而爲雨明濕生於固陰之氣也。新校正云按楊上善云六月四陽二陰合蒸以生濕氣也。濕生土。土濕則固明濕生也。新校正云按楊上善云四陽二陰合而爲濕蒸腐萬物成土也。土生甘。凡物之味甘者皆土氣之所生也尚書洪範曰稼穡作甘。甘生脾。凡味之甘者皆先生長於脾。脾生肉。脾之精氣生養肉也。肉生肺。陰陽書曰土生金然脾土之氣內養肉已乃生肺金。脾主口。脾受水穀口納五味故主口。其在天爲濕。霧露雲雨濕之用也。在地爲土。安靜稼穡土之德也。在體爲肉。覆裹筋骨充其形也。在藏爲脾。其神意也道經義曰意託脾意寧則智无散越。在色爲黃。象土色也。在音爲宮。宮謂土音大而和也樂記曰宮亂則荒其君驕。在聲爲歌。歌嘆聲也。在變動爲噦。噦謂噦噫胃寒所生。新校正云詳王謂噦爲噦噫噫非噦也按楊上善云噦氣忤也。在竅爲口。口所以司納水穀。在味爲甘。甘可用寬緩也。在志爲思。思所以知遠也。思傷脾。雖志爲思甚則自傷。怒勝思。怒則不周勝可知矣。濕傷肉。脾主肉而惡濕，故濕勝則肉傷。風勝濕。風爲木氣，故勝土濕。甘傷肉。亦過節也。新校正云：按五運行大論云：甘傷脾。酸勝甘。酸木味，故勝土甘。西方生燥。天氣急切，故生燥。燥生金。金燥有聲，則生金也。金生辛。凡物之味辛者，皆金氣之所生也。尚書洪範曰：從革作辛。辛生肺。凡味之辛者，皆先生長於肺。肺生皮毛。肺之精氣，生養皮毛。皮毛生腎。陰陽書曰：金生水。然肺金之氣，養皮毛已，乃生腎水。肺主鼻。肺藏氣，鼻通息，故主鼻。其在天爲燥。輕急勁強，燥之用也。在地爲金。堅勁從革，金之性也。在體爲皮毛。包藏膚腠，扞其邪也。在藏爲肺。其神魄也。道經義曰：魄在肺，魄安則德修壽延。在色爲白。象金色。在音爲商。商謂金聲，輕而勁也。樂記曰：商亂則陂，其官壞。在聲爲哭。哭，哀聲也。在變動爲欬。欬謂欬嗽，所以利咽喉也。在竅爲鼻。鼻所以司臭呼吸。在味爲辛。辛可用散潤也。在志爲憂。憂，深慮也。憂傷肺。雖志爲憂，過則損也。喜勝憂。喜則心火并於肺金，故勝憂也。宣明五氣篇曰：精氣并於心則喜。熱傷皮毛。熱從火生，耗津液故。寒勝熱。陰制陽也。新校正云：按太素作燥傷皮毛，熱勝燥。又按王注五運行大論云：火有二別，故此

甲乙同 千金九胃

再舉熱傷之形證辛傷皮毛過而招損苦勝辛苦火味故勝金辛北方生寒陰氣凝冽故生寒也

寒生水寒氣盛凝變爲水水生鹹凡物之味鹹者皆水氣之所生也尚書洪範曰潤下作鹹鹹生腎凡味之鹹者皆生長於腎腎生骨髓腎之精氣生養骨髓髓生肝陰陽書曰水生木然腎水之氣養骨髓已乃生肝木腎主耳腎屬北方位居幽暗聲入故主耳其在天爲寒凝清慘冽寒之用也在地爲水清潔潤下水之用也在體爲骨端直貞幹以立身也在藏爲腎其神志也道經義曰志藏腎志營則骨髓滿實在色爲黑象水色在音爲羽羽謂水音沈而深也樂記曰羽亂則危其財匱在聲爲呻呻吟聲也在變動爲慄慄謂戰慄甚寒大恐而悉有之在竅爲耳耳所以司聽五音　新校正云按金匱眞言論云開竅於二陰蓋以心寄竅於耳故與此不同在味爲鹹鹹可用以耎堅也在志爲恐恐所以懼惡也恐傷腎恐而不已則內感於腎故傷也靈樞經曰恐懼而不解則傷精明感腎也思勝恐思深慮遠則見事源故勝恐也寒傷血寒則血凝傷可知也　新校正云按太素血作骨燥勝寒燥從熱生故勝寒也　新校正云按太素燥作濕鹹傷血食鹹而渴傷血可知　新校正云按太素血作骨甘勝鹹甘土鹹味故

勝水鹹。新校正云：詳自前歧伯對曰至此與五運行論同，兩注頗異，當並用之。故曰：天地者萬物之上下也。觀其覆載而萬物之上下可見矣。陰陽者血氣之男女也。陰主血，陽主氣，陰生女，陽生男。左右者陰陽之道路也。陰陽間氣左右循環，故左右為陰陽之道路也。新校正云：詳間氣之說具六微旨大論中。楊上善云：陰氣右行，陽氣左行。水火者陰陽之徵兆也。觀水火之氣，則陰陽徵兆可明矣。陰陽者萬物之能始也。謂能為變化之生成之元始。新校正云：詳天地者至萬物之能始，與天元紀大論同，注頗異。彼无陰陽者血氣之男女一句，又以金木者生成之終始代陰陽者萬物之能始。故曰：陰在內，陽之守也；陽在外，陰之使也。陰靜故為陽之鎮守，陽動故為陰之役使。帝曰：法陰陽奈何？岐伯曰：陽勝則身熱，腠理閉，喘麤為之俛仰，汗不出而熱，齒乾以煩冤，腹滿死，能冬不能夏。陽勝故能冬，熱甚故不能夏。陰勝則身寒汗出，身常清，數慄而寒，寒則厥，厥則腹滿死，厥謂氣逆。能夏不能冬。陰勝故能夏寒甚故不能冬。此陰陽更勝之變病之形能也。帝曰調此二者柰何。調謂順天癸性而治身之血氣精氣也。岐伯曰能知七損八益則二者可調。不知用此則早衰之節也。用謂房色也女子以七七為天癸之終丈夫以八八為天癸之極然知八可益知七可損則各隨氣分脩養天真終其天年以度百歲上古天真論曰女子二七天癸至月事以時下丈夫二八天癸至精氣溢寫然陰七可損則海滿而血自下陽八宜益交會而泄精由此則七損八益理可知矣。年四十而陰氣自半也。起居衰矣。內耗故陰減中乾故氣力始衰靈樞經曰人年四十腠理始踈榮華稍落髮斑白由此之節言之亦起居衰之次也。年五十體重耳目不聰明矣。衰之漸也。年六十陰痿氣大衰九竅不利下虛上實涕泣俱出矣。衰之甚矣。故曰知之則強不知則老。知謂知七損八益全形保性之道也。故同出而名異耳。同謂同於好欲異謂異其老壯之名。智者察同愚者察異。智者察同欲之間而能性道愚者見形容別異方乃効之自性則道益有餘放効則治生不足故下文曰愚者不足智者有餘先行故有餘後學故不足有餘則耳目聰明身體輕強老者復壯壯者益治夫保性全形蓋由知道之所致也故曰道者不可斯須離可離非道此之謂也是以聖人爲無爲之事樂恬憺之能從欲快志於虛无之守故壽命无窮與天地終此聖人之治身也聖人不爲无益以害有益不爲害性而順性故壽命長遠與天地終庚桑楚曰聖人之於聲色滋味也利於性則取之害於性則損之此全性之道也書曰不作无益害有益也

天不足西北故西北方陰也而人右耳目不如左明也在上故法天地不滿東南故東南方陽也而人左手足不如右強也在下故法地帝曰何以然岐伯曰東方陽也陽者其精并於上并於上則上明而下虛故使耳目聰明而手足不便也西方陰也陰者其精并於下并於下則

下盛而上虛故其耳目不聰明而手足便也故俱感於邪其在上則右甚在下則左甚此天地陰陽所不能全也故邪居之夫陰陽之應天地猶水之在器也器圓則水圓器曲則水曲人之血氣亦如是故隨不足則邪氣留居之故天有精地有形天有八紀地有五里陽爲天降精氣以施化陰爲地布和氣以成形五行爲生育之井里八風爲變化之綱紀八紀謂八節之紀五里謂五行化育之里故能爲萬物之父母陽天化氣陰地成形五里運行八風鼓拆收藏生長死替時宜夫如是故能爲萬物變化之父母也清陽上天濁陰歸地所以能爲萬物之父母者何以有是之升降也是故天地之動靜神明爲之綱紀清陽上天濁陰歸地然其動靜誰所主司蓋由神明之綱紀爾上文曰神明之府此之謂也故能以生長收藏終而復始神明之運爲乃能如是惟賢人上配天以養頭下象地以養足中傍人事以養五藏頭圓故配天足方故象地人事更易五藏遞遷故從而養也天氣通於

內經二　八　林宗

千金、谷作穀

肺。居高故。地氣通於嗌。次下故。風氣通於肝。風生木故。雷氣通於心。雷象火之有聲故。谷氣通於脾。谷空虛，脾受納故。雨氣通於腎。腎主水故。新校正云：按千金方云：風氣應於肝，雷氣動於心，穀氣感於脾，雨氣潤於腎。六經爲川，流注不息故。腸胃爲海，以皆受納也。靈樞經曰：腸胃爲水穀之海。九竅爲水注之氣。清明者象水之內明，流注者象水之流注。以天地爲之陰陽，以人事配象，則近指天地以爲陰陽。陽之汗以天地之雨名之；夫人汗泄於皮腠者，是陽氣之發泄爾。然其取類於天地之間，則雲騰雨降而相似也。故曰陽之汗以天地之雨名之。陽之氣以天地之疾風名之。陽氣散發，疾風飛揚，故以應之。舊經無名之二字，尋前類例故加之。暴氣象雷，暴氣鼓擊，鳴轉有聲故。逆氣象陽。逆氣陵上，陽氣亦然。故治不法天之紀，不用地之理，則災害至矣。背天之紀，違地之理，則六經反作，五氣更傷，真氣既傷，則災害之至可知矣。新校正云：按上文天有八紀，地有五里，此文注中理字當作里。故邪風之至，疾如風雨，至，謂至於身形。故善治者治皮毛，止於萌也。其次治

千金方十三

論治

肌膚。（救其已生）其次治筋脈。（攻其已病）其次治六府。（治其已甚）其次治五藏。治五藏者半死半生也。（治其已成。神農曰：病勢已成，可得半愈。然初成者獲愈，固久者伐形，故治五藏者半生半死也。）故天之邪氣感則害人五藏。（四時之氣，八正之風，皆天邪也。金匱真言論曰：八風發邪，以為經風，觸五藏，邪氣發病。故天之邪氣感則害人五藏。）水穀之寒熱感則害於六府。（熱傷胃及膀胱，寒傷腸及膽氣。）地之濕氣感則害皮肉筋脈。（濕氣勝則榮衛之氣不行，故感則害於皮肉筋脈。）故善用鍼者，從陰引陽，從陽引陰，以右治左，以左治右，以我知彼，以表知裏，以觀過與不及之理，見微得過，用之不殆。（深明故也。）善診者，察色按脈，先別陰陽。（別於陽者，則知病處；別於陰者，則知死生之期。）審清濁而知部分。（謂察色之青赤黃白黑也。部分，謂藏府之位可占候處。）視喘息，聽音聲，而知所苦。（謂聽聲之宮商角徵羽也。視喘息，謂候呼吸之長短也。）觀權衡規矩而知病所主。

千金十一第一卷

千金廿六序論

權謂秤權衡謂星衡規謂圓形矩謂方象然權也者所以察中外衡也者所以定高卑規也者所以表柔虛矩也者所以明強盛脈要精微論曰以春應中規言陽氣柔軟以夏應中矩言陽氣盛強以秋應中衡言陰升陽降氣有高下以冬應中權言陽氣居下也故善診之用必備見焉所主者謂應四時之氣所主生病之在高下中外也

按尺寸觀浮沉滑濇而知病所生以治浮沉滑濇皆脈象也浮脈者浮於手下也沉脈者按之乃得也滑脈者往來易濇脈者往來難故審尺寸觀浮沉而知病之所生以治之也　新校正云按甲乙經作知病所在以治則无過下无過二字續此爲句

無過以診則不失矣有過无過皆以診知則所主治无誤失也

故曰病之始起也可刺而已以輕微也其盛可待衰而已病盛取之毀傷真氣故其盛者必可待衰

故因其輕而揚之輕者發揚則邪去因其重而減之重者節減去之因其衰而彰之因病氣衰攻令邪去則真氣堅固血色彰明

形不足者溫之以氣精不足者補之以味氣謂衞氣味謂五藏之味也靈樞經曰衞氣者所以溫分肉而充皮膚肥腠理而司開闔故衞氣溫則形分足矣上古天真論曰腎者主水受五藏六府之精而藏之故五藏盛乃能寫由此則精不足者補五藏之味也

其高者因而越

太素五陰陽合　千金十六極

之。越謂越揚也。其下者引而竭之。引謂泄引也。中滿者寫之於內。內謂腹內。其有邪者漬形以爲汗。邪謂風邪之氣，風中於表則汗而發之。其在皮者汗而發之。在外故汗發泄也。其慓悍者按而收之。慓疾也，悍利也，氣候疾利則按之以收斂也。其實者散而寫之。陽實則發散，陰實則宣寫，故下文。審其陰陽以別柔剛。陰曰柔，陽曰剛。陽病治陰，陰病治陽。所謂從陰引陽，從陽引陰，以右治左，以左治右者也。定其血氣各守其鄉。鄉謂本經之氣位。血實宜決之。決謂決破其血。氣虛宜掣引之。掣讀爲導，導引則氣行條暢。新校正云：按甲乙經掣作挈。

陰陽離合論篇第六。新校正云：按全元起本在第三卷。

黃帝問曰：余聞天爲陽，地爲陰，日爲陽，月爲陰，大小月三百六十日成一歲，人亦應之。以四時五行運用於內，故人亦應之。新校正云：詳天爲陽至成一歲與六節藏象篇重今三陰三陽不應陰陽其故何也岐伯對曰陰陽者數之可十推之可百數之可千推之可萬萬之大不可勝數然其要一也一謂離合也雖不可勝數然其要妙以離合推步悉可知之天覆地載萬物方生未出地者命曰陰處名曰陰中之陰處陰之中故曰陰處形未動出亦是爲陰以陰居陰故曰陰中之陰則出地者命曰陰中之陽形動出者是則爲陽以陽居陰故曰陰中之陽陽予之正陰爲之主陽施正氣萬物方生陰爲主持群形乃立故生因春長因夏收因秋藏因冬失常則天地四塞春夏爲陽故生長也秋冬爲陰故收藏也若失其常道則春不生夏不長秋不收冬不藏夫如是則四時之氣閉塞陰陽之氣无所運行矣陰陽之變其在人者亦數之可數天地陰陽雖不可勝數在於人形之用者則數可知之帝曰願聞三陰三陽之離合也岐伯曰聖人南面而立前曰

廣明後曰太衝 廣大也南方丙丁火位主之陽氣盛明故曰大明也嚮明治物故聖人南面而立易曰相見乎離蓋謂此也然在人身中則心藏在南故謂前曰廣明衝脉在北故謂後曰大衝然太衝者腎脉與衝脉合而盛大故曰太衝是以下文云 太衝之地名曰少陰 此正明兩脉相合而爲表裏也 少陰之上名曰太陽 腎藏爲陰膀胱府爲陽陰氣在下陽氣在上此爲一合之經氣也靈樞經曰足少陰之脉者腎脉也起於小指之下邪趣足心又曰足太陽之脉者膀胱脉也循京骨至小指外側由此故少陰之上名太陽也是以下文曰 太陽根起於至陰結於命門名曰陰中之陽 至陰穴名在足小指外側命門者藏精光照之所則兩目也太陽之脉起於目而下至於足故根於指端結於目也靈樞經曰命門者目也此與靈樞義合以太陽居少陰之地故曰陰中之陽 新校正云按素問太陽言根結餘經不言結甲乙今具 中身而上名曰廣明廣明之下名曰太陰 靈樞經曰天爲陽地爲陰腰以上爲天腰以下爲地分身之旨則中身之上屬於廣明廣明之下屬太陰也又心廣明藏下則太陰脾藏也 太陰之前名曰陽明 人身之中胃爲陽明脉行在脾脉之前脾爲太陰脉行於胃脉之後靈樞經曰足太陰之脉者脾脉也起於大指之端循指内側白肉際過核骨後上内踝前廉上腨内循胻骨之後足陽明之脉者胃脉也

下膝三寸而別以下入中指外間由此故太陰之前名陽明也是以下文曰陽明根起於厲兌名曰陰中之陽厲兌穴名在足大指次指之端以陽明居太陰之前故曰陰中之陽厥陰之表名曰少陽人身之中膽少陽脈行肝脈之分外肝厥陰脈行膽脈之位內靈樞經曰足厥陰之脈者肝脈也起於足大指聚毛之際上循足跗上廉足少陽之脈者膽脈也循足跗上出小指次指之端由此則厥陰之表名少陽也故下文曰少陽根起於竅陰名曰陰中之少陽竅陰穴名在足小指次指之端以少陽居厥陰之表故曰陰中之少陽是故三陽之離合也太陽為開陽明為闔少陽為樞離謂別離應用合謂配合於陰別離則正位於三陽配合則表裏而為藏府矣開闔樞者言三陽之氣多少不等動用殊也夫開者所以司動靜之基闔者所以執禁固之權樞者所以主動轉之微由斯殊氣之用故此三變之也新校正云按九墟太陽為關陽明為闔少陽為樞故關折則肉節潰緩而暴病起矣故候暴病者取之太陽闔折則氣无所止息悸病起故悸者皆取之陽明樞折則骨搖而不能安於地故骨搖者取之少陽甲乙經同三經者不得相失也搏而勿浮命曰一陽三經之至搏擊於手而无輕重之異則正可謂一陽之氣无復有三陽差降之為用也帝曰願

聞三陰岐伯曰外者爲陽內者爲陰。言三陽爲外運之離合，三陰爲内用之離合也。然則中爲陰其衝在下名曰太陰衝脉在脾之下，故言其衝在下也。靈樞經曰：衝脉者並足少陰之絡，皆起於腎下，上行者過於胞中，由此則其衝之上太陰位也。太陰根起於隱白名曰陰中之陰隱白，穴名，在足太指端，以太陰居陰，故曰陰中之陰。太陰之後名曰少陰藏位及經脉之次也。太陰，脾也；少陰，腎也。脾藏之下近後則腎之位也。靈樞經曰：足太陰之脉起於大指之端，循指內側，及上內踝前廉，上腨內，循骱骨後。足少陰之脉起於小指之下，斜趣足心，出於然骨之下，循內踝之後，以上腨內，由此則太陰之下名少陰也。少陰根起於涌泉名曰陰中之少陰涌泉，穴名，在足心下蹠指宛宛中。少陰之前名曰厥陰亦藏位及經脉之次也。少陰，腎也；厥陰，肝也。腎藏之前近上則肝之位也。靈樞經曰：足少陰脉循内踝之後，上腨内廉；足厥陰脉循足跗上踝，去內踝一寸，上踝八寸，交出太陰之後，上膕內，由此故少陰之前名厥陰也。厥陰根起於大敦陰之絕陽名曰陰之絕陰大敦，穴名，在足大指之端三毛之中也。兩陰相合，故曰陰之絕陽。厥，盡也。陰氣至此而盡，故名曰陰之絕陰。是故三陰之離

大素三陰陽雜說

中

合也。太陰爲開，厥陰爲闔，少陰爲樞。亦氣之不等也。新校正云：按九墟云：闔折則倉廩無所輸膈洞，膈洞者取之太陰。闔折則氣弛而善悲，悲者取之厥陰。樞折則脉有所結而不通，不通者取之少陰。甲乙經同。三經者，不得相失也，搏而勿沈，名曰一陰。沈言殊見也。陽浮亦然。若經氣應至，無沈浮之異，則悉可謂一陰之氣，非復有三陰差降之殊用也。陰陽𩃬𩃬，積傳爲一周，氣裏形表而爲相成也。𩃬𩃬言氣之往來也。積謂積脉之動也。傳謂陰陽之氣流傳也。夫脉氣往來，動而不止，積其所動，氣血循環，應水下二刻而一周於身，故曰積傳爲一周也。然榮衛之氣，因息遊布，周流形表，拒捍虛邪，中外主司，互相成立，故言氣裏形表而爲相成也。新校正云：按別本𩃬𩃬作衝衝。

陰陽別論篇第七

新校正云：按全元起本在第四卷。

黃帝問曰：人有四經十二從，何謂？經謂經脉。從謂順從。岐伯對曰：四經應四時，十二從應十二月，十二月應十二脉。春脉弦，夏脉洪，秋脉浮，冬脉沈，謂四時之經脉也。從謂天氣順行十二辰之分，故應十二月也。十二月謂春建寅卯辰，夏建巳午未，秋建申酉戌，冬建亥子丑之月也。十二脉謂手三陰

脉 十六

三陽足三陰三陽之脉也以氣數相應故參合之脉有陰陽知陽者知陰知陰者知陽深知則備識其變易凡陽有五五五二十五陽五陽謂五藏之陽氣也五藏應時各形一脉一脉之內包摠五藏之陽五五相乘故二十五陽也　新校正云按玉機真藏論云故病有五變五五二十五變義與此通所謂陰者真藏也見則為敗敗必死也五藏為陰故曰陰者真藏也然見者謂肝脉至中外急如循刀刃責責然如按琴瑟弦心脉至堅而搏如循薏苡子累累然肺脉至大而虛如以毛羽中人膚腎脉至搏而絕如以指彈石辟辟然脾脉至弱而乍數乍踈夫如是脉見者皆為藏敗神去故必死也所謂陽者胃脘之陽也胃脘之陽謂人迎之氣也察其氣脉動靜小大與脉口應否也胃為水穀之海故候其氣而知病處人迎在結喉兩傍脉動應手其脉之動常左小而右大左小常以候藏右大常以候府一云胃胞之陽非也別於陽者知病處也別於陰者知死生之期陽者衛外而為固然外邪所中別於陽則知病處陰者藏神而內守若考真正成敗別於陰則知病者死生之期　新校正云按玉機真藏論云別於陽者知病從來別於陰者知死生之期三陽在頭三陰在手所謂一也頭謂人迎手謂氣口兩者相應俱往俱來若引繩小大齊等者名曰平人故言

所謂一也。氣口在手魚際之後一寸，人迎在結喉兩傍一寸五分，皆可以候藏府之氣。別於陽者，知病忌時；別於陰者，知死生之期。識氣定期，故知病忌；明成敗，故知死生之期。謹熟陰陽，無與衆謀。謹量氣候，精熟陰陽，病忌之準可知，生死之疑自決，正行無惑，何用衆謀議也。所謂陰陽者，去者為陰，至者為陽；靜者為陰，動者為陽；遲者為陰，數者為陽。言脉動之中也。凡持真脉之藏脉者，肝至懸絕急，十八日死；心至懸絕，九日死；肺至懸絕，十二日死；腎至懸絕，七日死；脾至懸絕，四日死。真脉之藏脉者，謂真藏之脉也。十八日者，金木成數之餘也。九日者，水火生成數之餘也。十二日者，金火生成數之餘也。七日者，水土生數之餘也。四日者，木生數之餘也。故平人氣象論曰：肝見庚辛死，心見壬癸死，肺見丙丁死，腎見戊巳死，脾見甲乙死者，以此。如是者，皆至所期，不勝而死也。何者？以不勝尅賊之氣也。曰：二陽之病發心脾，有不得隱曲，女子不月。二陽謂陽明大腸及胃之脉也。隱曲，謂隱蔽委曲之事也。夫腸胃發病，心脾受之，心受之則血不流，脾受之則

疾、六　　脈、廿八

味不化血不流故女子不月味不化則男子少精是以隱蔽委曲之事不能爲也陰陽應象大論曰精不足者補之以味由是則味不化而精氣少也奇病論曰胞胎者繫於腎又評熱病論曰月事不來者胞脉閉胞脉者屬於心而絡於胞中今氣上迫肺心氣不得下通故月事不來則其義也又上古天真論曰女子二七天癸至任脉通太衝脉盛月事以時下丈夫二八天癸至精氣溢寫由此則在女子爲不月在男子爲少精其傳爲風消其傳爲息賁者死不治言其深久者也胃病深久傳入於脾故爲風熱以消削大腸病甚傳入於肺爲喘息而上賁然腸胃脾肺兼及於心三藏二府互相尅薄故死不治曰三陽爲病發寒熱下爲癰腫及爲痿厥腨痟三陽謂太陽小腸及膀胱之脉也小腸之脉起於手循臂繞肩髆上頭膀胱之脉從頭別下背貫臀入膕中循腨故在上爲病則發寒熱在下爲病則爲癰腫腨痟及爲痿厥痟痠疼也痿無力也厥足冷即氣逆也其傳爲索澤其傳爲頹疝熱甚則精血枯涸故皮膚潤澤之氣皆散盡也然陽氣下墜陰脉上爭上爭則寒多下墜則筋緩故睾垂縱緩內作頹疝曰一陽發病少氣善欬善泄一陽謂少陽膽及三焦之脉也膽氣乘胃故善泄三焦內病故少氣陽土熏肺故善欬何故心火內應也其傳爲心掣其傳爲隔隔氣乘心心熱故陽氣內掣三焦內結中熱故隔塞不便二陽一

陰發病，主驚駭背痛，善噫善欠，名曰風厥。一陰謂厥陰心主及肝之脉也。心主之脉起於胷中，出屬心經，心病膺背肩胛間痛，又在氣爲噫，故背痛善噫。心氣不足則腎氣乘之，肝主驚駭，故驚駭善欠。夫肝氣爲風，腎氣陵逆，既風又厥，故名風厥。二陰一陽發病，善脹心滿善氣。二陰謂少陰心腎之脉也。腎膽同逆，三焦不行，氣稸於上，故心滿下虛，上盛故氣泄出也。三陽三陰發病，爲偏枯痿易，四支不舉。三陰不足則發偏枯，三陽有餘則爲痿易。易謂變易常用，而痿弱無力也。鼓一陽曰鉤，鼓一陰曰毛，鼓陽勝急曰弦，鼓陽至而絶曰石，陰陽相過曰溜。言何以知陰陽之病脉邪？一陽鼓動，脉見鉤也。何以然？一陽謂三焦，心脉之府。然一陽鼓動者，則鉤脉當之，鉤脉則心脉也。此言正見者也。一陰，厥陰肝木氣也。毛，肺金脉也。金來鼓木，其脉則毛，金氣内乘，木陽尚勝，急而内見，脉則爲弦也。若陽氣至而急，脉名曰弦，屬肝。陽氣至而或如斷絶，脉名曰石，屬腎。陰陽之氣相過，无能勝負，則脉如水溜也。陰爭於内，陽擾於外，魄汗未藏，四逆而起，起則熏肺，使人喘鳴。若金鼓不已，陽氣大勝，兩氣相持，内爭外擾，則流汗不止，手足反寒，甚則陽氣内燔，流汗不藏，則熱攻於肺，故

裏

起則熏肺使人喘鳴也陰之所生和本曰和陰謂五神藏也言五藏之所以能生而全天真和氣者以各得自從其和
性而安靜爾苟乖所適則為他氣所乘百端之病由斯而起奉生之道可不慎哉是故剛與剛陽氣破散陰
氣乃消亡剛謂陽也言陽氣內蒸外為流汗灼而不已則陽勝又陽故盛不久存而陽氣自散陽已破敗陰不獨存故陽氣破散陰氣亦
消亡此乃爭勝招敗矣淖則剛柔不和經氣乃絕血淖者陽常勝視人之血淖者宜謹和其氣常使流
通若不能深思寡欲使氣存乖衰陽為重陽內燔藏府則死且可得生其能久乎死陰之屬不過三日而死
火乘金也生陽之屬不過四日而死木乘火也　新校正云按別本作四日而生全元起注本作四日而已俱
通許上下文義作死者非所謂生陽死陰者肝之心謂之生陽母來親子故曰生陽
匪惟以木生火亦自陽氣主生爾心之肺謂之死陰陰主刑殺火復乘金金得火亡故云死肺之腎謂
之重陰亦母子也以俱為陰氣故曰重陰腎之脾謂之辟陰死不治土氣辟併水乃可升土辟
水升故云辟陰結陽者腫四支以四支為諸陽之本故結陰者便血一升陰主血故

隔

再結二升。三結三升。二盛謂之再結，三盛謂之三結。陰陽結斜，多陰少陽曰石水，少腹腫。所謂失法。二陽結謂之消。二陽結謂胃及大腸俱熱結也。腸胃藏熱，則喜消水穀。新校正云：詳此少二陰結。三陽結謂之隔。三陽結謂小腸膀胱熱結也。小腸結熱則血脉燥，膀胱熱則津液涸，故鬲塞而不便寫。三陰結謂之水。三陰結謂脾肺之脉俱寒結也。脾肺寒結則氣化為水。一陰一陽結謂之喉痺。一陰謂心主之脉，一陽謂三焦之脉也。三焦心主脉並絡喉，氣熱內結，故為喉痺。陰搏陽別謂之有子。陰謂尺中也。搏謂搏觸於手也。尺脉搏擊與寸口殊別，陽氣挺然，則為有妊之兆。何者？陰中有別陽故。陰陽虛腸辟死。辟，陰也，然胃氣不留，腸開勿禁，陰中不禀，是真氣竭絕，故死。新校正云：按全元起本辟作澼。陽加於陰謂之汗。陽在下，陰在上，陽氣上搏，陰能固之，則蒸而為汗。陰虛陽搏謂之崩。陰脉不足，陽脉盛搏，則內崩而血流下。三陰俱搏，二十日夜半死。脾肺成數之餘也。搏謂伏鼓，異於常候也。陰氣盛極，故夜半死。二陰俱搏，十三日夕時死。心腎之成數也。陰氣未極，故死在夕時。一陰俱搏，十日死。肝心生成之數也。三陽俱搏且鼓三日死。陽氣速急故。三陰三陽俱搏。心腹滿發盡。不得隱曲五日死。兼陰氣也。隱曲謂便寫也。二陽俱搏。其病温死不治。不過十日死。陽胃之王數也。新校正云。詳此闕一陽搏。

重廣補注黄帝内經素問卷第二

艷

慓 必遥切 悍 音翰

陰陽應象大論 䐜脹 上昌真切 肉脹起也 滲泄 上所禁切 翕 艷 下許極切 嘰噫 上乙劣切 下烏界切

能冬 上奴代切 下能夏 能形能並同 放效 上妃兩切 并於 上去聲 嗌 伊昔切 滑濇 下音色 漬 疾賜

陰陽離合論 予 音与 猶與也 陰陽別論 腨 音腨 時兖切 腨腸也 痟 音消 痟疼也

淖 音淘 水朝宗于海 踹 市兖切 搏 音博 衛 音 卷 音權 果 切 脘 音 費 音

胭 切 瘻 切 廩 切

陽疵 草蘇草荄 巳ノ三ウ
毒藥 針石 巳ノ二ウ
色夭 巳ノ八ウ
逆從 巳ノ八ヲウ 巳ノ十ヲ
權衡 巳ノ八ヲ 巳ノ七ヲ
云理論 五ノ十二ヲ 五ノ十一ウ 三ノ九ヲ 五ノ八ウ
野 五ノ十三ヲ
左右彈 三ノ十三ヲ
闚 三ノ一ウ
窘乎哉 三ノ二ヲ
眠乎哉 三ノ三ヲ
下謂目下所見 三ノ十五ヲ
衛氣滿填云云 三ノ十一ウ

稽云云 巳ノ五ウ
清亦冷也 三ノ十三ヲ
柰何 三ノ六ウ 五ウ
先師 三ノ五ヲ
矛楯 三ノ十巳ヲ
全本 巳ノ七ヲ注
治 巳ノ八ウ

䟽涫 巳ノ八ヲ
云理論脉名例 三ノ十三ヲ
瘻 四ノ十ヲ
周密山岡大素亦作 五ノ四ウ
脉從陰陽病易已脉逆陰陽病難已 五ノ十ウ
脉有逆從四時云云 五ノ十一ウ
全本 巳ノ七ヲ
胞 三ノ十巳ヲ
礼義 三ノ三ウ
形地命天 三ノ巳ウ
僦貸季 巳ノ三ヲ
遣氣 巳ノ七ヲ注
器 三ノ八ウ
皐 巳ノ十三ヲ 注十行

筋 三ノ十ヲ
小腹 三ノ十三ウ
為保 五ノ四ウ 寶同
膻中注 噫也 五ノ七ヲ
酒〻 四ノ十ウ
八素經序 三ノ五ヲ
日月 三ノ三ヲ
九卷曰 三ノ十二ヲ
酒若入心 三ノ十三ヲ
使道 三ノ三ヲ
六十四氣而閏 三ノ三ヲ
策書 三ノ六ヲ注

太素缺

千金十一膽府脈論

重廣補注黃帝內經素問卷第三

啓玄子次注林億孫奇高保衡等奉敕校正孫兆重改誤

靈蘭秘典論　六節藏象論

五藏生成篇　五藏別論

靈蘭秘典論篇第八

新校正云：按全元起本名十二藏相使，在第三卷。

黃帝問曰：願聞十二藏之相使，貴賤何如？藏，藏也。言腹中之所藏者，非復有十二形神之藏也。岐伯對曰：悉乎哉問也！請遂言之。心者，君主之官也，神明出焉。任治於物，故為君主之官。清靜栖靈，故曰神明出焉。肺者，相傅之官，治節出焉。位高非君，故官為相傅。主行榮衛，故治節由之。肝者，將軍之官，謀慮出焉。勇而能斷，故曰將軍。潛發未萌，故謀慮出焉。膽者，中正之官，決斷出焉。剛正果決，故官為中正。直而不疑，故決斷出焉。

一藏

膻中者臣使之官喜樂出焉膻中者在胸中兩乳間爲氣之海然心主爲君以敷宣教令膻中主氣以氣布陰陽氣和志適則喜樂由生分布陰陽故官爲臣使也脾胃者倉廩之官五味出焉包容五穀是爲倉廩之官營養四傍故云五味出焉大腸者傳道之官變化出焉傳道謂傳不潔之道變化謂變化物之形故云傳道之官變化出焉小腸者受盛之官化物出焉承奉胃司受盛糟粕受已復化傳入大腸故云受盛之官化物出焉腎者作強之官伎巧出焉強於作用故曰作強造化形容故云伎巧在女則當其伎巧在男則正曰作強三焦者決瀆之官水道出焉引導陰陽開通閉塞故官司決瀆水道出焉膀胱者州都之官津液藏焉氣化則能出矣位當孤府故謂都官居下內空故藏津液若得氣海之氣施化則溲便注泄氣海之氣不及則閟隱不通故曰氣化則能出矣靈樞經曰腎上連肺故將兩藏膀胱是孤府則此之謂也凡此十二官者不得相失也失則災害至故不得相失新校正云詳此乃十一官脾胃二藏共一官故也故主明則下安以此養生則壽歿世不殆以

為天下則大昌。主謂君主心之官也夫主賢明則刑賞一刑賞一則吏奉法吏奉法則民不獲罪於枉濫矣故主明則天下安也夫心內明則銓善惡銓善惡則察安危察安危則身不夭傷於非道矣故以此養生則壽沒世不至於危殆矣然施之於養生沒世不殆施之於君主天下獲安以其為天下主則國祚昌盛矣主不明則十二官危使道閉塞而不通形乃大傷以此養生則殃以為天下者其宗大危戒之戒之。使道謂神氣行使之道也夫心不明則邪正一邪正一則損益不分損益不分則動之凶咎陷身於羸瘠矣故形乃大傷以此養生則殃也夫主不明則委於左右委於左右則權勢妄行權勢妄行則吏不得奉法吏不得奉法則人民失所而皆受枉曲矣且人惟邦本本固邦寧本不獲安國將何有宗廟之立安可不至於傾危乎故曰戒之戒之者言深慎也至道在微。變化無窮。孰知其原。孰誰也言至道之用也小之則微妙而細無不入大之則廣遠而變化無窮然其淵原誰所知察窘乎哉消者瞿瞿。新校正云按太素作肖者濯濯孰知其要閔閔之當孰者為良。窘要也瞿瞿勤勤也人身之要者道也然以消息異同求諸物理而欲以此知變化之原本者雖瞿瞿勤勤以求明悟然其要妙誰得知乎既未得知轉成深遠閔閔玄妙復不知誰者為善知要妙哉玄妙深遠固不以理求而可得近取諸身則十二官粗可探尋而為治身之道爾閱深遠也良善也新校正云詳此四句與氣交變大論文重彼消字作肖恍惚之數生於毫氂恍惚者謂似有似無也忽亦數也似無似有而毫氂之數生其中老子曰恍恍惚惚其中有物此之謂也筭書曰似有似無為忽毫氂之數起於度量千之萬之可以益大推之大之其形乃制毫氂雖小積而不已命數乘之則起至於尺度斗量之繩準千之萬之亦可增益而至載之大數推引其大則應通人形之制度也黃帝曰善哉余聞精光之道大聖之業而宣明大道非齋戒擇吉日不敢受也深敬故也韓康伯曰洗心曰齋防患曰戒黃帝乃擇吉日良兆而藏靈蘭之室以傳保焉秘之至也

六節藏象論篇第九新校正云按全元起注本在第三卷

黃帝問曰余聞天以六六之節以成一歲人以九九制會新校正云詳下文云地以九九制會計人亦有三百六十五節以為天地

久矣不知其所謂也。六六之節謂六竟於六甲之日以成一歲之節限九九制會謂九周於九野之數以制人形之會通也言人之三百六十五節以應天之六六之節久矣若復以九九爲紀法則兩歲太半乃曰一周不知其法眞原安謂也 新校正云詳王注云兩歲太半乃曰一周按九九制會當云兩歲四分歲之一乃曰一周也 岐伯對曰昭乎哉問也。請遂言之夫六六之節九九制會者所以正天之度氣之數也。六六之節天之度也九九制會氣之數也所謂氣數者生成之氣也周天之分凡三百六十五度四分度之一以十二節氣均之則歲有三百六十日而終兼之小月日又不足其數矣是以六十四氣而常置閏焉何者以其積差分故也天地之生育本址於陰陽人神之運爲始終於九氣然九之爲用豈不大哉律書曰黄鍾之律管長九寸冬至之日氣應灰飛由此則萬物之生咸因於九氣矣古之九寸即今之七寸三分大小不同以其先秬黍之制而有異也 新校正云按别本三分作二分 天度者所以制日月之行也。氣數者所以紀化生之用也。制謂準度紀謂綱紀準日月之行度者所以明日月之行遲速也紀化生之爲用者所以彰氣至而斯應也氣應無差則生成之理不替遲速以度而大小之月生焉故曰異長短月移寒暑收藏生長無失時宜也 天爲陽地爲陰日

爲陽月爲陰行有分紀周有道理日行一度月行十
三度而有竒焉故大小月三百六十五日而成歲積
氣餘而盈閏矣日行遲故晝夜行天之一度而三百六十五日一周天
而猶有度之竒分矣月行速故晝夜行天之十三度餘
而二十九日一周天也言有竒者謂十三度外復行十九分度之七故云月行
十三度而有竒也禮義及漢律曆志云二十八宿及諸星皆從東而循天西行
日月及五星皆從西而循天東行今太史說云並循天而東行從東而西轉也
諸曆家說月一日至四日月行最疾日夜行十四度餘自五日至八日行次疾
日夜行十三度餘自九日至十九日其行遲日夜行十二度餘二十日至二十
三日行又小疾日夜行十三度餘二十四日至晦日行又大疾日夜行十四度
餘今太史說月行之率不如此矣月行有十五日前疾有十五日後遲者有十
五日前遲有十五日後疾者大率一月四分之而皆有遲疾遲速之度固無常
準矣雖䟫䠞終以二十七日月行一周天凡行三百六十一度二十九日日行二
十九度月行三百八十七度少七度而不及日也至三十日日復遷計率至十
三分日之八月方及日矣此大盡之月也大率其計率至十三分日之半者亦
大盡法也其計率至十三分日之五之六而及日者小盡之月也故去大小月
三百六十五日而成歲也正言之者三百六十五日四分日之一乃一歲法以
奇不成日故舉大以言之若通以六小爲法則歲止有三百五十四日歲少十

月

一日餘矣取月所少之辰加歲外餘之日故從閏後三十二日而盈閏焉尚書曰期三百有六旬有六日以閏月定四時成歲則其義也積餘盈閏者蓋以月之大小不盡天度故也立端於始表正於中推餘於終而天度畢矣端首也始初也表彰示也正斗建也中月半也推退位也言立首氣於初節之日示斗建於月半之辰退餘閏於相望之後是以閏之前則氣不及月閏之後則月不及氣故常月之制建初立中閏月之紀無初無中縱曆有之皆他節氣也故曆无云其候閏其月節閏其月中推終之義斷可知乎故曰立端於始表正於中推餘於終也由斯推日成閏故能令天度畢焉帝曰余已聞天度矣願聞氣數何以合之岐伯曰天以六六爲節地以九九制會新校正云詳篇首云人以九九制會天有十日日六竟而周甲甲六復而終歲三百六十日法也十日謂甲乙丙丁戊己庚辛壬癸之日也十者天地之至數也易繫辭曰天九地十則其義也六十日而周甲子之數甲子六周而復始則終一歲之日是三百六十日之歲法非天度之數也此蓋十二月各三十日者若除小月其日又差也夫自古通天者生之本本於陰陽其氣九州九竅皆通乎天氣通天

謂元氣即天真也。然形假地生，命惟天賦，故奉生之氣通繫於天，禀於陰陽而爲根本也。寶命全形論曰：人生於地，懸命於天，天地合氣，命之曰人。四氣調神大論曰：陰陽四時者，萬物之終始也，死生之本也。又曰：逆其根則伐其本，壞其真矣。此其義也。九州謂冀兖青徐揚荆豫梁雍也。然地列九州，人施九竅，精神往復，氣與參同，故曰九州九竅也。靈樞經曰：地有九州，人有九竅。則其義也。先言其氣者，謂天真之氣常繫屬於中也。天氣不絕，真靈內屬，行藏動靜，悉與天通，故曰皆通乎天氣也。

故其生五，其氣三，形之所存，假五行而運用。徵其本始，從三氣以生成，故云其生五，其氣三也。氣之三者，亦副三元，故下文曰：新校正云：詳夫自古通天者至此，與生氣通天論同，注頗異，當兩觀之。**三而成天，三而成地，三而成人，**非唯人獨由三氣以生，天地之道亦如是矣。故易乾坤諸卦皆必三矣。**三而三之，合則爲九，九分爲九野，九野爲九藏，**九野者，應九藏而爲義也。爾雅曰：邑外爲郊，郊外爲甸，甸外爲牧，牧外爲林，林外爲坰，坰外爲野。則此之謂也。新校正云：按今爾雅云：邑外謂之郊，郊外謂之牧，牧外謂之野，野外謂之林，林外謂之坰。與王氏所引有異。**故形藏四，神藏五，合爲九藏以應之也。**形藏四者，一頭角，二耳目，三口齒，四胸中也。形分爲藏，故以名焉。神藏五者，一肝，二心，三脾，四肺，五腎也。神藏於內，故以名焉。所謂神藏者，肝藏魂，心藏神，脾藏意，肺藏魄，腎藏志也。故此二別爾。新校正云詳此乃宣明五氣篇文與生氣通天注重又與三部九候論注重所以名神藏形藏之説具三部九候論注。帝曰：余已聞六六九九之會也，夫子言積氣盈閏，願聞何謂氣，請夫子發蒙解惑焉。請宣揚旨要，啓所未聞，解疑惑者之心，開蒙昧者之耳，令其曉達，咸使深明。岐伯曰：此上帝所秘，先師傳之也。上帝謂上古帝君也。先師，岐伯祖之師僦貸季，上古之理色脉者也。移精變氣論曰：上古使僦貸季理色脉而通神明。八素經序云：天師對黄帝曰：我於僦貸季理色脉已三世矣。言可知乎。新校正云：詳素一作索，或以八爲太。按今太素無此文。帝曰：請遂聞之。遂，盡也。岐伯曰：五日謂之候，三候謂之氣，六氣謂之時，四時謂之歲，而各從其主治焉。日行天之五度，則五日也。三候，正十五日也。六氣凡九十日，正三月也。設其多之矣，故十八候爲六氣，六氣謂之時也。四時凡三百六十日，故曰四時謂之歲也。各從主治，謂一歲之日各歸從五行之一氣而爲之主以王也。故下文曰：五運相襲而皆治之，終朞之日，周而復始，時立氣布，如環無端，候亦同法。故曰：不知年之所加，氣之盛衰虛實之所起，不可以爲工矣。五運謂五行之氣應天之運而主化者也。襲謂承襲，如嫡之承襲也。言五行之氣父子相承，主統一周之日，常如是無已，周而復始也。時謂立春之前當至時也。氣謂當王之脈氣也。春前氣至，脈氣亦至，故曰時立氣布也。候謂日行五度之候也。言一候之日亦五氣相生而直之，差則病矣。移精變氣論曰：上古使僦貸季理色脈而通神明，合之金木水火土、四時、八風、六合，不離其常。此之謂也。工謂工於修養者也。言必明於此，乃可橫行天下矣。新校正云：詳王注時立氣布謂立春前當至時，當王之脈氣也。按此正謂歲立四時，時布六氣，如環之無端，故又曰候亦同法。帝曰：五運之始，如環無端，其太過不及何如？岐伯曰：五氣更立，各有所勝，盛虛之變，此其常也。言盛虛之變見此，乃天之常道爾。帝曰：平氣何如？岐伯曰：無過者也。不越常候，則無過也。帝曰：太過不及奈何？岐伯曰：在經有也。言玉機眞藏論篇已具言五氣平和太過不及之旨也。新校正云：詳王注言玉機眞藏論已具，按本篇言脈之太過不及，即不論運氣之太過不及與平氣，當云氣交變大論、五常政大論篇已具言也。帝曰：何謂所勝？岐伯曰：春勝長夏長夏勝冬冬勝夏夏勝秋秋勝春所謂得五行時之勝各以氣命其藏春應木木勝土長夏應土土勝水冬應水水勝火夏應火火勝金秋應金金勝木常如是矣四時之中加之長夏故謂得五行時之勝也所謂長夏者六月也土生於火長在夏中既長而王故云長夏也以氣命藏者春之木內合肝長夏土內合脾冬之水內合腎夏之火內合心秋之金內合肺故曰各以氣命其藏也命名也帝曰何以知其勝岐伯曰求其至也皆歸始春始春謂立春之日也春為四時之長故候氣皆歸於立春前之日也未至而至此謂太過則薄所不勝而乘所勝也命曰氣淫不分邪僻內生工不能禁此上十字文義不倫應古人錯簡次後五治下乃其義也今朱書之至而不至此謂不及則所勝妄行而所生受病所不勝薄之也命曰氣迫所謂求其至者氣至之時也凡氣之至皆謂立春前十五日乃候之初也未至而至謂所直之氣未應至而先期至也先期而至是氣有餘故曰太過至而不至謂所直之氣應至不至而後期至後期而至是氣不足故曰不及太

過則薄所不勝而乘所勝不及則所勝妄行而所生受病所不勝薄之者凡五行之氣我剋者爲所勝剋我者爲所不勝生我者爲所生假令肝木有餘是肺金不足金不制木故木太過木氣既餘則反薄肺金而乘於脾土矣故曰太過則薄所不勝而乘所勝也此皆五藏之氣内相淫併爲疾故命曰氣淫也餘太過例同之又如肝木氣少不能制土土氣無畏而遂妄行木被土凌故云所勝妄行而所生受病也肝木之氣不平肺金之氣自薄故曰所不勝薄之然木氣不平上金交薄相迫爲疾故曰氣迫也餘不及例皆同 謹候其時氣可與期失時反候五治不分邪僻内生工不能禁也 時謂氣至時也候其年則始於立春之日候其氣則始於四氣定期候其日則隨於候日故曰謹候其時氣可與期也反謂反背也五治謂五行所治主統一歲之氣也然不分五治謬引入邪天真氣運尚未該通人病之由安能精達故曰工不能禁也 帝曰有不襲乎 言五行之氣有不相承襲者乎 岐伯曰蒼天之氣不得無常也氣之不襲是謂非常非常則變矣 變謂變易天常也 帝曰非常而變柰何岐伯曰變至則病所勝則微所不勝則甚因而重感於邪則死矣故非其時則微當

凡

其時則甚也。言蒼天布氣，尚不越於五行，人在氣中，豈不應於天道。夫人之氣亂，不順天常，故有病死之徵矣。左傳曰：違天不祥。此其類也。假令木直之年，有火氣至，後二歲病矣；土氣至，後三歲病矣；金氣至，後四歲病矣；水氣至，後五歲病矣。真氣不足，復重感邪，真氣內微，故重感於邪則死也。假令非主直年而氣相干者，且爲微病，不必內傷於神藏，故非其時則微而且持也。若當所直之歲，則易中邪氣，故當其直時則病疾甚也。諸氣當其王者，皆必受邪，故曰非其時則微，當其時則甚也。通評虛實論曰：非其時則生，當其時則死。當，謂正直之年也。帝曰：善。余聞氣合而有形，因變以正名，天地之運，陰陽之化，其於萬物，孰少孰多，可得聞乎？新校正云：詳從前歧伯曰昭乎哉問也至此，全元起注本及太素並無，疑王氏之所補也。歧伯曰：悉哉問也！天至廣不可度，地至大不可量，大神靈問，請陳其方。言天地廣大，不可度量而得之，造化玄微，豈可以人心而遍悉？大神靈問，讚聖深明，舉大說凡，粗言綱紀，故曰請陳其方。草生五色，五色之變，不可勝視；草生五味，五味之美，不可勝極。言物生之衆，稟化各殊，目視口味，尚無能盡之，況於人心，乃能包括耶。嗜欲不同，各有

一 氣味

脉

所通。言色味之衆雖不可偏盡所由然人所嗜所欲則自隨巳心之所愛耳故曰嗜欲不同各有所通天食人以五氣地食人以五味。天以五氣食人者臊氣湊肝焦氣湊心香氣湊脾腥氣湊肺腐氣湊腎也地以五味食人者酸味入肝苦味入心甘味入脾辛味入肺鹹味入腎也清陽化氣而上爲天濁陰成味而下爲地故天食人以氣地食人以味也陰陽應象大論曰清陽爲天濁陰爲地又曰陽爲氣陰爲味五氣入鼻藏於心肺上使五色脩明音聲能彰。五味入口藏於腸胃味有所藏以養五氣氣和而生津液相成神乃自生。心榮面色肺主音聲故氣藏於心肺上使五色脩潔分明音聲彰著氣爲水母故味藏於腸胃內養五氣五氣和化津液方生津液與氣相副化成神氣乃能生而宣化也帝曰藏象何如。象謂所見於外可閱者也岐伯曰心者生之本神之變也其華在面其充在血脈爲陽中之太陽通於夏氣。心者君主之官神明出焉然君主者萬物繫之以興亡故曰心者生之本神之變也火氣炎上故華在面也心養血其主脈故充在血脈也心王於夏氣合太陽以太陽居夏火之中故曰陽中之太陽通於夏氣也金匱真言論曰平旦至

二藏

日中天之陽，陽中之陽也。新校正云：詳神之變，全元起本并太素作神之處。肺者，氣之本，魄之處也；其華在毛，其充在皮，為陽中之太陰，通於秋氣。肺藏氣，其神魄，其養皮毛，故曰肺者氣之本，魄之處，華在毛，充在皮也。肺藏為太陰之氣，主王於秋，晝日為陽氣所行，位非陰處，以太陰居於陽分，故曰陽中之太陰，通於秋氣也。金匱真言論曰：日中至黃昏，天之陽，陽中之陰也。新校正云：按太陰，甲乙經并太素作少陰，當作少陰。肺在十二經雖為太陰，然在陽分之中，當為少陰也。腎者，主蟄，封藏之本，精之處也；其華在髮，其充在骨，為陰中之少陰，通於冬氣。地戶封閉，蟄蟲深藏，腎又主水，受五藏六府之精而藏之，故曰腎者主蟄，封藏之本，精之處也。腦者髓之海，腎主骨髓，髮者腦之所養，故華在髮，充在骨也。以盛陰居冬陰之分，故曰陰中之少陰，通於冬氣也。金匱真言論曰：合夜至雞鳴，天之陰，陰中之陰也。新校正云：按全元起本并甲乙經、太素，少陰作太陰，當作太陰。腎在十二經雖為少陰，然在陰分之中，當為太陰。肝者，罷極之本，魂之居也；其華在爪，其充在筋，以生血氣，其味酸，其色蒼。新校正云：詳此六字當去。按太素，心其味苦，其色赤；肺其味辛，其色白；腎其味鹹，其色黑。今惟肝脾二藏載其味其色據陰陽應象大論已著色味詳矣此不當出之今更不除心肺腎三藏之色味只去肝脾二藏之色味可矣其注中所引陰陽應象大論文四十一字亦當去之

此為陽中之少陽通於春氣夫人之運動者皆筋力之所為也肝主筋其神魂故曰肝者罷極之本魂之居也爪者筋之餘筋者肝之養故華在爪充在筋也東方為發生之始故以生血氣也陰陽應象大論曰東方生風風生木木生酸肝合木故其味酸也又曰神在藏為肝在色為蒼故其色蒼也以少陽居於陽位而王於春故曰陽中之少陽通於春氣也金匱真言論曰平旦至日中天之陽陽中之陽也新校正云按全元起本并甲乙經太素作陰中之少陽當作陰中之少陽詳王氏引金匱真言論云平旦至日中天之陽陽中之陽也以為證則王意以為陽中之少陽也再詳上文心藏為陽中之太陽王氏以引平旦至日中之說為證今肝藏又引為證反不引雞鳴至平旦天之陰陰中之陽為證則王注之失可見當從全元起本及甲乙經太素作陰中之少陽為得

脾胃大腸小腸三焦膀胱者倉廩之本營之居也名曰器能化糟粕轉味而入出者也皆可受盛轉運不息故為倉廩之本名曰器也營起於中焦中焦為脾胃之位故云營之居也然水穀滋味入於脾胃脾胃糟粕轉化其味出於三焦膀胱故曰轉味而入出者也

其華在脣四白其充在肌其味甘其色黃新校正云詳此

六字當去并注中引陰陽應象大論文四十字亦當去已解在前條此至陰之類通於土氣口爲脾官脾主肌肉故曰華在脣四白充在肌也四白謂脣四際之白色肉也陰陽應象大論曰中央生濕濕生土土生甘脾合土故其味甘也又曰在藏爲脾在色爲黃故其色黃也脾藏土氣土合至陰故曰此至陰之類通於土氣也金匱眞言論曰陰中之至陰脾也凡十一藏取決於膽也上從心藏下至於膽爲十一也然膽者中正剛斷無私偏故十一藏取決於膽也故人迎一盛病在少陽二盛病在太陽三盛病在陽明四盛已上爲格陽陽脉法也少陽膽脉也太陽膀胱脉也陽明胃脉也靈樞經曰一盛而躁在手少陽二盛而躁在手太陽三盛而躁在手陽明手少陽三焦脉手太陽小腸脉手陽明大腸脉一盛者謂人迎之脉大於寸口一倍也餘盛同法四倍已上陽盛之極故格拒而食不得入也正理論曰格則吐逆寸口一盛病在厥陰二盛病在少陰三盛病在太陰四盛已上爲關陰陰脉法也厥陰肝脉也少陰腎脉也太陰脾脉也靈樞經曰一盛而躁在手厥陰二盛而躁在手少陰三盛而躁在手太陰手厥陰心包脉也手少陰心脉也手太陰肺脉也盛法同陽四倍已上陰盛之極故關閉而溲不得通也正理論曰閉則不得溺人迎與寸口俱盛四倍

千金廿六序論
思也一五藏系

已上為關格關格之脉羸不能極於天地之精氣則死矣俱盛謂俱大於平常之脉四倍也物不可以久盛極則衰敗故不能極於天地之精氣則死矣靈樞經曰陰陽俱盛不得相營故曰關格關格者不得盡期而死矣此之謂也 新校正云詳羸當作盈脉盛四倍已上非羸也乃盛極也古文羸與盈通用

五藏生成篇第十

新校正云詳全元起本在第九卷按此篇云五藏生成篇而不云論者蓋此篇直記五藏生成之事而無問荅論議之辭故不云論後不言論者義皆倣此

心之合脉也火氣動躁脉類齊同心藏應火故合脉也其榮色也火炎上而色赤故榮美於面而赤色 新校正云詳王以赤色為面榮美未通大抵發見於面之色皆心之榮也豈專為赤哉其主腎也主謂主與腎相畏也火畏於水水與為官故畏於腎

肺之合皮也金氣堅定皮象亦然肺藏應金故合皮也其榮毛也毛附皮革故外榮其主心也金畏於火火與為官故主畏於心也肝之合筋也木性曲直筋體亦然肝藏應木故合筋也其榮爪也爪者筋之餘故外榮也其主肺也木畏於金金與為官故主畏於肺也脾之合肉也土性柔厚肉體亦然脾藏應土故合肉也其

八

榮脣也（口爲脾之官，故榮於脣。脣謂四際白色之處，非赤色也。）其主肝也（土畏於木，木與爲官，故主畏於肝也。）腎之合骨也（水性流濕，精氣亦然，骨通精髓，故合骨也。）其榮髮也（腦爲髓海，腎氣主之，故外榮髮也。）其主脾也（水畏於土，土與爲官，故主畏於脾也。）是故多食鹹則脈凝泣而變色（心合脈，其榮色，鹹益腎，勝於心，心不勝，故脈凝泣而顏色變易也。）多食苦則皮槁而毛拔（肺合皮，其榮毛，苦益心，勝於肺，肺不勝，故皮枯槁而毛拔去也。）多食辛則筋急而爪枯（肝合筋，其榮爪，辛益肺，勝於肝，肝不勝，故筋急而爪乾枯也。）多食酸則肉胝䐢而脣揭（脾合肉，其榮脣，酸益肝，勝於脾，脾不勝，故肉胝䐢而脣皮揭舉也。）多食甘則骨痛而髮落（腎合骨，其榮髮，甘益脾，勝於腎，腎不勝，故骨痛而髮墮落。）此五味之所傷也（五味入口，輸於腸胃，而內養五藏，各有所養，有所欲，欲則互有所傷，故下文曰。）故心欲苦（合火故也。）肺欲辛（合金故也。）肝欲酸（合木故也。）脾欲甘（合土故也。）腎欲鹹（合水故也。）此五味之所合也（各隨其欲而歸湊之。）五藏之氣（新校正云：按全元起本云「此五味之合五藏之氣也」，連上文，《太素》同。）故色見

大素卷十七證候之一 前缺

青如草茲者死茲，滋也。言如草初生之青色也。黃如枳實者死色青黃也。黑如炲者死炲，謂炲煤也。赤如衃血者死衃血，謂敗惡凝聚之血，色赤黑也。白如枯骨者死白而枯槁，如乾骨之白也。此五色之見死也藏敗故見死色也。三部九候論曰：五藏已敗，其色必夭，夭必死矣。此之謂也。青如翠羽者生赤如雞冠者生黃如蟹腹者生白如豕膏者生黑如烏羽者生此五色之見生也何者此謂光潤也。色雖可愛，若見朦朧，尤善矣。故下文曰生於心如以縞裹朱生於肺如以縞裹紅生於肝如以縞裹紺生於脾如以縞裹栝樓實切韻[illegible]又音[illegible]生於腎如以縞裹紫是乃真見生色也。縞，白色。紺，薄青色。此五藏所生之外榮也榮美色也。色味當五藏白當肺辛赤當心苦青當肝酸黃當脾甘黑當腎鹹各當其所應而為色味也。故白當皮赤當脈青當筋

甲乙精神

黃當肉，黑當骨。各歸其所養之藏氣也。諸脈者皆屬於目，脈者血之府。宣明五氣篇曰：久視傷血。由此明諸脈皆屬於目也。新校正云：按皇甫士安云：九卷曰：心藏脈，脈舍神，神明通體，故云屬目。諸髓者皆屬於腦，腦為髓海，故諸髓屬之。諸筋者皆屬於節，筋氣之堅結者，皆絡於骨節之間也。宣明五氣篇曰：久行傷筋。由此明諸筋皆屬於節也。諸血者皆屬於心，血居脈內，屬於心也。八正神明論曰：血氣者，人之神。然神者，心之主。由此故諸血皆屬於心也。諸氣者皆屬於肺，肺藏主氣故也。此四支八谿之朝夕也。谿者，肉之小會名也。八谿，謂肘、膝、腕也。如是氣血筋脈互有盛衰，故為朝夕矣。故人臥血歸於肝，肝藏血，心行之，人動則血運於諸經，人靜則血歸於肝藏。何者？肝主血海故也。肝受血而能視，言其用也。目為肝之官，故肝受血而能視。足受血而能步，氣行乃血流，故足受血而能行步也。掌受血而能握，以當把握之用。指受血而能攝，以當攝受之用也。血氣者，人之神，故所以受血者，皆能運用。臥出而風吹之，血凝於膚者為痺，謂瘰痺也。凝於脈者為泣，泣，謂血行不利。凝於足者為厥，厥，謂足逆冷也。此三

卷三　十一

經絡

太素十五診候之三色脉診

甲六五味一

者血行而不得反其空，故為痺厥也。空者，血流之道，大經隧也。人有大谷十二分，大經所會，謂之大谷也。十二分者，謂十二經脈之部分。小谿三百五十四名，少十二俞，小絡所會，謂之小谿也。然以三百六十五小絡言之者，除十二俞外，則當三百五十三名，經言三百五十四者，傳寫行書誤以三為四也。新校正云：按別本及全元起本、太素俞作關。此皆衛氣之所留止，邪氣之所客也，衛氣滿塡以行，邪氣不得居止，衛氣留止，則為邪氣所客，故言邪氣所客也。鍼石緣而去之。緣，謂夤緣行去之貌。言邪氣所客，衛氣留止，鍼其谿谷，則邪氣夤緣隨脈而行去也。診病之始，五決為紀，五決，謂以五藏之脈為決生死之綱紀也。欲知其始，先建其母，建，立也。母，謂應時之王氣也。先立應時王氣，而後乃求邪正之氣也。所謂五決者，五脈也。謂五藏脈也。是以頭痛巔疾，下虛上實，過在足少陰巨陽，甚則入腎。足少陰，腎脈。巨陽，膀胱脈。膀胱之脈者，起於目內眥，上額交巔上；其支別者，從巔至耳上角；其直行者，從巔入絡腦，還出別下項，循肩髆內，俠脊抵腰中，入循膂，絡腎屬膀胱。然腎虛而不能引巨陽之氣，故頭痛而為上巔之疾也。經病甚已，則入於藏矣。徇蒙招尤，

（徇疾也。蒙不明也。言目暴疾而不明。招謂掉也。搖掉不定也。尤甚也。目疾不明首掉尤甚謂暴病也。目冥耳聾謂漸病也。足少陽膽脉。厥陰肝脉也。厥陰之脉從少腹上俠胃屬肝絡膽。貫鬲布脅肋。循喉嚨之後。入頏顙上出額。與督脉會於巔。其支別者從目系下頰裏。足少陽之脉。起於目銳眥上抵頭角。下耳後循頸入缺盆。其支別者。從耳後入耳中。又支別者。別目銳眥下顴。加頰車下頸。合缺盆以下胸中。貫鬲絡肝屬膽。今氣不足故為是病。新校正云。按王注徇蒙言目暴疾而不明。義未甚顯。徇蒙者蓋謂目瞼瞤動疾數而蒙暗也。又少陽之脉下顴。甲乙經作下頰。）

目冥耳聾。下實上虛。過在足少陽厥陰。甚則入肝。

腹滿䐜脹。支鬲胠脇。（胠謂脇上也。下厥上冒者。謂氣從下逆上而冒於目也。足太陰脾脉。陽明胃脉也。足太陰脉。自股內前廉入腹屬脾絡胃上鬲。足陽明脉起於鼻交頞中。下循鼻外。下絡頤頷。從喉嚨入缺盆屬胃絡脾。其直行者。從缺盆下乳內廉。下俠齊入氣街中。其支別者。起胃下口循腹裏至氣街中而合。以下髀。故為是病。）

下厥上冒。過在足太陰陽明。

欬嗽上氣。厥在胸中。過在手陽明太陰。（手陽明大腸脉。太陰肺脉也。手陽明脉自肩髃前廉上出於柱骨之會上。下入缺盆絡肺下鬲屬大腸。手太陰脉起於中焦。下絡大腸。還循胃口上鬲屬肺。從肺系橫出腋下。故為欬嗽上氣厥在胸中也。新校正云。按甲乙經厥作病。）

心煩頭痛病

在鬲中。過在手巨陽少陰手巨陽小腸脉，少陰心脉也。巨陽之脉，從肩上入缺盆，絡心，循咽下鬲，抵胃屬小腸。其支別者，從缺盆循頸上頰，至目銳眥。手少陰之脉，起於心中，出屬心系，下鬲絡小腸。故心煩頭痛，病在鬲中也。新校正云：按甲乙經云：胷中痛，支滿，腰背相引而痛。過在手少陰太陽也。夫脉之小大滑濇浮沉，可以指別。夫脉小者細小，大者滿大，滑者往來流利，濇者往來蹇難，浮者浮於手下，沉者按之乃得也。如是雖衆狀不同，然手巧心諦，而指可分別也。五藏之象，可以類推。象謂氣象也。言五藏雖隱而不見，然其氣象性用，猶可以物類推之。何者？肝象木而曲直，心象火而炎上，脾象土而安靜，肺象金而剛決，腎象水而潤下。夫如是，皆大舉宗兆，其中隱譽變化，象法傍通者，可以同類而推之尒。五藏相音，可以意識。音謂五音也。夫肝音角，心音徵，脾音宮，肺音商，腎音羽，此其常應也。然其互相勝負，聲見否藏，則耳聰心敏者，猶可以意識而知之。五色微診，可以目察。色謂顏色也。夫肝色青，心色赤，脾色黃，肺色白，腎色黑，此其常色也。然其氣象交互，微見吉凶，則目明智遠者，可以占視而知之。能合脉色，可以萬全。色青者其脉弦，色赤者其脉鉤，色黃者其脉代，色白者其脉毛，色黑者其脉堅，此其常色脉也。然其參校異同，斷言成敗，則審而不惑，萬舉萬全。色脉之病，例如下說。赤脉之至也，喘而堅，診曰有

脉、三四

千十七肺

千十一肝

千十五上脾

積氣在中時害於食名曰心痺喘謂脉至如卒喘狀也藏居高病則脉爲喘狀故心肺二藏而獨言之爾喘爲心氣不足堅則病氣有餘心脉起於心胷之中故積氣在中時害於食也積謂病氣積聚痺謂藏氣不宣行也得之外疾思慮而心虛故邪從之思慮心虛故外邪因之而居止矣白脉之至也喘而浮上虛下實驚有積氣在胷中喘而虛名曰肺痺寒熱喘爲不足浮者肺虛肺不足是謂心虛上虛則下當滿實矣以其不足故善驚驚而氣積胷中矣然脉喘而浮是肺自不足喘而虛者是心氣上乘肺受熱而氣不得營故名肺痺而外爲寒熱也得之醉而使內也酒味苦燥內益於心醉甚入房故心氣上勝於肺矣青脉之至也長而左右彈有積氣在心下支胠名曰肝痺脉長而彈是爲弦緊緊爲寒氣中濕乃弦肝主胠脇近於心故氣積心下又支胠也正理論脉名例曰緊脉者如切繩狀言左右彈人手也得之寒濕與疝同法腰痛足清頭痛脉緊爲寒脉長爲濕疝之爲痛亦寒濕所生故言與疝同法也寒濕在下故腰痛也肝脉者起於足上行至頭出額與督脉會於巔故病則足冷而頭痛也清亦冷也黃脉之至也大

而虛有積氣在腹中有厥氣名曰厥疝脉大爲氣脉虛爲虛既氣又虛故脾氣積於腹中也若腎氣逆上則是厥疝腎氣不上則但虛而脾氣積也女子同法得之疾使四支汗出當風女子同法言同其候也風氣通於肝故汗出當風則脾氣積滿於腹中黑脉之至也上堅而大有積氣在小腹與陰名曰腎痺上謂寸口也腎主下焦故氣積聚於小腹與陰也得之沐浴清水而臥濕氣傷下自歸於腎況沐浴而臥得無病乎靈樞經曰身半以下濕之中也凡相五色之奇脉面黃目青面黃目赤面黃目白面黃目黑者皆不死也奇脉謂與色不相偶合也凡色見黃皆爲有胃氣故不死也 新校正云按甲乙經無之奇脉三字面青目赤面赤目白面青目黑面黑目白面赤目青皆死也無黃色而皆死者以無胃氣也五藏以胃氣爲本故無黃色皆曰死焉

五藏別論篇第十一

新校正云按全元起本在第五卷

黄帝問曰：余聞方士或以腦髓爲藏，或以腸胃爲藏，或以爲府。敢問更相反，皆自謂是，不知其道，願聞其說。方士謂明悟方術之士也。言互爲藏府之差異者，經中猶有之矣。靈蘭秘典論以腸胃爲十二藏相使之次，六節藏象論云十一藏取決於膽，五藏生成篇云五藏之象可以類推，五藏相音可以意識，此則互相矛楯爾。腦髓爲藏，應在別經。

岐伯對曰：腦髓骨脉膽女子胞，此六者地氣之所生也，皆藏於陰而象於地，故藏而不寫，名曰奇恒之府。腦髓骨脉雖名爲府，不正與神藏爲表裏，膽與肝合而不同六府之傳寫，胞雖出納，納則受納精氣，出則化出形容，形容之出謂化極而生，然出納之用有殊於六府，故言藏而不寫，名曰奇恒之府也。夫胃大腸小腸三焦膀胱，此五者天氣之所生也，其氣象天，故寫而不藏，此受五藏濁氣，名曰傳化之府，此不能久留輸寫者也。言水穀入已，糟粕變化而泄出，不能久久留住於中，但當化已輸寫令去而已，傳寫諸化，故曰傳化之府也。

大素卷十四 診候之一人迎脉口診 手十七肺 甲二十二經下

魄門亦爲五藏使，水穀不得久藏。謂肛之門也。内通於肺，故曰魄門。受已化物，則爲五藏行使。然水穀亦不得久藏於中。所謂五藏者，藏精氣而不寫也，故滿而不能實。精氣爲滿，水穀爲實。但藏精氣，故滿而不能實。新校正云：按全元起本及甲乙經、太素，精氣作精神。六府者，傳化物而不藏，故實而不能滿也。以不藏精氣，但受水穀故也。所以然者，水穀入口，則胃實而腸虛；以未下也。食下，則腸實而胃虛。水穀下也。故曰實而不滿，滿而不實也。帝曰：氣口何以獨爲五藏主？氣口則寸口也，亦謂脉口。以寸口可候氣之盛衰，故云氣口；可以切脉之動靜，故云脉口。皆同取於手魚際之後同身寸之一寸，是則寸口也。岐伯曰：胃者，水穀之海，六府之大源也。人有四海，水穀之海則其一也。受水穀已，榮養四傍，以其當運化之源，故爲六府之大源也。五味入口，藏於胃以養五藏氣，氣口亦太陰也。氣口在手魚際之後同身寸之一寸，氣口之所候脉動者，是手太陰脉氣所行，故言氣口亦太陰也。是以五藏六府之氣味皆出於胃。變見於氣口。榮氣之道內穀為寶。新校正云詳此注出靈樞寶作寶穀入於胃氣傳與肺精專者循肺氣行於氣口故云變見於氣口也。新成正云按全元起本出作入故五氣入鼻藏於心肺心肺有病而鼻為之不利也凡治病必察其下適其脈觀其志意與其病也下謂目下所見可否也調適其脈之盈虛觀量志意之邪正及病深淺成敗之宜乃守法以治之也新校正云按太素作必察其上下適其脈候觀其志意與其病能拘於鬼神者不可與言至德志意邪則好祈禱言至德則事必違故不可與言至德也惡於鍼石者不可與言至巧惡於鍼石則巧不得施故不可與言至巧病不許治者病必不治治之無功矣心不許人治之是其必死強為治者功亦不成故曰治之無功矣

重廣補注黃帝內經素問卷第三

○溲所鳩切小便也 ○⿰骨去音疲 ○疝所晏切

靈蘭秘典論 膻徒旱切 稟力稔切 瘠音籍 瞿音劬 六節藏象論
僦即就切 溲所鳩切小便也 五藏生成論 胝胊上丁尼切下側救切 炲音苔 衃芳杯切 ⿸疒帚
音頹又音君 隧音遂 頏胡浪切 顙蘇朗切 系奚帝切 顴音權 胠去魚切 髃音虞 五藏別論
揗音巡 惡音污

重廣補注黃帝内經素問卷第四

啓玄子次注林億孫奇高保衡等奉敕校正孫兆重改誤

異法方宜論篇第十二 新校正云按全元起本在第九卷

黃帝問曰：醫之治病也，一病而治各不同，皆愈，何也？不同謂鍼石灸焫毒藥導引按蹻也。岐伯對曰：地勢使然也。謂法天地生長收藏及高下燥濕之勢。故東方之域，天地之所始生也。法春氣也。魚鹽之地，海濱傍水。魚鹽之地，海之利也。濱，水際也。隨業近之。其民食魚而嗜鹹，皆安其處，美其食。豐其利，故居安恣其嗜故食美。魚者使人熱中，鹽者勝血。魚發瘡則熱中之信，鹽發渴則勝血之徵。故其民皆黑色踈理，其病皆為癰瘍。血弱而熱，故喜為癰瘍。其治宜砭石。砭石，謂以石為鍼也。山海經曰：高氏之山，有石如玉，可以為鍼，則砭石也。新校正云：按氏一作伐。故砭石者，亦從東方來。東人今用之。

西方者，金玉之域，沙石之處，天地之所收引也。法秋氣也。引謂牽引使收斂也。其民陵居而多風，水土剛強，居室如陵，故曰陵居。金氣肅殺，故水土剛強也。新校正云：詳大抵西方地高，民居高陵，故多風也。不必室如陵矣。其民不衣而褐薦，其民華食而脂肥。不衣絲綿，故曰不衣。褐謂毛布也。薦謂細草也。華謂鮮美，酥酪骨肉之類也。以食鮮美，故人體脂肥。故邪不能傷其形體，其病生於內，水土剛強，飲食脂肥，膚腠閉封，血氣充實，故邪不能傷也。內謂喜怒悲憂恐及飲食男女之過甚也。新校正云：詳悲一作思，當作思，已具陰陽應象大論注中。其治宜毒藥。能攻其病，則謂之毒藥。以其血氣盛，肌肉堅，飲食華，水土強，故病宜毒藥方制御之。藥謂草木蟲魚鳥獸之類，皆能除病者也。故毒藥者，亦從西方來。西人方術今奉之。北方者，天

地所閉藏之域也其地高陵居風寒冰洌法冬氣也其民樂
野處而乳食藏寒生滿病水寒冰冽故生病於藏寒也新校正云按甲乙經无滿字其治宜
灸焫火艾燒灼謂之灸焫故灸焫者亦從北方來北人正行其法南方者天地
所長養陽之所盛處也其地下水土弱霧露之所聚
也法夏氣也地下則水流歸之水多故土弱而霧露聚其民嗜酸而食胕言其所食不芬香新校正云按全元起云食魚
也故其民皆緻理而赤色其病攣痺酸味收斂故人皆肉理密緻陽盛之處故色赤濕氣內滿
熱氣內薄故筋攣脉痺也其治宜微鍼微細小也細小之鍼調脉衰盛也故九鍼者亦從南方
來南人盛崇之中央者其地平以濕天地所以生萬物也衆法土德之
用故生物衆然東方海南方下西方北方高中央之地平以濕則地形斯異生病殊焉其民食雜而不勞四方輻輳而萬
物交歸故人食紛雜而不勞也故其病多痿厥寒熱濕氣在下故多病痿弱氣逆及寒熱也陰陽應象大論曰地之

濕氣感則害皮肉筋脉居近於濕故爾其治宜導引按蹻導引謂搖筋骨動支節按謂抑按皮肉蹻謂捷舉手足故導引按蹻者亦從中央出也中人用為養神調氣之正道也故聖人雜合以治各得其所宜隨方而用各得其宜唯聖人法乃能然矣故治所以異而病皆愈者得病之情知治之大體也達性懷故然

移精變氣論篇第十三

新校正云按全元起本在第二卷

黄帝問曰余聞古之治病惟其移精變氣可祝由而已今世治病毒藥治其内鍼石治其外或愈或不愈何也移謂移易變謂變改皆使邪不傷正精神復強而內守也生氣通天論曰聖人傳精神服天氣上古天真論曰精神內守病安從來歧伯對曰往古人居禽獸之閒動作以避寒陰居以避暑内無眷慕之累外無伸宦之形新校正云按全元起本伸作臾此恬憺

之世邪不能深入也故毒藥不能治其內鍼石不能治其外故可移精祝由而已古者巢居穴處夕隱朝遊禽獸之間斷可知矣然動躁陽勝故身熱足以禦寒凉氣生寒故陰居可以避暑矣夫志捐思想則內无眷慕之累心亡願欲故外无伸宦之形靜保天眞自无邪勝是以移精變氣无假毒藥祝說病由不勞鍼石而已新校正云按全元起云祝由南方神當今之世不然情慕云爲遠於道也憂患緣其內苦形傷其外又失四時之從逆寒暑之宜賊風數至虛邪朝夕內至五藏骨髓外傷空竅肌膚所以小病必甚大病必死故祝由不能已也帝曰善余欲臨病人觀死生決嫌疑欲知其要如日月光可得聞乎岐伯曰色脉者上帝之所貴也先師之所傳也上帝謂上古之帝先師謂岐伯祖世之師僦貸季也上古使僦貸季理色脉而通神明合之金木

水火土四時。八風六合。不離其常。先師以色白脉毛而合金應秋以色青脉弦而合木應春以色黑脉石而合水應冬以色赤脉洪而合火應夏以色黄脉代而合土應長夏及四季然以是色脉下合五行之休王上副四時之往來故六合之間八風鼓坼不離常候盡可與期何者以見其變化而知之也故下文曰變化相移以觀其妙以知其要欲知其要則色脉是矣。言所以知四時五行之氣變化相移之要妙者何以色脉故也色以應日脉以應月常求其要則其要也言脉應月色應日者占候之期準也常求色脉之差忒是則平人之診要也夫色之變化以應四時之脉此上帝之所貴以合於神明也所以遠死而近生觀色脉之藏否曉死生之徵兆故能常遠於死而近於生也生道以長命曰聖王上帝聞道勤而行之生道以長惟聖王乃爾而常用也中古之治病至而治之湯液十日以去八風五痺之病八風謂八方之風五痺謂皮肉筋骨脉之痺也靈樞經曰風從東方來名曰嬰兒風其傷人也外在筋紐內舍於肝風從東南來者名曰弱風其傷人也外在於肌內舍於胃風從南方來名曰大弱風其傷人也外在於脉内舍於心風從西南來名曰謀風其傷人也外在於肉内舍於脾風從西方來名曰剛風其傷人也外在於皮内舍於肺風從西北來名曰折風其傷人也外在於手太陽之脉内舍於小腸風從北方來名曰大剛風其傷人也外在於骨内舍於腎風從東北來名曰凶風其傷人也外在於掖脇内舍於大腸又痺論曰以春甲乙傷於風者爲筋痺以夏丙丁傷於風者爲脉痺以秋庚辛傷於風者爲皮痺以冬壬癸傷於邪者爲骨痺以至陰遇此者爲肉痺是所謂八風五痺之病也　新校正云按此注引痺論今經中痺論不如此當云風論曰以春甲乙傷於風者爲肝風以夏丙丁傷於風者爲心風季夏戊巳傷於邪者爲脾風以秋庚辛中於邪者爲肺風以冬壬癸中於邪者爲腎風痺論曰風寒濕三氣雜至合而爲痺以冬遇此者爲骨痺以春遇此者爲筋痺以夏遇此者爲脉痺以至陰遇此者爲肌痺以秋遇此者爲皮痺

十日不巳治以草蘇草荄之枝本末爲助標本巳得邪氣乃服。

草蘇謂藥煎也草荄謂草根也枝謂莖也言以諸藥根苗合成其煎俾相佐助而以服之凡藥有用根者有用莖者有用枝者有用華實者有用根莖枝華實者湯液不去則盡用之故云本末爲助也標本巳得邪氣乃服者言工人與病主療相應則邪氣率服而隨時順也湯液醪醴論曰病爲本工爲標標本不得邪氣不服此之謂主療不相應也或謂取標本論末云鍼也　新校正云按全元起本又云得其標本邪氣乃散矣

暮世之治病也則不然治不本

四時不知日月不審逆從四時之氣各有所在不本其處而即妄攻是反古也四時刺逆從論曰春氣在經脉夏氣在孫絡長夏氣在肌肉秋氣在皮膚冬氣在骨髓工當各隨所在而辟伏其邪爾不知日月者謂日有寒温明暗月有空滿虧盈也八正神明論曰凡刺之法必候日月星辰四時八正之氣氣定乃刺之是故天温日明則人血淖液而衛氣浮故血易寫氣易行天寒日陰則人血凝泣而衛氣沈月始生則血氣始精衛氣始行月郭滿則血氣盛肌肉堅月郭空則肌肉減經絡虚衛氣去形獨居是以因天時而調血氣也是故天寒無刺天温無疑月生無寫月滿無補月郭空無治是謂得時而調之因天之序盛虚之時移光定位正立而待之故曰月生而寫是謂藏虚月滿而補血氣盈溢絡有留血命曰重實月郭空而治是謂亂經陰陽相錯真邪不别沈以留止外虚内亂淫邪乃起此之謂也不審逆從者謂不審量其病可治與不可治故下文曰病形已成乃欲微鍼治其外湯液治其内言忘意粗略不精審也粗工兇兇以爲可攻故病未已新病復起粗謂粗略也兇兇謂不料事宜之可否也何以言之假令饑人形氣羸劣食令極飽能不霍乎豈其與食而爲惡邪蓋爲失時復過節也非病逆鍼石湯液失時過節則其害反增矣新校正云按别本霍一作害帝曰願聞要道岐伯曰治之要極無失色脉用之不惑

治之大則。惑謂惑亂，則謂法則也。言色脉之應，昭然不欺。但順用而不亂紀綱，則治病審當之大法也。逆從到行，標本不得，亡神失國。逆從到行，謂反順爲逆。標本不得，謂工病失宜。夫以反理到行，所爲非順，豈唯治人，而神氣受害，若使之輔佐君主，亦令國祚不保康寧矣。去故就新，乃得真人。標本不得，工病失宜，則當去故逆理之人，就新明悟之士，乃得至真精曉之人以全己也。帝曰：余聞其要於夫子矣。夫子言不離色脉，此余之所知也。岐伯曰：治之極於一。帝曰：何謂一？岐伯曰：一者因得之。因問而得之也。帝曰：奈何？岐伯曰：閉戶塞牖，繫之病者，數問其情，以從其意。問其所欲，而察是非也。得神者昌，失神者亡。帝曰：善。

湯液醪醴論篇第十四

新校正云：按全元起本在第五卷。

黃帝問曰：爲五穀湯液及醪醴奈何？液謂清液，醪醴謂酒之屬也。岐伯對曰必以稻米炊之稻薪稻米者完稻薪者堅（堅謂資其堅勁完謂取其完全完全則酒清冷堅勁則氣迅疾而効速也）帝曰何以然（言何以能完堅耶）岐伯曰此得天地之和高下之宜故能至完伐取得時故能至堅也（夫稻者生於陰水之精首戴天陽之氣二者和合然乃化成故云得天地之和而能至完秋氣勁切霜露凝結稻以冬採故云伐取得時而能至堅）帝曰上古聖人作湯液醪醴為而不用何也岐伯曰自古聖人之作湯液醪醴者以為備耳（言聖人愍念生靈先防萌漸陳其法制以備不虞耳）夫上古作湯液故為而弗服也（聖人不治已病治未病故但為備用而不服也）中古之世道德稍衰邪氣時至服之萬全（雖道德稍衰邪氣時至以心猶近道故服用萬全也）帝曰今之世不必已何也（言不必如中古之世何也）岐伯曰當今之世必齊毒藥攻其中鑱石鍼艾治其外也（言法殊於往古也）帝曰形弊血

盡而功不立者何。歧伯曰：神不使也。帝曰：何謂神不使？歧伯曰：鍼石，道也。言神不能使鍼石之妙用也。何者？志意違背於師示故也。精神不進，志意不治，故病不可愈。動離於道，耗散天真故爾。新校正云：按全元起本云：精神進，志意定，故病可愈。太素云：精神越，志意散，故病不可愈。今精壞神去，榮衛不可復收。何者？嗜欲無窮，而憂患不止，精氣弛壞，榮泣衛除，故神去之而病不愈也。精神者，生之源；榮衛者，氣之主。氣主不輔，生源復消，神不內居，病何能愈哉。帝曰：夫病之始生也，極微極精，必先入結於皮膚。今良工皆稱曰病成，名曰逆，則鍼石不能治，良藥不能及也。今良工皆得其法，守其數，親戚兄弟遠近，音聲日聞於耳，五色日見於目，而病不愈者，亦何暇不早乎。新校正云：按別本暇一作謂。歧伯曰：

病爲本工爲標標本不得邪氣不服此之謂也言醫與病不相得也然工人或親戚兄弟該明情疑勿用工先備識不謂知方鍼艾之妙靡容藥石之攻匪預如是則道雖昭著萬舉萬全病不許治欵奚爲療五藏別論曰拘於鬼神者不可與言至德惡於鍼石者不可與言至巧病不許治者病必不治治之無功此皆謂工病不相得邪氣不賓服也豈惟鍼艾之有惡哉藥石亦有之矣。新校正云按移精變氣論曰標本巳得邪氣乃服

帝曰其有不從毫毛而生五藏陽以竭也新校正云按全元起本及太素陽作傷義亦通津液充郭其魄獨居孤精於内氣耗於外形不可與衣相保此四極急而動中是氣拒於内而形施於外治之柰何不從毫毛言生於内也陰氣内盛陽氣竭絶不得入於腹中故言五藏陽以竭也津液者水也充滿也郭皮也陰稸於中水氣脹滿上攻於肺肺氣孤危魄者肺神腎爲水害子不救母故云其魄獨居也夫陰精損削於内陽氣耗減於外則三焦閉溢水道不通水滿皮膚身體否腫故云形不可與衣相保也凡此之類皆四支脉數急而内鼓動於肺中也肺動者謂氣急而欬也言如是者皆水氣格拒於腹膜之内浮腫施張於身形之外欲窮標本其可得乎四極言四末則四支也左傳曰風淫末疾靈樞經曰陽受氣

於四末。新校正云：詳形施於外，施字疑誤。岐伯曰：平治於權衡，去宛陳莝，新校正云：按《太素》莝作莖。微動四極，溫衣，繆刺其處，以復其形。開鬼門，潔淨府，精以時服，五陽已布，疏滌五藏。故精自生，形自盛，骨肉相保，巨氣乃平。平治權衡，謂察脈浮沉也。脈浮為在表，脈沉為在裏，在裏者泄之，在外者汗之，故下次云開鬼門潔淨府也。去宛陳莝，謂去積久之水物，猶如草莖之不可久留於身中也。全本作草莝。微動四極，謂微動四支，令陽氣漸以宣行，故又曰溫衣也。經脈滿則絡脈溢，絡脈溢則繆刺之，以調其絡脈，使形容如舊而不腫，故云繆刺其處，以復其形也。開鬼門，是啓玄府遣氣也。五陽是五藏之陽氣也。潔淨府，謂寫膀胱水去也。脈和則五精之氣以時賓服於腎藏也。然五藏之陽漸而宣布，五藏之外氣穢復除也。如是，故精髓自生，形肉自盛，藏府既和，則骨肉之氣更相保抱，大經脈氣然乃平復爾。帝曰：善。

玉版論要篇第十五

新校正云：按全元起本在第二卷。

黃帝問曰：余聞揆度奇恒，所指不同，用之奈何？岐伯對曰：揆度者，度病之淺深也。奇恒者，言奇病也。請言道之至數，五色脉變，揆度奇恒，道在於一。一謂色脉之應也。知色脉之應，則可以揆度奇恒矣。新校正云：按全元起本請作謂。神轉不回，回則不轉，乃失其機。血氣者，神氣也。八正神明論曰：血氣者，人之神，不可不謹養也。夫血氣應順四時，遞遷囚王，循環五氣，無相奪倫，是則神轉不回也。回謂却行也。然血氣隨王，不合却行，却行則反常，反常則回而不轉也。回而不轉，乃失生氣之機矣。何以明之？夫木衰則火王，火衰則土王，土衰則金王，金衰則水王，水衰則木王，終而復始，循環，此之謂神轉不回也。若木衰水王，水衰金王，金衰土王，土衰火王，火衰木王，此之謂回而不轉也。然反天常，軌生之何有耶。至數之要，迫近以微，言五色五脉變化之要道，迫近於天常，而又微妙。著之玉版，命曰合玉機。玉機，篇名也。言以此回轉之要旨，著之玉版，合同於玉機論文也。新校正云：詳道之至數至此，與玉機眞藏論文相重，注頗不同。容色見上下左右，各在其要。容色者，他氣也。如肝木部內見赤黃白黑色，皆謂他氣也。餘藏率如此例。所見皆在明堂上下左右要察候處，故云各在其要。新校正云：按全元起本容作客。視色之法，具甲乙經中。其色見淺者，湯液主治，十日已。色淺則病輕，故十日乃已。其見深者，必齊主治，二十一日已。色深則病甚，故必終齊乃已。其見大深者，醪酒主治，百日已。病深甚，故日多。色夭面脱不治，色見大深，兼之夭惡，面肉又脱，不可治也。百日盡已。色不夭，面不脱，治之百日盡可已。新校正云：詳色夭面脱雖不治，然期當百日乃已盡也。脉短氣絶死。脉短已虛，加之漸絶，真氣將竭，故必死。病温虛甚死。甚虛而病温，温氣內涸其精血，故死。色見上下左右，各在其要。上為逆，下為從。色見於下者，病生之氣也，故從。色見於上者，傷神之兆也，故逆。女子右為逆，左為從；男子左為逆，右為從。左為陽，故男子右為從而左為逆；右為陰，故女子右為逆而左為從。易，重陽死，重陰死。女子色見於左，男子色見於右，是變易也。男子色見於左，是曰重陽；女子色見於右，是曰重陰。氣極則反，故皆死也。陰陽反他，新校正云：按陰陽應象大論云陰陽反作。治在權衡相奪，奇恒事也，揆度事也。權衡相奪，謂陰陽二氣不得高下之宜，是奇於恒常之事。當揆度其氣，隨宜而處療之。搏脉痹躄，寒熱之交。脉擊搏於手，而病瘰痹及攣躄者，皆寒熱之氣交合所為，非邪氣虛實之所生也。脉孤爲消氣，虛泄爲奪血。夫脉有表無裏有裏無表皆曰孤亡之氣也若有表有裏而氣不足者皆曰虛衰之氣也。孤爲逆，虛爲從。孤無所依故曰逆虛衰可復故曰從。行奇恒之法，以太陰始。凡揆度奇恒之法先以氣口太陰之脉定四時之正氣然後度量奇恒之氣也。行所不勝曰逆，逆則死。木見金脉金見火脉火見水脉水見土脉土見木脉如是皆行所不勝也故曰逆賊勝不已故逆則死焉。行所勝曰從，從則活。木見水火土脉火見金土木脉土見金水火脉金見土木水脉水見金火木脉如是者皆可勝之脉故曰從從則無所剋殺傷敗故從則活也。八風四時之勝，終而復始，以不越於五行故雖相勝猶循環終而復始也。逆行一過，不復可數，論要畢矣。過謂遍也然逆行一過遍於五氣者不復可數爲平和矣。

診要經終論篇第十六新校正云按全元起本在第二卷。

黃帝問曰：診要何如？岐伯對曰：正月二月，天氣始方，地氣始發，人氣在肝。方正也言天地氣正發生其萬物也木治東方王七十二日猶當三月節後一十二日是木之用事以月而取則正月二月人氣在肝三月四月天氣正方地氣定發人氣在脾天氣正方以陽氣明盛地氣定發爲萬物華而欲實也然季終土寄而王土又生於丙故人氣在脾五月六月天氣盛地氣高人氣在頭天陽赫盛地焰高升故言天氣盛地氣高火性炎上故人氣在頭也七月八月陰氣始殺人氣在肺七月三陰生八月陰始肅殺故云陰氣始殺也然陰氣肅殺類合於金肺氣象金故人氣在肺也九月十月陰氣始冰地氣始閉人氣在心陰氣始凝地氣始閉隨陽而入故人氣在心十一月十二月冰復地氣合人氣在腎陽氣深復故氣在腎也夫氣之變也故發生於木長茂於土盛高而上肅殺於金避寒於火伏藏於水斯皆隨順陰陽氣之升沉也五藏生成論曰五藏之象可以類推此之謂氣類也故春刺散俞及與分理血出而止散俞謂間穴分理謂肌肉分理新校正云按四時刺逆從論云春氣在經脈此散俞即經脈之俞也又水熱穴論云春取絡脈分肉甚者傳氣間者環也辨疾氣之間甚也傳謂相傳環謂循環也相傳則傳所不勝循環則周迴於五氣也新校正云按太素環也作環已夏刺絡俞見血而止盡

甲五日上二才

甲 笑一作哭

氣閉環痛病必下。盡氣謂出血而盡鍼下取所病脈盛邪之氣也邪氣盡已穴俞閉密則經脈循環而痛病之氣必下去矣以陽氣大盛故爲是法刺之 新校正云按四時刺逆從論云夏氣在孫絡此絡俞即孫絡之俞也又水熱穴論云夏取盛經分腠

秋刺皮膚循理上下同法神變而止。循理謂循肌肉之分理也上謂手脈下謂足脈神變謂脈氣變易與未刺時異也脈者神之用故兩言之 新校正云按四時刺逆從論云秋氣在皮膚義與此合又水熱穴論云取俞以寫陰邪取合以虛陽邪皇甫士安云是始秋之治變

冬刺俞竅於分理甚者直下間者散下。直下謂直爾下之散下謂散布下之 新校正云按四時刺逆從論云冬氣在骨髓此俞竅即骨髓之俞竅也又水熱穴論云冬取井滎皇甫士安云是末冬之治變也

春夏秋冬各有所刺法其所在。春刺夏分脈亂氣微入淫骨髓病不能愈令人不嗜食又且少氣。心主脈故脈亂氣微水受氣於夏腎主骨故入淫於骨髓也心火微則胃土不足故不嗜食而少氣也 新校正云按四時刺逆從論云春刺絡脈血氣外溢令人少氣

春刺秋分筋攣逆氣環爲欬嗽病不愈令人時驚又且哭。木受氣於秋肝主筋故刺

秋分則筋攣也。若氣逆環周，則爲欬嗽。肝主驚，故時驚。肺主氣，故氣逆。又且哭也。新校正云：按四時刺逆從論云：春刺肌肉，血氣環逆，令人上氣也。春刺冬分，邪氣著藏，令人脹，病不愈，又且欲言語。冬主陽氣伏藏，故邪氣著藏。腎實則脹，故刺冬分則令人脹也。火受氣於冬，心主言，故欲言語也。新校正云：按四時刺逆從論云：春刺筋骨，血氣內著，令人腹脹。夏刺春分，病不愈，令人解㑊。肝養筋，肝氣不足，故筋力解㑊。新校正云：按四時刺逆從論云：夏刺經脈，血氣乃竭，令人解㑊。夏刺秋分，病不愈，令人心中欲無言，惕惕如人將捕之。肝木爲語。傷秋分則肝木虛，故恐如人將捕之。肝不足，故欲無言而復恐也。新校正云：按四時刺逆從論云：夏刺肌肉，血氣內却，令人善恐。甲乙經作悶。夏刺冬分，病不愈，令人少氣，時欲怒。夏傷於腎，肝肺𢿱之，志內不足，故令人少氣時欲怒也。新校正云：按四時刺逆從論云：夏刺筋骨，血氣上逆，令人善怒。秋刺春分，病不已，令人惕然，欲有所爲，起而忘之。肝虛故也。刺不當也。新校正云：按四時刺逆從論云：秋刺經脈，血氣上逆，令人善忘。秋刺夏分，病不已，令人益嗜臥，又且善夢。心氣少則脾氣孤，故令嗜臥。心主夢，神爲之，故令善夢。新校正云：按四時刺逆從論云：秋刺絡脈，氣不外行，令人臥不能動。秋刺冬分，病不已，令人洒洒時寒。陰氣上干，故時寒也。洒洒，寒貌。新校正云：按四時刺逆從論云：秋刺筋骨，血氣內著，令人寒慄。冬刺春分，病不已，令人欲臥不能眠，眠而有見。肝氣少，故令欲臥不能眠。肝主目，故眠而如見有物之形狀也。新校正云：按四時刺逆從論云：冬刺經脈，血氣皆脫，令人目不明。冬刺夏分，病不愈，氣上發為諸痺。泄脈氣故也。新校正云：按四時刺逆從論云：冬刺絡脈，血氣外泄，留為大痺。冬刺秋分，病不已，令人善渴。肺氣不足，故發渴。新校正云：按四時刺逆從論云：冬刺肌肉，陽氣竭絕，令人善渴。凡刺胸腹者，必避五藏。心肺在鬲上，腎肝在鬲下，脾象土而居中，故刺胸腹必避之。五藏者，所以藏精神魂魄意志，損之則五神去，神去則死至，故不可不慎也。中心者環死。氣行如環之一周則死也，正謂周十二辰也。新校正云：按刺禁論云：一日死，其動為噫。四時刺逆從論同。此經闕刺中肝死日。刺禁論云：中肝五日死，其動為語。四時刺逆從論同也。中脾者五日死。土數五也。新校正云：按刺禁論云：中脾十日死，其動為吞。四時刺逆從論同。中腎者七日死。水成數六，水數畢，當至七日而死。一云十日死，字之誤也。新校正云：按刺禁論云：中腎六日死，其動為嚏。四時刺逆從論云：中腎六日死，其動為嚏欠。中肺者五日死。金生數四，金數畢，當至五日而死。一云三日死，亦字誤也。新校正云：按刺禁論云中肺三日死其動爲欬四時刺逆從論同王注四時刺逆從論云此三論皆岐伯之言而不同者傳之誤也中鬲者皆爲傷中其病雖愈不過一歲必死五藏之氣同主一年鬲傷則五藏之氣互相克代故不過一歲必死刺避五藏者知逆從也所謂從者鬲與脾腎之處不知者反之腎著於脊脾藏居中鬲連於脇際知者爲順不知者反傷其藏刺胷腹者必以布憿著之乃從單布上刺形定則不誤中於五藏也新校正云按別本憿一作憿又作撽刺之不愈復刺要以氣至爲効也鍼經曰刺之氣不至无問其數刺之氣至去之勿復鍼此之謂也刺鍼必肅肅謂靜肅所以候氣之存亡刺腫搖鍼以出大膿血故經刺勿搖經氣不欲泄故此刺之道也帝曰願聞十二經脉之終奈何終謂盡也岐伯曰太陽之脉其終也戴眼反折瘈瘲其色白絶汗乃出出則死矣戴眼謂睛不轉而仰視也然足太陽脉起於目内眥上額交巔上從巔入絡腦還出別下項循肩髆内俠脊抵腰中其支別者下循足至小指外側手太陽脉起於手小指之

端循臂上肩入缺盆其支別者上頰至目內眥抵足太陽 新校正云按甲乙經作斜絡於顴 又其支別者從缺盆循頸上頰至目外眥 新校正云按甲乙經外作兌故戴眼反折瘈瘲色白絕汗乃出也絕汗謂汗暴出如珠而不流旋復乾也太陽極則汗出故出則死

少陽終者耳聾百節皆縱目瞏絕系絕系一日半死其死也色先青白乃死矣

足少陽脈起於目銳眥上抵頭角下耳後其支別者從耳後入耳中出走耳前手少陽脈其支別者從耳後亦入耳中出走耳前故終則耳聾目瞏絕系也少陽主骨故氣終則百節縱緩色青白者金木相薄也故見死矣瞏謂直視如驚貌

陽明終者口目動作善驚妄言色黃其上下經盛不仁則終矣

足陽明脈起於鼻交頞中下循鼻外入上齒縫中還出俠口環脣下交承漿却循頤後下廉出大迎循頰車上耳前過客主人循髮際至額顱其支別者從大迎前下人迎循喉嚨入缺盆下鬲手陽明脈起於手循臂至肩上出於柱骨之會上下入缺盆絡肺其支別者從缺盆上頸貫頰下入齒中還出俠口交人中左之右右之左上俠鼻鼽抵足陽明 新校正云按甲乙經鼽作孔无抵足陽明四字故終則口目動作也口目動作謂目睒睒而鼓頷也胃病則惡人與火聞木音則惕然而驚又罵詈不避親踈故善驚妄言也黃者土色上謂手脈下謂足脈也經盛謂面目頸頷足跗腕脛皆躁盛而動也不仁謂不知善惡如

是者皆氣竭之徵也故終矣。少陰終者面黑齒長而垢腹脹閉上下不通而終矣。手少陰氣絶則血不流足少陰氣絶則骨不耎骨硬則斷上宣故齒長而積垢汙血壞則皮色死故面色如漆而不赤也足少陰脉從腎上貫肝鬲入肺中手少陰脉起於心中出屬心系下鬲絡小腹故其終則腹脹閉上下不通也 新校正云詳王注云骨不耎骨硬按難經及甲乙經云骨不濡則肉弗能著當作骨不濡手少陰脉絡小腹甲乙經作脉絡小腸

太陰終者腹脹閉不得息善噫善嘔足太陰脉行從股内前廉入腹屬脾絡胃上鬲手太陰脉起於中焦下絡大腸還循胃口上鬲屬肺故終則如是也靈樞經曰足太陰之脉動則病食則嘔腹脹善噫也嘔則逆逆則面赤嘔則氣逆故面赤 新校正云按靈樞經作善噫噫則嘔嘔則逆不逆則上下不通不通則面黑皮毛焦而終矣嘔則上通故但面赤不嘔則下已閉上復不通心氣外燔故皮毛焦而終矣何者足太陰脉支別者復從胃別上鬲注心中由是則皮毛焦乃心氣外燔而生也

厥陰終者中熱嗌乾善溺心煩甚則舌卷卵上縮而終矣足厥陰絡循脛上睾結於莖其正經入毛中下過陰器上抵小腹俠胃上循喉嚨之後入頏顙手厥陰脉起於胷中出屬心包故終則中熱嗌乾善溺心煩矣

靈樞經曰肝者筋之合也筋者聚於陰器而脉絡於舌本故甚則舌卷卵上縮也又以厥陰之脉過陰器故爾　新校正云按甲乙經皐作睪過作環

此十二經之所敗也手三陰三陽足三陰三陽則十二經也敗謂氣終盡而敗壞也　新校正云詳十二經又出靈樞經與素問重

重廣補注黃帝內經素問卷第四

異法方宜論　蹻巨嬌切　砭普廉切　緻直利切　摽必堯切　移精變氣論　荄古哀切草根也　湯液醪醴論　醪音勞　墊音劄斬也　滌音迪　穢音畏　玉版論　度徒各切　躄必益切　診要經終論　憿古堯切　瘲音縱　睘音瓊　睒音閃　跗音閑

脉經卷一平脉早晏法第二載此文　至新生云分　千廿八ウ

重廣補注黄帝内經素問卷第五

啓玄子次注林億孫奇高保衡等奉敕校正孫兆重改誤

脉要精微論　平人氣象論

脉要精微論篇第十七

新校正云按全元起本在第六卷

黄帝問曰診法何如岐伯對曰診法常以平旦陰氣未動陽氣未散飲食未進經脉未盛絡脉調匀氣血未亂故乃可診有過之脉動謂動而降卑散謂散布而出也過謂異於常候也新校正云按脉經及千金方有過之脉作過此非也王注陰氣未動謂動而降卑按金匱真言論云平旦至日中天之陽陽中之陽也則平旦為一日之中純陽之時陰氣未動耳何有降卑之義切脉動静而視精明察五色觀五藏有餘不足六府強弱形之盛衰以此參伍決死生之分切謂以指切近於脉也精

明穴名也在明堂左右兩目內眥也以近於目故曰精明言以形氣盛衰脈之多少視精明之間氣色觀藏府不足有餘參其類伍以決死生之分夫脈者血之府也府聚也言血之多少皆聚見於經脈之中也故刺志論曰脈實血實脈虛血虛此其常也反此者病由是故也長則氣治短則氣病數則煩心大則病進夫脈長爲氣和故治短爲不足故病數急爲熱故煩心大爲邪盛故病進也長脈者往來長短脈者往來短數脈者往來急速大脈者往來滿大也上盛則氣高新校正云按全元起本高作鬲下盛則氣脹代則氣衰細則氣少新校正云按太素細作滑濇則心痛上謂寸口下謂尺中盛謂盛滿代脈者動而中止不能自還細脈者動如莠蓬濇脈者往來時不利而蹇濇也渾渾革至如涌泉病進而色弊綿綿其去如弦絕死渾渾言脈氣濁亂也革至者謂脈來弦而大實而長也如涌泉者言脈汨汨但出而不返也綿綿言微微似有而不甚應手也如弦絕者言脈卒斷如弦之絕去也若病候日進而色弊惡如此之脈皆必死也　新校正云按甲乙經及脈經作渾渾革革至如涌泉病進而色弊綿綿其去如弦絕者死夫精明五色者氣之華也五氣之精華者上見爲五色變化於精明之間也六節藏象論曰天食人以五氣五氣入鼻藏於心肺上使五色脩明此則明

甲六 壽夭

察五色也。赤欲如白裹朱，不欲如赭；白欲如鵝羽，不欲如鹽；新校正云：按《甲乙經》作"白欲如白璧之澤，不欲如堊"，《太素》兩出之。青欲如蒼璧之澤，不欲如藍；黃欲如羅裹雄黃，不欲如黃土；黑欲如重漆色，不欲如地蒼。新校正云：按《甲乙經》作"炭色"。五色精微象見矣，其壽不久也。赭色、鹽色、藍色、黃土色、地蒼色見者，皆精微之敗象，故其壽不久。夫精明者，所以視萬物，別白黑，審短長。以長為短，以白為黑，如是則精衰矣。誠其誤也。夫如是者，皆精明衰乃誤。五藏者，中之守也。身形之中，五神安守之所也。此則明觀五藏也。新校正云：按《甲乙經》及《太素》"守"作"府"。中盛藏滿，氣勝傷恐者，聲如從室中言，是中氣之濕也。中，謂腹中。盛，謂氣盛。藏，謂肺藏。氣勝，謂勝於呼吸而喘息變易也。夫腹中氣盛，肺藏充滿，氣勝息變，善傷於恐，言聲不發，如在室中者，皆腹中有濕氣乃爾也。言而微，終日乃復言者，此奪氣也。若言音微細，聲斷不續，甚奪其氣，乃如是也。衣

内經五　二

九一　疾、

被不斂言語善惡不避親踈者此神明之亂也倉廩
不藏者是門戶不要也倉廩謂脾胃門戶謂魄門靈蘭秘典論曰脾胃者倉廩之官也五藏別論曰魄門亦爲五
藏使水穀不得久藏也魄門則肛門也要謂禁要水泉不止者是膀胱不藏也水泉謂前陰之流注也
得守者生失守者死夫如是倉廩不藏氣勝傷恐衣被不斂水泉不止者皆神氣得居而守則生失其所守則死也
夫何以知神氣之不守耶衣被不斂言語善惡不避親踈則亂之證也亂甚則不守於藏也夫五藏者身之強也
藏安則神守神守則身強故曰身之強也頭者精明之府頭傾視深精神將奪矣
背者胸中之府背曲肩隨府將壞矣腰者腎之府轉
搖不能腎將憊矣膝者筋之府屈伸不能行則僂附
新校正云按別本附一作俯太素作跗筋將憊矣骨者髓之府不能久立行則
振掉骨將憊矣皆以所居所由而爲之府也得強則生失強則死強謂中氣強固

以鎮守也岐伯曰新校正云詳此岐伯曰前无問反四時者有餘爲精不足爲消應太過不足爲精應不足有餘爲消陰陽不相應病名曰關格廣陳其脉應也夫反四時者諸不足皆爲血氣消損諸有餘皆爲邪氣勝精也陰陽之氣不相應合不得相營故曰關格也

帝曰脉其四時動柰何知病之所在柰何知病之所變柰何知病乍在內柰何知病乍在外柰何請問此五者可得聞乎言欲順四時及陰陽相應之狀候也岐伯曰新校正云詳此對與問不甚相應脉四時動病之所在病之所變按文頗對病在內在外之說後文殊不相當請言其與天運轉大也指可見陰陽之運轉以明陰陽之不可見也萬物之外六合之內天地之變陰陽之應彼春之暖爲夏之暑彼秋之忿爲冬之怒四變之動脉與之上下六合謂四方上下也春暖爲夏暑言陽生而至盛秋忿而冬怒言陰少而之壯也忿一爲急言秋氣勁急也新校正云按全元起注本

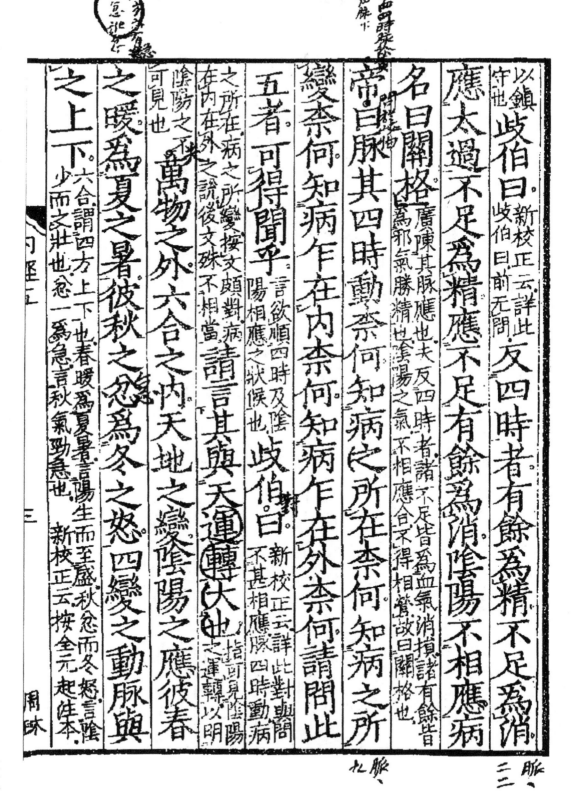

暖作緩。以春應中規。春脈耎弱輕虛而滑如規之象中外皆然故以春應中規。夏應中矩。夏脈洪大兼之滑數如矩之象可正平之故以夏應中矩。秋應中衡。秋脈浮毛輕澀而散如秤衡之象高下必平故以秋應中衡。冬應中權。冬脈如石兼沉而滑如秤權之象下遠於衡故以冬應中權也以秋中衡冬中權者言脈之高下異處如此爾此則隨陰陽之氣故有斯四應不同也。是故冬至四十五日陽氣微上陰氣微下夏至四十五日陰氣微上陽氣微下陰陽有時與脈爲期期而相失知脈所分分之有期故知死時。察陰陽升降之準則知經脈遞遷之象審氣候遞遷之失則知氣血分合之期分期不差故知人死之時節。微妙在脈不可不察察之有紀從陰陽始。推陰陽升降精微妙用皆在經脈之氣候是以不可不察故始以陰陽爲察候之綱紀。始之有經從五行生。言始所以知有經脈之察候司應者何哉蓋由五行衰王而爲準度也。生之有度四時爲宜。徵求太過不及之形診皆以應四時者爲生氣所宜也。新校正云按太素宜作數。補寫勿失與天地如一。有餘者寫之不足者補之是則應天地之常道也然天地之道損有餘而補不足是法天地之道也寫補之宜工切審之其治氣亦然得一之情以知死生曉天地之道補寫不差旣得一情亦可以知生死之準的是故聲合五音色合五行脉合陰陽聲表宮商角徵羽故合五音色見青黃赤白黑故合五行脉彰寒暑之休王故合陰陽之氣也是知陰盛則夢涉大水恐懼陰爲水故夢涉水而恐懼也陰陽應象大論曰水爲陰陽盛則夢大火燔灼陽爲火故夢大火而燔灼也陰陽應象大論曰火爲陽陰陽俱盛則夢相殺毀傷亦類交爭之氣象也上盛則夢飛下盛則夢墮氣上則夢上故飛氣下則夢下故墮甚飽則夢予內有餘故甚飢則夢取內不足故肝氣盛則夢怒肝在志爲怒肺氣盛則夢哭肺聲哀故爲哭新校正云詳是知陰盛則夢涉大水恐懼至此乃靈樞之文誤置於斯仍少心脾腎氣盛所夢今具甲乙經中短蟲多則夢聚衆身中短蟲多則夢聚衆長蟲多則夢相擊毀傷長蟲動則內不安內不安則神躁擾故夢是矣新校正云詳此二句亦不當出此應他經脫簡文也是故持脉有道虛靜

爲保 前明脉應此舉持脉所由也然持脉之道必虚其心静其志乃保定盈虚而不失 新校正云按甲乙經保作實 春日浮如魚之遊在波 雖出猶未全浮 夏日在膚泛泛乎萬物有餘 泛泛平貌陽氣大盛脉氣亦象萬物之有餘易取而洪大也 秋日下膚蟄蟲將去 随陽氣之漸降故曰下膚何以明陽氣之漸降蟄蟲將欲藏去也 冬日在骨蟄蟲周密君子居室 在骨言脉深沉也蟄蟲周密言陽氣伏藏君子居室此人事也 故曰知内者按而紀之 知内者謂知脉氣也故按而爲之綱紀 知外者終而始之 知外者謂知色象故以五色終而復始 此六者持脉之大法 見是六者然後可以知脉之遷變也 新校正云詳此前對帝問脉其四時動奈何之事

心脉搏堅而長當病舌卷不能言 搏謂搏擊於手也諸脉搏堅而長者皆爲勞心而藏脉氣虚極也心手少陰脉從心系上俠咽喉故令舌卷短而不能言也 其耎而散者當消環自已 諸脉耎散皆爲氣實血虚也消謂消散環謂環周言其經氣如環之周當其火王自消散也 新校正云按甲乙經環作遏

肺脉搏堅而長當病唾血 肺虚極則絡逆絡逆則血泄故唾出也 其耎而散者

大素第十五五藏脉診
千十三心藏
甲四經脉中一
脉六
千十七

脉 二十

當病灌汗至今不復散發也汗出玄府津液奔湊寒水灌洗皮密汗藏因灌汗藏故言灌汗至今不復散發也灌謂灌洗盛暑多爲此也　新校正云詳下文諸藏各言色而心肺二藏不言色者疑闕文也

肝脈搏堅而長色不青當病墜若搏因血在脅下令人喘逆諸脈見本經之氣而色不應者皆非病從內生是外病來勝也夫肝藏之脈端直以長故言曰色不青當病墜若搏也肝主兩脅故曰因血在脅下也肝厥陰脈布脅肋循喉嚨之後其支別者復從肝別貫鬲上注肺今血在脅下則血氣上熏於肺故令人喘逆也

其耎而散色澤者當病溢飲溢飲者渴暴多飲而易入肌皮腸胃之外也面色浮澤是爲中濕血虛中濕水液不消故言當病溢飲也以水飲滿溢故滲溢易而入肌皮腸胃之外也　新校正云按甲乙經易作溢

胃脈搏堅而長其色赤當病折髀胃虛色赤火氣救之心象於火故色赤也胃陽明脈從氣衝下髀抵伏兔故病則髀如折也

其耎而散者當病食痹痹痛也胃陽明脈其支別者從大迎前下人迎循喉嚨入缺盆下鬲屬胃絡脾故食則痛悶而氣不散也　新校正云詳謂痹爲痛義則未通

脾脈搏堅而長其色黃當病少氣脾虛

千十九 千十三 脉六 千十六 脉六

則肺無所養肺主氣故少氣也其耎而散色不澤者當病足胻腫若水狀也色氣浮澤爲水之候色不潤澤故言若水狀也脾大陰脉自上內踝前廉上腨內循胻骨後交出厥陰之前上循膝股內前廉入腹故病足胻腫也腎脉搏堅而長其色黃而赤者當病折腰色氣黃赤是心脾干腎腎受客陽故腰如折也腰爲腎府故病發於中其耎而散者當病少血至令不復也腎主水以生化津液令腎氣不化故當病少血至令不復也帝曰新校正云詳帝曰至以其勝治之愈全元起本在湯液篇診得心脉而急此爲何病病形何如岐伯曰病名心疝少腹當有形也心爲牡藏其氣應陽今脉反寒故爲疝也諸脉勁急者皆爲寒形謂病形也帝曰何以言之岐伯曰心爲牡藏小腸爲之使故曰少腹當有形也少腹小腸也靈蘭秘典論曰小腸者受盛之官以其受盛故形居于內也帝曰診得胃脉病形何如岐伯曰胃脉實則脹虛則泄脉實者氣有餘故脹滿脉虛者氣不足故泄利新校正云詳此前對帝問知病之所在帝曰病疾、

七七

甲十一陽厥一

太素卷廿六癰疽
甲十一癰疽下

成而變何謂岐伯曰風成爲寒熱生氣通天論曰因於露風乃生寒熱故風成爲寒熱也癉成爲消中癉謂濕熱也熱積於內故變爲消中也消中之證善食而瘦 新校正云詳王注以善食而瘦爲消中按本經多食數溲爲之消中善食而瘦乃是食㑊之證當云善食而溲數厥成爲巔疾厥謂氣逆也氣逆上而不已則變爲上巔之疾也久風爲飧泄久風不變但在胃中則食不化而泄利也以肝氣內合而乘胃故爲是病焉陰陽應象大論曰風氣通於肝故內應於肝也脈風成爲癘經風論曰風寒客於脈而不去名曰癘風又曰癘者有榮氣熱胕其氣不清故使其鼻柱壞而色敗皮膚瘍潰然此則癘也夫如是者皆脈風成結變而爲也病之變化不可勝數新校正云詳此前對帝問知病之所變奈何帝曰諸癰腫筋攣骨痛此皆安生安何也言何以生之岐伯曰此寒氣之腫也八風之變也八風八方之風也然癰腫者傷東南西南風之變也筋攣骨痛者傷東風北風之變也靈樞經曰風從東方來名曰嬰兒風其傷人也外在筋紐風從東南來名曰弱風其傷人也外在於肌風從西南來名曰謀風其傷人也外在於肉風從北方來名曰大剛風其傷人也外在於骨由此四風之變而三病乃生故下問對是也帝曰治之奈何岐伯曰此四時

帝問疾
八七

內經五　六　朱緑

大素十五五藏脉診
甲四經脉下

之病以其勝治之愈也勝謂勝剋也如金勝木木勝土土勝水水勝火火勝金此則相勝也黃帝問曰有故病五藏發動因傷脉色各何以知其久暴至之病乎重以色氣明前五藏堅長之脉有自病故病及因傷候也岐伯曰悉乎哉問也徵其脉小色不奪者新病也氣乏而神猶強也徵其脉不奪其色奪者此久病也神持而邪凌其氣也徵其脉與五色俱奪者此久病也神與氣俱衰也徵其脉與五色俱不奪者新病也神與氣俱強也肝與腎脉並至其色蒼赤當病毀傷不見血已見血濕若中水也肝色蒼心色赤赤色見當脉洪腎脉見當色黑今腎脉來反見心色故當因傷而血不見也若已見血則是濕氣及水在腹中也何者以心腎脉色中外之候不相應也尺內兩傍則季脅也尺內謂尺澤之內也兩傍各謂尺之外側也季脅近腎尺主之故尺內兩傍則季脅也尺外以候腎尺裏以候腹中尺外謂尺之外側尺裏謂尺之內側也次尺外下兩傍則季脅之分季脅

三六 二脉

之上腎之分季脇之內則腹之分也（附上左外以候肝內以候鬲）（肝主賁賁鬲也）右外以候胃內以候脾（脾居中故以內候之胃爲市故以外候之）上附上右外以候肺內以候胸中（肺葉垂外故以外候之胸中主氣管故以內候之）左外以候心內以候膻中（心主鬲中也膻中則氣海也嗌也新校正云詳王氏以膻中爲嗌也疑誤）前以候前後以候後（上前謂左寸口下前謂胸之前膺及氣海也上後謂右寸口下後謂胸之後背及氣管也）上竟上者胸喉中事也下竟下者少腹腰股膝脛足中事也（上竟上至魚際也下竟下謂盡尺之脉動處也少腹胞氣海在膀胱腰股膝脛足中之氣動靜皆分其近遠及連接處所名目以候之知其善惡也）麤大者陰不足陽有餘爲熱中也（麤大謂脉洪大也脉洪爲熱故曰熱中）來疾去徐上實下虛爲厥巔疾來徐去疾上虛下實爲惡風也（亦脉狀也）故中惡風者陽氣受也（以上虛故陽氣受也）有脉俱沈細數者少陰厥也（尺中之有脉沈細數者是腎少陰氣逆也何者

云云當氣多恐氣少誤後是同

尺脉不當見數有數故言厥也俱沉細數者言左右尺中也沉細數散者寒熱也陽干於陰陰氣不足故寒熱也正理論曰數爲陽浮而散者爲眴仆脉浮爲虛散爲不足氣虛而血不足故爲頭眩而仆倒也諸浮不躁者皆在陽則爲熱其有躁者在手言大法也但浮不躁則病在足陽脉之中躁者病在手陽脉之中也故又曰其有躁者在手也陽爲火氣故爲熱諸細而沉者皆在陰則爲骨痛其有靜者在足細沉而躁則病生於手陰脉之中靜者病生於足陰脉之中也故曰其有靜者在足也陰主骨故骨痛數動一代者病在陽之脉也洩及便膿血代止也數動一代是陽氣之生病故言病在陽之脉所以然者以洩利及膿血脉乃爾諸過者切之濇者陽氣有餘也滑者陰氣有餘也陽有餘則血少故脉濇陰有餘則氣多故脉滑也新校正云詳氣多疑誤當是血多也陽氣有餘爲身熱无汗陰氣有餘爲多汗身寒血少氣多斯可知也陰陽有餘則无汗而寒陽餘无汗陰餘身寒若陰陽有餘則當无汗而寒也推而外之内而不外有心

吳云：氣，脉氣；象，脉形也。
太素第十五尺寸診 甲乙經診脉上

腹積也。（脉附臂筋，取之不審，推筋令遠，使脉外行，內而不出外者，心腹中有積乃爾。）推而內之，外而不內，身有熱也。（脉遠臂筋，推之令近，遠而不近，是陽氣有餘，故身有熱也。）推而上之，上而不下，腰足清也。（推筋按之，尋之而上，脉上涌盛，是陽氣有餘，故腰足冷也。新校正云：按《甲乙經》"上而不下"作"下而不上"。）推而下之，下而不上，頭項痛也。（推筋按之，尋之而下，脉沈下掣，是陽氣有餘，故頭項痛也。新校正云：按《甲乙經》"下而不上"作"上而不下"。）按之至骨，脉氣少者，腰脊痛而身有痺也。（陰氣大過故爾。）

平人氣象論篇第十八

（新校正云：按全元起本在第一卷。）

黃帝問曰：平人何如？（平人謂氣候平調之人也。）岐伯對曰：人一呼脉再動，一吸脉亦再動，呼吸定息脉五動，閏以太息，命曰平人。平人者不病也。（經脉一周於身，凡長十六丈二尺，呼吸脉各再動，定息脉又一動，則五動也。計二百七十定息，氣可環周，然盡五十營，以一萬三千五百定息，則氣都行八百一十丈。如是則應天常度，脉氣无不及太過，氣象平調，故曰平人也。）常以不病調病人。醫不病，故爲病人平息以調之爲法。人一呼脉一動，一吸脉一動，曰少氣。呼吸脉各一動，準候減平人之半，計二百七十定息，氣凡行八丈一尺，以一萬三千五百定息，氣都行四百五丈，少氣之理，從此可知。人一呼脉三動，一吸脉三動而躁，尺熱曰病溫，尺不熱脉滑曰病風，脉濇曰痺。呼吸脉各三動，準過平人之半，計二百七十息，氣凡行二十四丈三尺，病生之兆，由斯著矣。夫尺者陰分位也，寸者陽分位也，然陰陽俱熱，是則爲溫，陽獨躁盛，則風中陽也。脉要精微論曰：中惡風者，陽氣受也。滑爲陽盛，故病爲風。濇爲无血，故爲痺也。躁謂煩躁。新校正云：按甲乙經无脉濇曰痺一句，下文亦重。人一呼脉四動以上曰死，脉絕不至曰死，乍踈乍數曰死。呼吸脉各四動，準候過平人之倍，計二百七十息，氣凡行三十二丈四尺，況其以上耶。脉法曰：脉四至曰脫精，五至曰死。然四至以上，亦近五至也，故死矣。然脉絕不至，天真之氣已无，乍數乍踈，胃穀之精亦𣧑，故皆死之候。是以下文曰。新校正云：按別本𣧑一作敗。平人之常氣稟於胃，胃者平人之常氣也。常平之氣，胃海致之。靈樞經曰：胃爲水穀之海也。正理論曰：穀入於胃，脉道乃行。

甲四經脉中 千十三 脉三肝 千十三心 脉三心 千十五上 脉三

人无胃氣曰逆逆者死逆謂反平人之候也 新校正云按甲乙經云人常稟氣於胃脉以胃氣爲本无胃氣曰逆逆者死春胃微弦曰平言微似弦不謂微而弦也鉤及耎弱毛石義並同弦多胃少曰肝病但弦无胃曰死謂急而益勁如新張弓弦也胃而有毛曰秋病毛秋脉金氣也毛甚曰今病木受金邪故今病藏真散於肝肝藏筋膜之氣也象陽氣之散發故藏真散也藏氣法時論曰肝欲散急食辛以散之取其順氣夏胃微鉤曰平鉤多胃少曰心病但鉤无胃曰死謂前曲後居如操帶鉤也胃而有石曰冬病石冬脉水氣也石甚曰今病火被水侵故今病藏真通於心心藏血脉之氣也象陽氣之炎盛也藏氣法時論曰心欲耎急食鹹以耎之取其順氣長夏胃微耎弱曰平弱多胃少曰脾病但代无胃曰死謂動而中止不能自還也耎弱有石曰冬病石冬脉水氣也次其勝剋石當爲弦長夏土絶故云石也弱甚曰今病弱甚爲土氣不足故今病 新校正云按甲乙經弱作石藏真濡於脾脾藏

肌肉之氣也[以舍藏水穀故藏真濡也]秋胃微毛曰平毛多胃少曰肺病但毛无胃曰死[謂如物之浮如風吹毛也]毛而有弦曰春病[弦春脉木氣也次其乘剋弦當為鉤金氣逼肝則脉弦來見故不鉤而反弦也]弦甚曰今病[木氣逆來乘金則今病]藏真高於肺以行榮衛陰陽也[肺處上焦故藏真高也靈樞經曰榮氣之道内穀為寶穀入於胃氣傳與肺流溢於中而散於外精專者行於經隧以其自肺宣布故云以行榮衛陰陽也　新校正云按別本寶一作實]冬胃微石曰平石多胃少曰腎病但石无胃曰死[謂如奪索辟辟如彈石也]石而有鉤曰夏病[夏鉤脉少兼土氣也次其乘剋鉤當云弱土王長夏文不見正形故石而有鉤兼其土也]鉤甚曰今病[水受火土之邪故今病]藏真下於腎腎藏骨髓之氣也[腎居下焦故云藏真下也腎化骨髓故藏骨髓之氣也]胃之大絡名曰虛里貫鬲絡肺出於左乳下其動應衣脉宗氣也[宗尊也主也謂十二經脉之尊主也貫鬲絡肺出於左乳下者自鬲而出於乳下乃絡肺也]盛喘數絕

甲乙經脉中

○乳之下其動應於衣宗氣泄▲喘數絶不至曰死

者則病在中絶謂暫斷絶也結而橫有積矣絶不至曰死皆左乳下脉動狀也中謂腹中也乳之下其動應衣宗氣泄也泄謂發泄 新校正云按全元起本无此十一字甲乙經亦无詳上下文義多此十一字當去欲知寸口太過與不及寸口之脉中手短者曰頭痛寸口脉中手長者曰足脛痛短爲陽氣不及故病於頭長爲陰氣太過故病於足寸口脉中手促上擊者曰肩背痛陽盛於上故肩背痛寸口脉沈而堅者曰病在中寸口脉浮而盛者曰病在外沈堅爲陰故病在中浮盛爲陽故病在外也寸口脉沈而弱曰寒熱及疝瘕少腹痛沈爲寒弱爲熱故曰寒熱也又沈爲陰盛弱爲陽餘餘盛相薄正當寒熱不當爲疝瘕而少腹痛應古之錯簡爾 新校正云按甲乙經无此十五字況下文已有寸口脉沈而喘曰寒熱脉急者曰疝瘕少腹痛此文衍當去寸口脉沈而橫曰脇下有積腹中有橫積痛亦陰氣内結也寸口脉沈而喘曰寒熱喘爲陽吸沈爲陰爭爭吸相薄

脉一堆舜主 有胃氣來而知者病曰無他

脉

脉急者曰疝瘕少腹痛十七脉沉而喘曰寒熱

故寒熱也脉盛滑堅者曰病在外脉小實而堅者病在內盛滑為陽小實為陰陰病病在內陽病病在外也脉小弱以濇謂之久病小為氣虛濇為无血血氣虛弱故云久遠之病也脉滑浮而疾者謂之新病滑浮為陽足脉疾為氣全陽足氣全故云新淺之病也脉急者曰疝瘕少腹痛此覆前疝瘕少腹痛之脉也言沉弱不必為疝瘕沉急乃與診相應脉滑曰風脉濇曰痹滑為陽陽受病則為風濇為陰陰受病則為痹緩而滑曰熱中盛而緊曰脹謂緩縱緩之狀非動之遲緩也陽盛於中故脉滑緩寒氣否滿故脉盛緊也盛緊盛滿也脉從陰陽病易已脉逆陰陽病難已脉病相應謂之從脉病相反謂之逆脉得四時之順曰病无他脉反四時及不間藏曰難已春得秋脉夏得冬脉秋得夏脉冬得四季脉皆謂反四時氣不相應故難已也臂多青脉曰脫血血少脉空客寒因入寒凝血汁故脉色青也尺脉緩濇謂之解㑊尺為陰部腹腎主之緩為熱中濇為无血熱而无血故解㑊並不可名之然寒不寒熱不熱弱不弱壯不壯㑊不可名謂之解㑊也脉要精微論曰尺外以候腎尺

楊叔吾曰此㑊當浮 古抄本元本亦作浮

脉十二　脉十六

足脛腫曰水目黃者曰黃疸也

裏以候腹中則腹賢壹尺之義也安臥脉盛謂之脫血卧久傷氣氣傷則脉診應微今脉盛而不微則血去而氣無所主乃爾盛謂數急而大鼓也尺澁脉滑謂之多汗謂尺膚澁而尺脉滑也膚澁者榮血內涸脉滑爲陽氣內餘血涸而陽氣尚餘多汗而脉乃如是也尺寒脉細謂之後泄尺主下焦診應腸腹故膚寒脉細泄利乃然脉法曰陰微即下言尺氣虛也脉尺麤常熱者謂之熱中謂下焦中也肝見庚辛死庚辛爲金伐肝木也心見壬癸死壬癸爲水滅心火也脾見甲乙死甲乙爲木剋脾土也肺見丙丁死丙丁爲火鑠肺金也腎見戊己死戊己爲土刑腎水也是謂眞藏見皆死此亦通明三部九候論中眞藏脉見者勝死也尺麤而藏見亦然頸脉動喘疾欬曰水水氣上溢則肺被熱熏陽氣上逆故頸脉盛鼓而欬喘也頸脉謂耳下及結喉傍人迎脉者也目裏微腫如臥蠶起之狀曰水評熱病論曰水者陰也目下亦陰也腹者至陰之所居也故水在腹中者必使目下腫也溺黃赤安臥者黃疸疸勞也腎勞胞熱故溺黃赤也正理論曰謂之勞癉以女勞得之也新校正云詳王注以疸爲勞義非若謂女勞得疸則可若以疸爲勞非矣已食如飢者

十一

脉、廿三　疾、五九

十二 姙娠
甲十二婦人論疾診尺同文
陰陽別論文陰搏陽別謂有子此作經脈別論者偶誤耳
甲四經脈下

胃疸是則胃熱也，熱則消穀，故食已如飢也。面腫曰風加之面腫，則胃風之診也。何者？胃陽明脉起於鼻，交頞中，下循鼻外，故爾。足脛腫曰水是謂下焦有水也。腎少陰脉出於足心，上循腨，過陰股，從腎上貫肝鬲，故下焦有水，足脛腫也。目黃者曰黃疸陽怫於上，熱積胃中，陽氣上燔，故目黃也。靈樞經曰：目黃者病在胷。婦人手少陰新校正云：按全元起本作足少陰。脉動甚者妊子也手少陰脉謂掌後陷者中，當小指動而應手者也。靈樞經曰：少陰無輸，心不病乎？岐伯云：其外經病而藏不病，故獨取其經於掌後銳骨之端。此之謂也。動謂動脉也。動脉者，大如豆，厥厥動搖也。正理論曰：脉陰陽相搏，名曰動也。又經脉別論曰：陰搏陽別，謂之有子。新校正云：按經脉別論中無此文。脉有逆從四時，未有藏形，春夏而脉瘦新校正云：按玉機真藏論瘦作沈濇。秋冬而脉浮大，命曰逆四時也春夏脉瘦，謂沈細也。秋冬浮大，不應時也。大法春夏當浮大而反沈細，秋冬當沈細而反浮大，故曰不應時也。風新校正云：按玉機真藏論風作病。熱而脉靜，泄而脫血脉實新校正云：按玉機真藏論作泄而脉大，脫血而脉實。病在中脉虛，病在外新校正云：按玉機真藏論作脉實堅，病在外。脉濇堅者新校正云：按玉機真藏論作脉不實堅者。皆難治風熱當脉躁而

脈 廿八
脈 十二

是謂三陽脈也

甲四經脈中

反靜㣲而脫血當脈虛而反實邪氣在內當脈實而反虛病氣在外當脈虛滑而反堅濇故皆難治也。命曰反四時也。皆反四時之氣乃如是矣。新校正云詳命曰反四時也此六字應古錯簡當去自前未有藏形春夏至此五十三字與後玉機真藏論文相重。人以水穀為本故人絕水穀則死脈無胃氣亦死所謂無胃氣者但得真藏脈不得胃氣也所謂脈不得胃氣者肝不弦腎不石也。不弦不石皆謂不微似也。太陽脈至洪大以長。氣盛故能爾。新校正云按扁鵲陰陽脈法云太陽之脈洪大以長其來浮於筋上動搖九分三月四月甲子王吕廣云太陽王五月六月其氣大盛故其脈洪大而長也。少陽脈至乍數乍疏乍短乍長。以氣有暢未暢者也。新校正云按扁鵲陰陽法云少陽之脈乍小乍大乍長乍短動搖六分王十一月甲子夜半正月二月甲子王吕廣云少陽王正月二月其氣尚微故其脈來進退無常。陽明脈至浮大而短。穀氣滿盛故也。新校正云詳无三陰脈應古文闕也按難經云太陰至緊大而長少陰之至緊細而微厥陰之至沉短以敦吕廣云陽明王三月四月其氣始萌未盛故其脈來浮大而短扁鵲陰陽脈法云少陰之脈緊細動搖六分王五月甲子日中七月八月王太陰之脈緊細以長乘於筋上

病脉五 [illegible] 肝脉弦 心脉 [illegible] 代 肺脉毛 腎脉石 是謂五藏脉

千十七 脉三

千十七ツ 脉三

動揺九分九月十月甲子王厥陰之脉沈短以緊動揺三分十一月十二月甲子王夫平心脉來累累如連珠如循琅玕曰心平言脉滿而盛微似珠形之中手琅玕珠之類也夏以胃氣爲本脉有胃氣則累累而微似連珠也病心脉來喘喘連屬其中微曲曰心病曲謂中手而偃曲也 新校正云詳越人云啄啄連屬其中微曲曰腎病與素問異死心脉來前曲後居如操帶鉤曰心死居不動也操執持也鉤謂革帶之鉤平肺脉來厭厭聶聶如落榆莢曰肺平浮薄而虛者也 新校正云詳越人云厭厭聶聶如循榆葉曰春平脉藹藹如車蓋按之益大曰秋平脉與素問之説不同張仲景云秋脉藹藹如車蓋者名曰陽結春脉聶聶如吹榆莢者名曰數恐越人之説誤也秋以胃氣爲本脉有胃氣則微似榆莢之輕虛也病肺脉來不上不下如循雞羽曰肺病謂中央堅而兩傍虛死肺脉來如物之浮如風吹毛曰肺死如物之浮瞥瞥然如風吹毛紛紛然也 新校正云詳越人云按之消索如風吹毛曰死平肝脉來耎弱招招如揭長竿末梢曰肝平如竿末梢言長

内經五 十三 脉、十三

千十五上 脉三

千九 脉三

耎也。春以胃氣爲本。脉有胃氣乃長耎如竿之末梢矣。病肝脉來盈實而滑，如循長竿，曰肝病。長而不耎，故若循竿。死肝脉來急益勁，如新張弓弦，曰肝死。勁謂勁強，急之甚也。平脾脉來和柔相離，如雞踐地，曰脾平。言脉來動數相離，緩急和而調。長夏以胃氣爲本。胃少則脉實數。病脾脉來實而盈數，如雞舉足，曰脾病。胃少故脉實急矣。舉足，謂如雞走之舉足也。新校正云：詳越人以爲心病。死脾脉來銳堅，如烏之喙，新校正云：按《千金》方作如雞之喙。如鳥之距，如屋之漏，如水之流，曰脾死。烏喙、鳥距，言銳堅也。水流、屋漏，言其至也。水流，謂平至不鼓；屋漏，謂時動復住。平腎脉來喘喘累累如鉤，按之而堅，曰腎平。謂如心脉而鉤，按之小堅爾。新校正云：按越人云：其來上大下兌，濡滑如雀之喙，曰平。呂廣云：上大者，足太陽；下兌者，足少陰。陰陽得所，爲胃氣強，故謂之平。雀喙者，本大而末兌也。冬以胃氣爲本。胃少則不按亦堅也。病腎脉來如引葛，按之益堅，曰腎病。形如引葛，言不按且堅，明按之則尤甚也。死腎脈來發如奪索，辟辟如彈石，曰腎死。發如奪索，猶蛇之走。辟辟如彈石，言促又堅也。

重廣補注黃帝內經素問卷第五

脈要精微論　莠音誘　汩古沒切　癉都赧切　眴音荀又音舜　平人氣象論

疝音山　瘕音賈　㑊音亦　儜女耕切　喙虛畏切

陽道實陰道虛 八ノ廿七ヲ
——新校正詳自黃帝問至此一段全元起本在第四卷太陰陽明表裏篇中王冰
移於此處必言此者欲明王氏之功於素問多矣 八ノ六ノ
——靈樞經持鍼縱捨論 十ヲ 六ノ
真氣者經氣也 八ノ十ヲ
腸澼下白沫 八ノ十七ウ
冬閉塞少針石 八ノ十五ヲ
逆從 六ノ三ヲ
歷紀 六ノ九ウ
嘯 七ノ三ヲ
腕 ミ七ノ六ヲ
不能報息 七ノ七ヲ
三墳之經俗久淪墜云ミ 七ノ三ヲ
正理傷寒論
白汗 七ノ三ヲ 八ノ十五ウ
肩 七ノ三ヲ
緛 八ノ十九ウ
喇 八ノ一ウ
鑠爠而句 八ノ七ウ
方 八ノ八ヲ
榮輸 八ノ九ヲ

愧 八ノ十八ウ
行步恇然 八ノ十三ウ
脉懸小 八ノ十四ヲ又ウ
纓脉 八ノ十五ヲ
貪利鍼 八ノ十五ウ
眇 六ノ三ヲ
憂恐悲喜怒 六ノ六ヲ
更互 六ノ九ウ
差者 七ノ一ウ
[illegible]時名 七ノ四ウ
瘠 七ノ三ヲ
肩甲 七ノ六ウ
耳聾不聰 七ノ六ヲ
精厥 七ノ七ウ
毒藥 七ノ八ヲ
黃柔 七ノ八ヲ
通評虛實中 八ノ十四ヲ
寢汗 七ノ七ヲ
五藏脉名 七ノ十一ヲ
脉口 八ノ十三ヲ
中告 七ノ十三ヲ 二見ハ八ノ廿五ウ
參伍 八ノ七ヲ
鍼石注云〻 七ノ十二ウ
尉引 七ノ十二ウ
府謂胸也 八ノ一ウ
咳吟 八ノ二ウ
疑殆注云〻 八ノ五ヲ
鍼經 八ノ七ヲ
員 八ノ八ヲ
欣臟起 八ノ九ウ
抓 八ノ十ヲ
補法 八ノ十ウ

邪 七ノ五ウ
三備經 八ノ十五ヲ注
全注 六ノ九ヲ
上虛尺虛 八ノ十三ヲ 上有十ロ
膕 六ノ六ウ七ヲ
脉懸絕 八ノ十四ウ
胞 八ノ十五ウ
擗癖 八ノ十五ウ
厥狂 八ノ十六ウ
瘲跛 八ノ十六ヲ
安熱 六ノ五ウ
蹻 七ノ二ウ
酸 七ノ五ウ 通評本改作酸
焠焫 七ノ五ウ
溫衣 七ノ五ウ
郄中 七ノ六ウ
憎風 七ノ七ヲ
四時經 六ノ一ヲ
語 七ノ八ウ
三備經 八ノ十五ヲ
天容 七ノ九ヲ
一經 七ノ九ウ
瘖 七ノ十ヲ
血氣之神 八ノ八ヲ
手足陰陽表裏 七ノ十ウ
按摩醪藥 七ノ十ウ
百藥 七ノ十二ウ
瞋 八ノ四ヲ
胃五藏本 六ノ七ウ
上工下工云〻 八ノ七ウ
扣 八ノ十ウ
溶〻 八ノ十一ウ

重廣補注黃帝內經素問卷第六

啓玄子次注林億孫奇高保衡等奉敕校正孫兆重改誤

玉機眞藏論　三部九候論

玉機眞藏論篇第十九 新校正云按全元起本在第六卷

黃帝問曰春脉如弦何如而弦岐伯對曰春脉者肝也東方木也萬物之所以始生也故其氣來耎弱輕虛而滑端直以長故曰弦言端直而長狀如弦也 新校正云按越人云春脉弦者東方木也萬物始生未有枝葉故其脉來濡弱而長四時經輕作寬反此者病反謂反常平之候帝曰何如而反岐伯曰其氣來實而強此謂太過病在外其氣來不實而微此謂不及病在中氣餘則病形於外氣少則病在於中也 新校正云按呂廣云實強者陽氣盛也少陽當微弱

今更實強謂之太過陽處表故令病在外厥陰之氣養於筋其脉弦今更虛微故曰不及陰處中故令病在內帝曰春脉太過與不及其病皆何如岐伯曰太過則令人善忘忽忽眩冒而巔疾其不及則令人胸痛引背下則兩脇胠滿忽忽不爽也眩謂目眩視如轉也冒謂冒悶也胠謂腋下脇也忘當為怒字之誤也靈樞經曰肝氣實則怒肝厥陰脉自足而上入毛中又上貫鬲布脇肋循喉嚨之後上入頏顙上出額與督脉會於巔故病如是新校正云按氣交變大論云木太過甚則忽忽善怒眩冒巔疾則忘當作怒帝曰善夏脉如鉤何如而鉤岐伯曰夏脉者心也南方火也萬物之所以盛長也故其氣來盛去衰故曰鉤言其脉來盛去衰如鉤之曲也新校正云按越人云夏脉鉤者南方火也萬物之所盛垂枝布葉皆下曲如鉤故其脉來疾去遲呂廣云陽盛故來疾陰虛故去遲脉從下上至寸口疾還尺中遲也反此者病帝曰何如而反岐伯曰其氣來盛去亦盛此謂太過病在外其脉來盛去盛是陽之盛也心氣有餘是為太過其氣來不

盛去反盛此謂不及病在中。新校正云：詳越人肝心肺腎四藏脉俱以强實爲太過，虚微爲不及，與素問不同。帝曰：夏脉太過與不及，其病皆何如？岐伯曰：太過則令人身熱而膚痛，爲浸淫；其不及則令人煩心，上見欬唾，下爲氣泄。心少陰脉起於心中，出屬心系，下鬲絡小腸；又從心系却上肺，故心太過則身熱膚痛而浸淫流布於形分，不及則心煩，上見欬唾，下爲氣泄。帝曰：善。秋脉如浮，何如而浮？岐伯曰：秋脉者肺也，西方金也，萬物之所以收成也，故其氣來輕虚以浮，來急去散，故曰浮。脉來輕虚，故名浮也。來急，以陽未沈下；去散，以陰氣上升也。新校正云：按越人云：秋脉毛者，西方金也，萬物之所終，草木華葉皆秋而落，其枝獨在，若毫毛也，故其脉來輕虚以浮，故曰毛。反此者病。帝曰：何如而反？岐伯曰：其氣來毛而中央堅，兩傍虚，此謂太過，病在外；其氣來毛而微，此謂不及，病在中。

帝曰秋脉太過與不及其病皆何如岐伯曰太過則令人逆氣而背痛慍慍然其不及則令人喘呼吸少氣而欬上氣見血下聞病音肺太陰脉起於中焦下絡大腸還循胃口上鬲屬肺從肺系横出腋下復藏氣為欬主喘息故氣盛則肩背痛氣逆不及則喘息變易呼吸少氣而欬上氣見血也下聞病音謂喘息則肺中有聲也帝曰善冬脉如營何如而營脉沉而深如營動也　新校正云詳深一作濡又作搏按本經下文云其氣來沉以搏則深字當為搏又按甲乙經搏字為濡當從甲乙經為濡何以言之脉沉而濡濡古軟字乃冬脉之平調脉若沉而搏擊於手則冬脉之太過脉也故言當從甲乙經濡字岐伯曰冬脉者腎也北方水也萬物之所以合藏也故其氣來沉以搏故曰營言沉而搏擊於手也　新校正云按甲乙經搏當作濡義如前說又越人云冬脉石者北方水也萬物之所藏盛冬之時水凝如石故其脉來沉濡而滑故曰石也反此者病帝曰何如而反岐伯曰其氣來如彈石者此謂太過病在外其去如

數者此謂不及病在中帝曰冬脉太過與不及其病皆何如岐伯曰太過則令人解㑊新校正云按解㑊之義具第五卷注脊脉痛而少氣不欲言其不及則令人心懸如病飢䏚中清脊中痛少腹滿小便變腎少陰脉自股内後廉貫脊屬腎絡膀胱其直行者從腎上貫肝鬲入肺中循喉嚨俠舌本其支別者從肺出絡心注胸中故病如是也䏚者季脇之下俠脊兩傍空軟處也腎外當䏚故䏚中清冷也帝曰善帝曰四時之序逆從之變異也脉春弦夏鉤秋浮冬營為逆順之變見異狀也然脾脉獨何主主謂主時月岐伯曰脾脉者土也孤藏以灌四傍者也納水穀化津液溉灌於肝心肺腎也以不正主四時故謂之孤藏帝曰然則脾善惡可得見之乎岐伯曰善者不可得見惡者可見不正主時寄王於四季故善不可見惡可見也帝曰惡者何如可見岐伯曰其來如水之流者此謂太過病

在外，如鳥之喙者，此謂不及，病在中。新校正云：按平人氣象論云：如鳥之喙。又别本喙作啄。帝曰：夫子言脾爲孤藏，中央土以灌四傍，其太過與不及，其病皆何如？岐伯曰：太過則令人四支不舉，以主四支，故病不舉。其不及則令人九竅不通，名曰重強。脾之孤藏，以灌四傍，今病則五藏不和，故九竅不通也。八十一難經曰：五藏不和，則九竅不通。重謂藏氣重疊，強謂氣不和順。帝瞿然而起，再拜而稽首曰：善。吾得脈之大要，天下至數，五色脈變，揆度奇恒，道在於一。瞿然，忙貌也。言以太過不及，而一貫之，揆度奇恒，皆通也。神轉不迴，迴則不轉，乃失其機。五氣循環，不愆時叙，是爲神氣流轉不迴，若却行衰王反天之常氣，是則却迴而不轉也。由是却迴不轉，乃失生氣之機矣。至數之要，迫近以微。得至數之要道，則應用切近以微妙也。迫，切也。著之玉版，藏之藏府，每旦讀之，名曰玉機。著之玉版，故以爲名，言是玉版生氣之機。新校正云：詳至數至名曰玉機與前玉版論要文相重彼注頗詳五藏受氣於其所生傳之於其所勝氣舍於其所生死於其所不勝病之且死必先傳行至其所不勝病乃死受氣所生者謂受病氣於已之所生者也傳所勝者謂傳於已之所剋者也氣舍所生者謂舍於生已者也死所不勝者謂死於剋已者之分位也所傳不順故必死焉此言氣之逆行也故死所為逆者次如下說肝受氣於心傳之於脾氣舍於腎至肺而死心受氣於脾傳之於肺氣舍於肝至腎而死脾受氣於肺傳之於腎氣舍於心至肝而死肺受氣於腎傳之於肝氣舍於脾至心而死腎受氣於肝傳之於心氣舍於肺至脾而死此皆逆死也一日一夜五分之此所以占死生之早暮也肝死於肺位秋庚辛餘四倣此然朝主甲乙晝主丙丁四季上主戊己晡主庚辛夜主壬癸由此則死生之早

甲九五藏傳病一

暮可知也。新校正云：按甲乙經生作者字，云占死者之早暮。詳此經文專爲言氣之逆行也，故死，即不言生之早暮。王氏改者作生，義不若甲乙經中素問本文。

黄帝曰：五藏相通，移皆有次，五藏有病，則各傳其所勝。以上文逆傳而死，故言是逆傳所勝之次也。新校正云：詳逆傳所勝之次，逆當作順。上又既言逆傳，下文所言乃順傳之次也。不治。法三月若六月，若三日若六日，傳五藏而當死，是順傳所勝之次。三月者，謂一藏氣之遷移；六月者，謂至其所勝之位；三日者，三陽之數以合日也；六日者，謂兼三陰以數之爾。熱論曰：傷寒一日巨陽受，二日陽明受，三日少陽受，四日太陰受，五日少陰受，六日厥陰受，則義也。新校正云：詳上文是順傳所勝之次七字，乃是次前注誤在此經文之下，不惟无義，兼校之全元起本素問及甲乙經，並无此七字，直去之，慮未達者致疑，今存于注。故曰：別於陽者，知病從來；別於陰者，知死生之期。主辨三陰三陽之候，則知中風邪氣之所不勝矣，故下曰：新校正云：詳舊此段注寫作經，合改爲注。又按陰陽别論云：別於陽者，知病處也；別於陰者，知死生之期。又云：別於陽者，知病忌時；別於陰者，知死生之期。義同此。言知至其所困而死。困，謂至所不勝也。上文曰：死於其所不勝。是故風者，百病之長也。

疾、

二九

（言先百病而有之。新校正云：按生氣通天論云：風者百病之始。）今風寒客於人，使人毫毛畢直，皮膚閉而為熱，（客，謂客止於人形也。風擊皮膚，寒勝腠理，故毫毛畢直，玄府閉密而熱生也。）當是之時，可汗而發也。（邪在皮毛，故可汗泄也。陰陽應象大論曰：善治者治皮毛。此之謂也。）或痹不仁腫痛，（病生而變，故如是也。熱中血氣，則瘰痹不仁；寒氣傷形，故為腫痛。陰陽應象大論云：寒傷形，熱傷氣；氣傷痛，形傷腫。）當是之時，可湯熨及火灸刺而去之。（皆謂釋散寒邪，宣揚正氣。）弗治，病入舍於肺，名曰肺痹，發欬上氣。（邪入諸陰，則病而為痹，故入於肺，名曰肺痹焉。宣明五氣論曰：邪入於陽則狂，邪入於陰則痹。肺在變動為欬，故欬則氣上，故上氣也。）弗治，肺即傳而行之肝，病名曰肝痹，一名曰厥，脅痛出食。（肺金伐木，氣下入肝，故曰弗治行之肝也。肝氣通膽，膽善為怒，怒者氣逆，故一名厥也。肝厥陰脈，從少腹屬肝絡膽，上貫鬲，布脅肋，循喉嚨之後，上入頏顙，故脅痛；而食入腹則出，故曰出食。）當是之時，可按若刺耳。弗治，肝傳之脾，病名曰脾風，發癉，腹中熱，煩心出黃。（肝氣應風，木勝脾土，土受風氣，故曰脾風蓋爲風氣通肝而爲名也脾之爲病善發黄癉故發癉也脾太陰脉入腹屬脾絡胃上鬲俠咽連舌本散舌下其支別者復從胃別上鬲注心中故腹中熱而煩心出黄色於便寫之所也 當此之時可按可藥可浴弗治脾傳之腎 病名曰疝瘕少腹寃熱而痛出白一名曰蠱 腎少陰脉自股内後廉貫脊屬腎絡膀胱故少腹寃熱而痛溲出白液也寃熱内結消鑠脂肉如蟲之食日内損削故一名曰蠱 當此之時可按可藥弗治腎傳之心病筋脉相引而急病名曰瘛 腎不足則水不生水不生則筋燥急故相引也陰氣内弱陽氣外熾筋脉受熱而自跳掣故名曰瘛 當此之時可灸可藥弗治滿十日法當死 至心而氣極則如是矣若復傳行當如下說 腎因傳之心心即復反傳而行之肺發寒熱法當三歲死 因腎傳心心不受病即而復反傳與肺金肺已再傷故寒熱也三歲者肺至腎一歲腎至肝一歲肝至心一歲火又乘肺故云三歲死 此病之次也 謂傳勝之次第 然其卒發者不必治於傳 不必依傳之次故不必以傳治之 或其傳化有不

大素為真藏脈形

以次不以次入者，憂恐悲喜怒，令不得以其次，故令人有大病矣。（憂恐悲喜怒發无常分，觸遇則發，故令病氣亦不次而生。）因而喜大虛則腎氣乘矣，（喜則心氣移於肺，心氣不守，故腎氣乘矣。宣明五氣篇曰：精氣并於心則喜。）怒則肝氣乘矣，（怒則氣逆，故肝氣乘脾。）悲則肺氣乘矣，（悲則肺氣移於肝，肝氣受邪，故肺氣乘矣。宣明五氣篇曰：精氣并於肺則悲。）恐則脾氣乘矣，（恐則腎氣移於心，腎氣不守，故脾氣乘矣。宣明五氣篇曰：精氣并於腎則恐。）憂則心氣乘矣，（憂則肝氣移於脾，肝氣不守，故心氣乘矣。宣明五氣篇曰：精氣并於肝則憂。）此其道也。（此其不次之常道。）故病有五，五五二十五變，及其傳化。（五藏相并而各五之，五而乘之，則二十五變也。然其變化以勝相傳，傳而不次，變化多端。新校正云：按陰陽別論云：凡陽有五，五五二十五陽，義與此通。）傳，乘之名也。（言傳者何？相乘之異名爾。）大骨枯槁，大肉陷下，胸中氣滿，喘息不便，其氣動形，期六月死，真藏脈見，乃予之期日。（皮膚乾著骨間，肉陷，謂大骨枯槁，大肉陷下也。諸附骨際及空窳處亦同其類也。胸中氣

廿七 脈

滿喘息不便是肺死主也肺司治節氣息由之其氣動形爲无氣相接故聳舉肩背以遠求報氣矣夫如是皆形藏已敗神藏亦傷見是證者期後一百八十日內死矣候見真藏之脉乃與死日之期爾真藏脉診下經備矣此肺之藏也大骨枯槁大肉陷下胷中氣滿喘息不便內痛引肩項期一月死真藏見乃予之期日火精外出陽氣上燔金受火災故內痛肩項如是者期後三十日內死此心之藏也大骨枯槁大肉陷下胷中氣滿喘息不便內痛引肩項身熱脫肉破䐃真藏見十月之內死陰氣微弱陽氣內燔故身熱也䐃者肉之標脾主肉故肉如脫盡䐃如破敗也見斯證者期後三百日內死䐃謂肘膝後肉如塊者此脾之藏也大骨枯槁大肉陷下肩髓內消動作益衰真藏來見期一歲死見其真藏乃予之期日肩髓內消謂缺盆深也衰於動作謂交接漸微以餘藏尚全故期後三百六十五日內死此腎之藏也　新校正云按全元起本及甲乙經真藏未見作來見來當作未字之誤也大骨枯槁大肉陷下胷中氣滿腹內痛心中不

便肩項身熱破䐃脫肉目匡陷眞藏見目不見人立死其見人者至其所不勝之時則死木生其火肝氣通心脉抵少腹上布脇肋循喉嚨之後上入頏顙故腹痛心中不便肩項身熱破䐃脫肉也肝主目故目匡陷及不見人立死也不勝之時謂於庚辛之月此肝之藏也急虛身中卒至五藏絕閉脉道不通氣不往來譬於墮溺不可爲期言五藏相移傳其不勝則可待眞藏脉見乃與之死日之期卒急虛邪中於身內則五藏絕閉脉道不通氣不往來譬於墮溺不可與爲死日之期也其脉絕不來若人一息五六至其形肉不脫眞藏雖不見猶死也是則急虛卒至之脉新校正云按人一息脉五六至何得爲死必息字誤息當作呼乃是眞肝脉至中外急如循刀刃責責然如按琴瑟弦色青白不澤毛折乃死眞心脉至堅而搏如循薏苡子累累然色赤黑不澤毛折乃死眞肺脉至大而虛如以

毛羽中人膚色白赤不澤毛折乃死真腎脉至搏而絕如指彈石辟辟然色黑黃不澤毛折乃死真脾脉至弱而乍數乍踈色黃青不澤毛折乃死諸真藏脉見者皆死不治也新校正云按楊上善云無餘物和雜故名真也五藏之氣皆胃氣和之不得獨用如至剛不得獨用獨用則折和柔用之即固也五藏之氣和於胃氣即得長生若真獨見必死欲知五藏真見爲死和胃爲生者於寸口診即可知見者如弦是肝脉也微弦爲平和微弦謂二分胃氣一分弦氣俱動爲微弦三分並是弦而無胃氣爲見真藏餘四藏準此黃帝曰見真藏曰死何也岐伯曰五藏者皆稟氣於胃胃者五藏之本也胃爲水穀之海故五藏稟焉藏氣者不能自致於手太陰必因於胃氣乃至於手太陰也平人之常稟氣於胃胃氣者平人之常氣故藏氣因胃乃能至於手太陰也　新校正云詳平人之常至乎平人之常氣本平人氣象論文王氏引注此經按甲乙經云人常稟氣於胃脉以胃氣爲本與此小異然甲乙之義爲得故五藏各以其

時自爲而至於手太陰也自爲其狀至於手太陰也故邪氣勝者精氣衰也故病甚者胃氣不能與之俱至於手太陰故眞藏之氣獨見獨見者病勝藏也故曰死是所謂脉無胃氣也平人氣象論曰人無胃氣曰逆逆者死帝曰善新校正云詳自黃帝問至此一段全元起本在第四卷太陰陽明表裏篇中王氷移於此處必言此者欲明王氏之功於素問多矣

黃帝曰凡治病察其形氣色澤脉之盛衰病之新故乃治之無後其時欲必先時而取之形氣相得謂之可治氣盛形盛氣虛形虛是相得也色澤以浮謂之易已氣色浮潤血氣相營故易已脉從四時謂之可治脉春弦夏鉤秋浮冬營謂順四時從順也脉弱以滑是有胃氣命曰易治取之以時候可取之時而取之則萬舉萬全當以四時血氣所在而爲療爾新校正云詳取之以時甲乙經作治之趨之無後其時與王氏之義兩通形氣相失謂之難治形盛氣虛氣盛形虛皆相失也色夭不澤謂之難

已（夭謂不明而惡，不澤謂枯燥也。）脉實以堅，謂之益甚，（脉實以堅，是邪氣盛，故益甚也。）脉逆四時，爲不可治。（以氣逆故。㸃上四句，是謂四難，所以下文曰：）必察四難而明告之。（此四粗之所易語，工之所難爲。）所謂逆四時者，春得肺脉，夏得腎脉，秋得心脉，冬得脾脉，其至皆懸絶沈濇者，命曰逆四時。（春得肺脉，秋來見也。夏得腎脉，冬來見也。秋得心脉，夏來見也。冬得脾脉，春來見也。懸絶，謂如懸物之絶去也。）未有藏形，於春夏而脉沈濇，（新校正云：按平人氣象論云而脉瘦，義與此同。）秋冬而脉浮大，名曰逆四時也。（未有，謂未有藏脉之形狀也。）病熱脉靜，泄而脉大，脫血而脉實，病在中脉實堅，病在外脉不實堅者，皆難治。（皆難治者，以其與證不相應也。新校正云：按平人氣象論云：病在中脉虛，病在外脉濇堅。與此相反，此經誤，彼論爲得。自未有藏形春夏至此，與平人氣象論相重，注義備於彼。）黄帝曰：余聞虛實以決死生，願聞其情。岐伯曰：五實死，五虛死。

五實謂五藏之實五虛謂五藏之虛帝曰：願聞五實五虛。岐伯曰：脉盛、皮熱、腹脹、前後不通、悶瞀，此謂五實。實謂邪氣盛實。然脉盛，心也；皮熱，肺也；腹脹，脾也；前後不通，腎也；悶瞀，肝也。脉細、皮寒、氣少、泄利前後、飲食不入，此謂五虛。虛謂真氣不足也。然脉細，心也；皮寒，肺也；氣少，肝也；泄利前後，腎也；飲食不入，脾也。帝曰：其時有生者何也？岐伯曰：漿粥入胃，泄注止，則虛者活；身汗得後利，則實者活。此其候也。全注：飲粥得入於胃，胃氣和調，其利漸止，胃氣得實，虛者得活。言實者得汗外通，後得便利，自然調平。

三部九候論篇第二十新校正云：按全元起本在第一卷，篇名決死生。

黃帝問曰：余聞九鍼於夫子，衆多博大，不可勝數。余願聞要道，以屬子孫，傳之後世，著之骨髓，藏之肝肺，歃血而受，不敢妄泄，歃血，飲血也。令合天道，新校正云：按全元起本云令合天地。必有終始上應天光星辰歷紀下副四時五行貴賤更互冬陰夏陽以人應之奈何願聞其方天光謂日月星也歷紀謂日月行歷於天二十八宿三百六十五度之分紀也言以人形血氣榮衛周流合時候之遷移應日月之行道然斗極旋運黃赤道差冬時日依黃道近南故陰多夏時日依黃道近北故陽盛也夫四時五行之氣以王者爲貴相者爲賤也岐伯對曰妙乎哉問也此天地之至數道貫精微故云妙問至數謂至極之數也帝曰願聞天地之至數合於人形血氣通決死生爲之奈何岐伯曰天地之至數始於一終於九焉九奇數也故天地之數斯爲極矣一者天二者地三者人因而三之三三者九以應九野爾雅曰邑外爲郊郊外爲甸甸外爲牧牧外爲林林外爲坰坰外爲野言其遠也　新校正云詳王引爾雅爲說與今爾雅或不同已具前六節藏象論注中故人有三部部有三候以決死生以處百病以調虛實而除邪疾所謂三部者言身之上中下部非謂寸關

大素出候　千金診候篇曰三部為寸關尺

尺也，三部之内，經隧由之，故察候存亡，悉因於是，鍼之補寫，邪疾可除也。帝曰：何謂三部？岐伯曰：有下部，有中部，有上部，部各有三候，三候者，有天有地有人也，必指而導之，乃以爲眞。言必當諮受於師也。徵四失論曰：受師不卒，妄作雜術，謬言爲道，更名自功，妄用砭石，後遺身咎。此其誡也。禮曰：疑事無質。質，成也。上部天，兩額之動脉；在額兩傍，動應於手，足少陽脉氣所行也。上部地，兩頰之動脉；在鼻孔下兩傍，近於巨髎之分，動應於手，足陽明脉氣之所行。上部人，耳前之動脉。在耳前陷者中，動應於手，手少陽脉氣之所行也。中部天，手太陰也；謂肺脉也。在掌後寸口中，是謂經渠，動應於手。中部地，手陽明也；謂大腸脉也。在手大指次指岐骨間，合谷之分，動應於手也。中部人，手少陰也。謂心脉也。在掌後鋭骨之端，神門之分，動應於手也。靈樞經持鍼縱捨論問曰：少陰无輸，心不病乎？對曰：其外經病而藏不病，故獨取其經於掌後鋭骨之端。正謂此也。下部天，足厥陰也；謂肝脉也。在毛際外，羊矢下一寸半陷中，五里之分，卧而取之，動應於手也。女子取太衝，在足大指本節後二寸陷中是。下部地，足少陰也；謂腎脉也。在足内踝後跟骨上陷中，太谿之分動應手下部人足太陰也謂脾脉也在魚腹上趨筋間直五里下箕門之分寬鞏足單衣沉取乃得之而動應於手也候胃氣者當取足跗之上衝陽之分穴中脉動乃應手也　新校正云詳自上部天至此一段舊在當篇之末義不相接此正論三部九候宜處於斯今依皇甫謐甲乙經編次例自篇末移置此也故下部之天以候肝足厥陰脉行其中也地以候腎足少陰脉行其中也人以候脾胃之氣足太陰脉行其中也脾藏與胃以膜相連故以候脾兼候胃也帝曰中部之候奈何岐伯曰亦有天亦有地亦有人天以候肺手太陰脉當其處也地以候胷中之氣手陽明脉當其處也經云腸胃同候故以候胷中也人以候心手少陰脉當其處也帝曰上部以何候之岐伯曰亦有天亦有地亦有人天以候頭角之氣位在頭角之分故以候頭角之氣也地以候口齒之氣位近口齒故以候之人以候耳目之氣以位當耳前脉抵於目外眥故以候之三部者各有天各有地各有人三而成天新校正云詳三而成天至合爲九藏與六節藏象論文重彼注義具彼篇

千金一診陰陽
脉四三部九候
外臺引翼

三而成地三而成人三而三之合則爲九九分爲九野九野爲九藏以是故應天地之至數故神藏五形藏四合爲九藏所謂神藏者肝藏魂心藏神脾藏意肺藏魄腎藏志也以其皆神氣居之故云神藏五也所謂形藏者皆如器外張虛而不屈含藏於物故云形藏也所謂形藏四者一頭角二耳目三口齒四胸中也　新校正云詳注說神藏宣明五氣篇文又與生氣通天論注六節藏象論注重五藏已敗其色必夭夭必死矣夭謂死色異常之候也色者神之旗藏者神之舍故神去則藏敗藏敗則色見異常之候死也帝曰以候奈何岐伯曰必先度其形之肥瘦以調其氣之虛實實則寫之虛則補之度謂量也實寫虛補此所謂順天之道也老子曰天之道損有餘補不足也必先去其血脉而後調之無問其病以平爲期血脉滿堅謂邪留止故先刺去血而後乃調之不當詢問病者盈虛要以脉氣平調爲之期準爾帝曰決死生奈何度形肥瘦調氣盈虛不問病人以平爲準死生之證以決之也岐伯曰形盛脉細少氣不足以息

者危。形氣相反故生氣至危玉機眞藏論曰形氣相得謂之可治今脉氣不足形盛有餘證不相扶故當危也危者言其近死猶有生者也刺志論曰氣實形實氣虛形虛此其常也反此者病今脉細少氣是為氣弱體壯盛是為形盛形盛氣弱故生氣傾危　新校正云按全元起注本及甲乙經脉經危作死形瘦脉大胷中多氣者死。是則形氣不足脉氣有餘也故死形瘦脉大胷中氣多形藏已傷故死也凡如是類皆形氣不相得也形氣相得者生。參伍不調者病。參謂參校伍謂類伍參校類伍而有不調謂不率其常則病也三部九候皆相失者死。失謂氣候不相類也相失之候診凡有七七診之狀如下文云上下左右之脉相應如參舂者病甚上下左右相失不可數者死。三部九候上下左右凡十八診也如參舂者謂大數而鼓如參舂杵之上下也脉要精微論曰大則病進故病甚也不可數者謂一息十至已上也脉法曰人一呼而脉再至一吸脉亦再至曰平三至曰離經四至曰脫精五至曰死六至曰命盡今相失而不可數者是過十至之外也至十至尚死況至十者乎中部之候雖獨調與衆藏相失者死中部之候相減者死。中部左右凡六診也上部下部已不相應中部獨調固非其久減於上下是亦氣衰故皆死也減謂偏少也臣億等詳舊無中部之候相減者死八字按全元起注本及甲乙經添之且注有解減之說而經闕其文此脫在王注之後也 目内陷者死 言太陽也太陽之脉起於目内眥目内陷者太陽絶也故死所以言太陽者太陽主諸陽之氣故獨言之 帝曰何以知病之所在 岐伯曰察九候獨小者病獨大者病獨疾者病獨遲者病獨熱者病獨寒者病獨陷下者病 相失之候診凡有七者此之謂也然脉見七診謂參伍不調隨其獨異以言其病爾 以左手足上上去踝五寸按之庶右手足當踝而彈之 手足皆取之然手踝之上手太陰脉足踝之上足太陰脉足太陰脉主肉應於下部手太陰脉主氣應於中部是以下文云脫肉身不去者死中部乍踈乍數者死臣億等按甲乙經及全元起注本並云以左手足上去踝五寸而按之右手當踝而彈之全元起注云内踝之上陰交之出通於膀胱係於腎腎為命門是以取之以明吉凶今文少一而字多一庶字及足字王注以手足皆取為解殊為穿鑿當從全元起注舊本及甲乙經為正 其應過五寸以上蠕蠕然者不病 氣和故也 其應疾中手渾渾然者病 渾渾亂也 中手徐徐然者病 徐徐緩也 其應上不

能至五寸彈之不應者死氣絶故不應也是以脫肉身不去者死穀氣外衰則肉如脫盡天真内竭故身不能行真穀並衰故死之至矣去猶行去也中部乍疎乍數者死乍疎乍數氣之衰亂也故死其脉代而鉤者病在絡脉鉤爲夏脉又夏氣在絡故病在絡脉也絡脉受邪則經脉滯否故代止也九候之相應也上下若一不得相失上下若一言遲速小大等也一候後則病二候後則病甚三候後則病危所謂後者應不俱也俱猶同也一也察其府藏以知死生之期夫病入府則愈入藏則死故死生期准察以知之矣必先知經脉然後知病脉經脉四時五藏之脉真藏脉見者勝死所謂真藏脉者真肝脉至中外急如循刀刃責責然如按琴瑟絃真心脉至堅而搏如循薏苡子累累然真脾脉至弱而乍數乍踈真肺脉至大而虛如毛羽中人膚真腎脉至搏而絶如指彈石辟辟然凡此五者皆謂得真藏脉而無胃氣也平人氣象論曰胃者平人之常氣也人無胃氣曰逆逆者死此之謂也勝死者謂勝剋於巳之時則死也平人氣象論曰肝見庚辛死心見壬癸死脾見甲乙死肺見丙丁死腎見戊巳死是謂勝死也足太陽氣絶

者其足不可屈伸死必戴眼（足太陽脈起於目内眥上額交巔上從巔入絡腦還出別下項循肩髆内俠脊抵腰中其支者復從肩髆別下貫臀過髀樞下合膕中貫腨循踵至足外側太陽氣絶死如是矣新校正云按診要經終論載三陽三陰脈終之證此獨犯足太陽氣絶一證餘應闕文也又注貫臀甲乙經作貫胂王氏注厥論刺瘧論各作貫胂又注刺腰論作貫臀詳甲乙經注臀當作胂）黄帝曰冬陰夏陽奈何（言死時也）岐伯曰九候之脈皆沈細懸絶者為陰主冬故以夜半死盛躁喘數者為陽主夏故以日中死（位無常居物極則反也乾坤之義陰極則龍戰于野陽極則亢龍有悔是以陰陽極脈死於夜半日中也）是故寒熱病者以平旦死（亦物極則變也平曉木王木氣為風故木王之時寒熱病死生氣通天論曰因於露風乃生寒熱由此則寒熱之病風薄所為也）熱中及熱病者以日中死（陽之極也）病風者以日夕死（卯酉衝也）病水者以夜半死（水王故也）其脈乍疏乍數乍遲乍疾者日乘四季死（辰戌丑未土寄王之脾氣内絶故日乘四季而死也）形肉已脱九候雖調猶

死。亦謂形氣不相得也。證前脫肉身不去者，九候雖平調亦死也。七診雖見，九候皆從者不死。但九候順
四時之令，雖七診互見，亦生矣。從，謂順從也。所言不死者，風氣之病及經月之病，似
七診之病而非也，故言不死。風病之脉診大而數，月經之病脉小以微，雖候與七診之狀略同，而死生之證
乃異，故不死也。若有七診之病，其脉候亦敗者死矣。言雖七診見，九候從者不死，若
病同七診之狀，而脉應敗亂，縱九候皆順，猶不得生也。必發噦噫。胃精内竭，神不守心，故死之時發斯噦噫。宣明五氣篇曰：心為噫，胃為噦。
也。必審問其所始病，與今之所方病。方，正也。言必當原其始而要終也。而後
各切循其脉，視其經絡浮沉，以上下逆從循之。其脉
疾者不病，氣強盛故。其脉遲者病，氣不足故。脉不往來者死，精神去也。皮
膚著者死。骨乾枯也。帝曰：其可治者奈何？岐伯曰：經病者治
其經，求有過者。孫絡病者治其孫絡血，有血留止，刺而去之。新校正云：按甲乙經云：絡病者治其絡

血无二孫字。血病身有痛者，治其經絡。靈樞經曰：經脈為裏，支而橫者為絡，絡之別者為孫絡。由是孫絡則經之別支而橫也。新校正云：按甲乙經无血病二字。其病者在奇邪，奇邪之脈則繆刺之。奇謂奇繆不偶之氣，而與經脈繆處也。由是故繆刺之。繆刺者，刺絡脈，左取右，右取左也。留瘦不移，節而刺之。病氣淹留，形容減瘦，證不移易，則消息節級，養而刺之。此又重明前經无問其病以平為期者也。上實下虛，切而從之，索其結絡脈，刺出其血，以見通之。結謂血結於絡中也。血去則經隧通矣。前經云：先去血脈而後調之。明其結絡乃先去也。新校正云：詳經文以見通之，甲乙經作以通其氣。瞳子高者太陽不足，戴眼者太陽已絕，此決死生之要，不可不察也。此復明前太陽氣欲絕及已絕之候也。手指及手外踝上五指留鍼。錯簡文也。上部天

重廣補注黃帝內經素問卷第六

玉機真藏論

溉古代切　瘉音愈　䐃渠殞切　瞀莫候切

三部九候論

歃所甲切歃飲血也　坰古螢切　蠕而勻切

重廣補注黃帝內經素問卷第七

啓玄子次注林億孫奇高保衡等奉敕校正孫兆重改誤

經脉別論篇第二十一（新校正云按全元起本在第四卷中）

黃帝問曰人之居處動靜勇怯脉亦爲之變乎岐伯對曰凡人之驚恐恚勞動靜皆爲變也（變謂變易常候）是以夜行則喘出於腎（腎主於夜氣合幽冥故夜行則喘息內從腎出也）淫氣病肺（夜行腎勞因而喘息氣淫不次則病肺也）有所墮恐喘出於肝（恐生於肝墮損筋血因而奔喘故出於肝也）淫氣害脾（肝木妄淫害脾土也）有所驚恐喘出於肺（驚則心無所倚神無所歸氣亂胷中故喘出於肺也）淫

氣傷心。驚則神越故氣淫反傷心矣度水跌仆喘出於腎與骨。濕氣通腎骨腎主之故度水跌仆喘出腎骨矣跌謂足跌仆謂身倒也當是之時勇者氣行則已。怯者則着而爲病也。氣有强弱神有壯懦故殊狀也故曰診病之道。觀人勇怯骨肉皮膚。能知其情。以爲診法也。通達性懷得其情狀乃爲深識診契物宜也故飲食飽甚汗出於胃。飽甚胃滿故汗出於胃也驚而奪精汗出於心。驚奪心精神氣浮越陽内薄之故汗出於心也持重遠行汗出於腎。骨勞氣越腎復過疲故持重遠行汗出於腎也疾走恐懼汗出於肝。暴役於筋肝氣罷極故疾走恐懼汗出於肝也搖體勞苦汗出於脾。搖體勞苦謂動作施力非疾走遠行也然動作用力則穀精四布脾化水穀故汗出於脾也故春秋冬夏四時陰陽生病起於過用。此爲常也。不適其性而强云爲過即病生此其常理五藏受氣蓋有常分用而過耗是以病生故下文曰食氣入胃。散精於肝。淫氣於筋。肝養筋故胃散穀精之氣

入於肝則浸淫滋養於筋絡矣食氣入胃濁氣歸心淫精於脈濁氣穀氣也心居胃上故
穀氣歸心淫溢精微入於脈也何者心主脈故脈氣流經經氣歸於肺肺朝百脈輸
精於皮毛言脈氣流運乃爲大經經氣歸宗上朝於肺肺爲華蓋位復居高治節由之故受百脈之朝會也平人氣象論曰藏真高於肺以行榮衛
陰陽由此故肺朝百脈然乃布化精氣輸於皮毛矣毛脈合精行氣於府府謂氣之所聚處也是謂氣海在兩乳間
名曰膻中也府精神明留於四藏氣歸於權衡膻中之布氣者分爲三隧其下者走於氣
街上者走於息道宗氣留於海積於胸中命曰氣海也如是分化乃四藏安定三焦平均中外上下各得其所也權衡以平氣
口成寸以決死生三世脈法皆以三寸爲寸關尺之分故中外高下氣緒均平則氣口之脈而成寸也夫氣口者脈之
大要會也百脈盡朝故以其分決死生也飲入於胃遊溢精氣上輸於脾水飲流下至於中焦
水化精微上爲雲霧雲霧散變乃注於脾靈樞經曰上焦如霧中焦如漚此之謂也脾氣散精上歸於肺通調
水道下輸膀胱水土合化上滋肺金金氣通腎故調水道轉注下焦膀胱禀化乃爲溲矣靈樞經曰下焦如瀆此之謂也

內經七

水精四布。五經並行。合於四時五臟陰陽。揆度以爲常也。從是水精布經氣行筋骨成血氣順配合四時寒暑證符五藏陰陽揆度盈虛用爲常道度量也以用也 新校正云按一本云陰陽動靜。太陽藏獨至厥喘虛氣逆是陰不足陽有餘也。陰謂腎陽謂膀胱也故下文曰 表裏當俱寫取之下俞。陽獨至謂陽氣盛至也陽獨至爲陽有餘陰不足則陽邪入故表裏俱寫取足六俞也下俞足俞也 新校正云詳六當爲穴字之誤也按府有六俞藏止五俞今藏府俱寫不當言六俞六俞則不能兼藏言穴俞則藏府兼舉 陽明藏獨至。是陽氣重并也當寫陽補陰取之下俞。陽氣重并故寫陽補陰 少陽藏獨至是厥氣也。蹻前卒大。取之下俞。蹻謂陽蹻脉在足外踝下足少陽脉行抵絶骨之端下出外踝之前循足跗然蹻前卒大則少陽之氣盛也故取足俞少陽也 少陽獨至者一陽之過也。一陽少陽也過謂太過也以其太過故蹻前卒大焉 太陰藏搏者。用心省眞。是太陰之脉伏鼓則當用心省察之若是眞藏之脉不當治也 五脉氣少。胃氣不

十五 脉、

平。三陰也。三陰太陰脾之脉也五藏脉少胃氣不調是亦太陰之過也 宜治其下俞。補陽寫陰。以陰氣太過故。一陽獨嘯。少陽厥也。嘯謂耳中鳴如嘯聲也膽及三焦脉皆入耳故氣逆上則耳中鳴 新校正云詳此上明三陽此言三陰今此再言少陽而不及少陰者疑此一陽乃二陰之誤也又按全元起本此爲少陰厥顯知此即二陰也 陽并於上。四脉爭張。氣歸於腎。心脾肝肺四脉爭張陽并於上者是腎氣不足故氣歸於腎也 宜治其經絡。寫陽補陰。陰氣足則陽氣不復并於上矣 一陰至厥陰之治也。眞虛痟心。厥氣留薄。發爲白汗。調食和藥。治在下俞。一或作二誤也厥陰一陰也上言二陰至肺當少陰治下言厥陰治則當曰一陰至也然三墳之經俗久淪墜人少披習字多傳寫誤 帝曰。太陽藏何象。岐伯曰。象三陽而浮也。帝曰。少陽藏何象。岐伯曰。象一陽也。一陽藏者。滑而不實也。帝曰。陽明藏何象。岐伯曰。象大浮也。新校正云按太素及全元起本云象心之太浮也 太陰藏搏。

言伏鼓也。二陰搏至腎沉不浮也。明前獨至之脉狀也。新校正云：詳前脫二陰，此無一陰，闕文可知。

藏氣法時論篇第二十二

新校正云：按全元起本在第一卷，又於第六卷脉要篇末重出。

黃帝問曰：合人形以法四時五行而治，何如而從？何如而逆？得失之意，願聞其事。岐伯對曰：五行者，金木水火土也。更貴更賤，以知死生，以決成敗，而定五藏之氣，間甚之時，死生之期也。帝曰：願卒聞之。岐伯曰：肝主春，以應木也。足厥陰少陽主治，厥陰肝脉，少陽膽脉，肝與膽合，故治同。其日甲乙，甲乙爲木，東方干也。肝苦急，急食甘以緩之。甘性和緩。新校正云：按全元起云：肝苦急，是其氣有餘。心主夏，以應火也。手少陰太陽主治，少陰心脉，太陽小腸脉，心與小腸合，故治同。其日丙丁，丙丁爲火，南方干也。心苦緩，急食酸以收之。酸性收斂。新校正云：按全元起本云：心苦緩，是心氣虛。脾主長夏。長夏謂六月也。夏為土母，土長于中，以長而治，故云長夏。新校正云：按全元起云：脾王四季，六月是火王之處，蓋以脾主中央，六月是十二月之中，一年之半，故脾主六月也。足太陰陽明主治。太陰脾脉，陽明胃脉，脾與胃合，故治同。其日戊己。戊己為土，中央干也。脾苦濕，急食苦以燥之。苦性乾燥。肺主秋，以應金也。手太陰陽明主治。太陰肺脉，陽明大腸脉，肺與大腸合，故治同。其日庚辛。庚辛為金，西方干也。肺苦氣上逆，急食苦以泄之。苦性宣泄，故肺用之。新校正云：按全元起云：肺氣上逆，是其氣有餘。腎主冬，以應水也。足少陰太陽主治。少陰腎脉，太陽膀胱脉，腎與膀胱合，故治同。其日壬癸。壬癸為水，北方干也。腎苦燥，急食辛以潤之，開腠理，致津液，通氣也。辛性津潤也。然腠理開，津液達，則肺氣下流，腎與肺通，故云通氣也。病在肝，愈於夏。子制其鬼也。餘愈同。夏不愈，甚於秋。子休鬼復王也。餘甚同。秋不死，持於冬。鬼休而母養，故氣執持於父母之鄉也。餘持同。起於春。自得其位，故復起。餘起同。禁當風。以風氣通於肝，故禁而勿犯。肝病者，愈在丙丁。丙丁應夏。丙丁不愈加於庚辛。庚辛應秋。庚辛不死持於壬癸。壬癸應冬。起於甲乙。應春木也。肝病者平旦慧下晡甚夜半靜。木王之時故爽慧也金王之時故加甚也水王之時故靜退也餘慧甚同其靜小異。肝欲散急食辛以散之。以藏氣常散故以辛發散也陰陽應象大論曰辛甘發散為陽也平人氣象論曰藏真散於肝言其常發散也。用辛補之酸寫之。辛味散故補酸味收故寫新校正云按全元起本云用酸補之辛寫之自為一義。病在心愈在長夏長夏不愈甚於冬冬不死持於春起於夏。如肝例也。禁溫食熱衣。熱則心躁故禁止之。心病者愈在戊己。戊己應長夏也。戊己不愈加於壬癸。壬癸應冬。壬癸不死持於甲乙。甲乙應春。起於丙丁。應夏火也。心病者日中慧夜半甚平旦靜。亦休王之義也。心欲耎急食鹹以耎之。以藏氣好耎故以鹹柔耎也平人氣象論曰藏真通於心言其常欲柔耎也。用鹹補之甘寫之。鹹補取其柔耎甘寫取其舒緩。病在脾愈在秋。秋不愈，甚於春；春不死，持於夏；起於長夏。禁溫食飽食、溼地濡衣。（溫濕及飽並傷脾氣，故禁止之。）脾病者，愈在庚辛；（應秋氣也。）庚辛不愈，加於甲乙；（應春氣也。）甲乙不死，持於丙丁；（應夏氣也。）起於戊己。（應長夏也。）脾病者，日昳慧，日出甚，（新校正云：按甲乙經日出作平旦。雖日出與平旦時等，按前文言木王之時皆云平旦而不云日出，蓋日出於冬夏之期有早晚，不若平旦之為得也。）下晡靜。（土王則爽慧，木剋則增甚，金扶則靜退，亦休王之義也。王氏云日中持者謬也。夫五藏之病，皆以勝相加，至其所生而愈，至其所不勝而甚，至於所生而持，自得其位而起。由是故皆有間甚之時、死生之期也。）脾欲緩，急食甘以緩之。（甘性和緩，順其緩也。）用苦寫之，甘補之。（苦寫取其堅燥，甘補取其安緩。）病在肺，愈在冬；冬不愈，甚於夏；夏不死，持於長夏；起於秋。（例如肝也。）禁寒飲食、寒衣。（肺惡寒氣，故衣食禁之。靈樞經曰：形寒寒飲則傷肺。飲尚傷肺，其食甚焉。肺不獨惡寒，亦畏熱也。）肺病者，愈在壬癸；（應冬水也。）壬癸不愈，加於丙

十二肺　十五腎

丁〔應夏火也〕丙丁不死持於戊已〔長夏土也〕起於庚辛〔應秋金也〕肺病者下晡慧日中甚夜半靜〔金王則慧水王則靜火王則甚〕肺欲收急食酸以收之〔以酸性收斂故也〕用酸補之辛寫之〔酸收斂故補辛發散故寫〕病在腎愈在春春不愈甚於長夏長夏不死持於秋起於冬〔例如肝也〕禁犯焠埃熱食溫炙衣〔腎性惡燥故此禁之新校正云按別本焠作焠〕腎病者愈在甲乙〔應春木也〕甲乙不愈甚於戊已〔長夏土也〕戊已不死持於庚辛〔應秋金也〕起於壬癸〔應冬水也〕腎病者夜半慧四季甚下晡靜〔水王則慧土王則甚金王則靜〕腎欲堅急食苦以堅之〔以苦性堅燥也〕用苦補之鹹寫之〔苦補取其堅也鹹寫取其耎也耎濕土制也故用寫之〕夫邪氣之客於身也以勝相加〔邪者不正之目風寒暑濕飢飽勞逸皆是邪也非唯鬼毒疫癘也〕至其所生而愈〔謂至已所生也〕至其所不勝

脈六第出 千十一 甲六 五味所出

千十三

而甚。謂至尅已之氣也至於所生而持。謂至生已之氣也自得其位而起。居所王處謂自得其位也必先定五藏之脈乃可言間甚之時死生之期也。五藏之脈者謂肝弦心鈎肺浮腎營脾代知是則可言死生間甚矣三部九候論曰必先知經脈然後知病脈此之謂也肝病者兩脇下痛引少腹令人善怒肝厥陰脈自足而上環陰器抵少腹又上貫肝鬲布脇肋故兩脇不痛引少腹也其氣實則善怒靈樞經曰肝氣實則怒虛則目䀮䀮無所見耳無所聞善恐如人將捕之。肝厥陰脈自脇肋循喉嚨入頏顙連目系膽少陽脈其支者從耳後入耳中出走耳前至目銳眥後故病如是也恐謂恐懼魂不安也取其經厥陰與少陽經謂經脈也非其絡病故取其經也取厥陰以治肝氣取少陽以調氣逆也故下文曰氣逆則頭痛耳聾不聰頰腫肝厥陰脈自目系上出額與督脈會於巔故頭痛膽少陽脈支別者從耳中出走耳前文支別者加頰車又厥陰之脈支別者從目系下頰裏故耳聾不聰頰腫也是以上文兼取少陽也取血者。脉中血滿獨異於常乃氣逆之診隨其左右有則刺之心病者胷中痛脇支滿脇

十七 痓、

下痛膺背肩甲間痛兩臂內痛。心少陰脈支別者循胸出脇入手心主厥陰之脈起於胸中其支別者亦循胸出脇下腋三寸上抵腋下下循臑內行太陰少陰之間入肘中下循臂行兩筋之間又心少陰之脈直行者復從心系却上肺上出腋下下循臑內後廉行太陰心主之後下肘內循臂內後廉抵掌後銳骨之端又小腸太陽之脈自臂臑上繞肩甲交肩上故病如是

虛則胸腹大脇下與腰相引而痛。手心主厥陰之脈從胸中出屬心包下鬲歷絡三焦其支別者循胸出脇心少陰之脈自心系下鬲絡小腸故病如是也

取其經少陰太陽舌下血者。少陰之脈從心系上俠咽喉故取舌本下及經脈血也

其變病刺郄中血者。其或嘔變則刺少陰之郄血滿者也手少陰之郄在掌後脈中去腕半寸當小指之後

脾病者身重善肌肉痿足不收行善瘈脚下痛。脾象土而主肉故身重肉痿也痿謂萎無力也脾太陰之脈起於足大指之端循指內側上內踝前廉上腨內腎少陰之脈起於足小指之下斜趣足心上腨內出膕內廉故病則足不收行善瘈脚下痛也故下取少陰 新校正云按甲乙經作善飢肌肉痿千金方云善飢足痿不收氣交變大論云肌肉萎足痿不收行善瘈

虛則腹滿腸鳴飧泄食不化。脾太陰脈從股內前廉入腹屬脾絡胃故病如是靈樞經曰中

氣不足則腹爲之善滿，腸爲之善鳴。取其經太陰陽明少陰血者。少陰腎脈也。以前病行善瘈脚下痛，故取之而出血，血滿者出之。

肺病者，喘欬逆氣，肩背痛，新校正云：按《千金方》作肩息背痛。汗出，尻陰股膝，新校正云：按《甲乙經》《脉經》作膝攣。髀腨胻足皆痛。肺藏氣而主喘息，在變動爲欬，故病則喘欬逆氣也。背爲胷中之府，肩接近之，故肩背痛也。肺養皮毛，邪盛則心液外泄，故汗出也。腎少陰之脈，從足下上循腨內，出膕內廉，上股內後廉，貫脊屬腎絡膀胱，今肺病則腎脈受邪，故尻陰股膝髀腨胻足皆痛，故下取少陰也。虛則少氣不能報息，耳聾嗌乾。氣虛少，故不足以報入息也。肺太陰之絡，會於耳中，故聾也。腎少陰之脈，從腎上貫肝鬲，入肺中，循喉嚨，俠舌本，今肺虛則腎氣不足以上潤於嗌，故嗌乾也。是以下文兼取少陰也。取其經太陰足太陽之外厥陰內血者。足太陽之外厥陰內者，正謂腨內側內踝後之直上，則少陰脉也。視左右足脉少陰部分有血滿異於常者，即而取之。

腎病者，腹大脛腫，新校正云：按《甲乙經》云脛腫痛。喘欬身重，寢汗出，憎風。腎少陰脉起於足，而上循腨，復從橫骨中俠齊循腹裏上行而入肺，故腹大脛腫而喘欬也。腎病則骨不能用，故身重也。腎邪攻肺，心氣內微，心液爲汗，故寢汗出

肝色青至末五味所宜也大素卷二調食篇中引　脾色黃三句大素在肺色上

也脛既腫矣汗復津泄陰凝玄府陽爍上焦內熱外寒故憎風也慄謂戰慄惡寒也。虛則胸中痛大腹小腹痛清厥意不樂。腎少陰脈從肺出絡心注胸中然腎氣既虛心無所制心氣熏肺故痛聚胸中也足太陽脈從項下行而至足腎虛則太陽之氣不能盛行於足故足冷而氣逆也清謂氣清冷厥謂氣逆也以清冷氣逆故大腹小腹痛志不足則神躁擾故不樂也　新校正云按甲乙經大腹小腹作大腸小腸取其經少陰太陽血者。凡刺之道虛則補之實則寫之不盛不虛以經取之是謂得道經絡有血刺而去之是謂守法猶當揣形定氣先去血脈而後乃平有餘不足爲三部九候論曰必先度其形之肥瘦以調其氣之虛實實則寫之虛則補之必先去其血脈而後調之此之謂也肝色青宜食甘粳米牛肉棗葵皆甘。肝性喜急故食甘物而取其寬緩也　新校正云詳肝色青至篇末全元起本在第六卷王氏移於此心色赤宜食酸小豆新校正云按甲乙經太素小豆作麻犬肉李韭皆酸。心性喜緩故食酸物而取其收斂也肺色白宜食苦麥羊肉杏薤皆苦。肺喜氣逆故食苦物而取其宣泄也脾色黃宜食鹹大豆豕肉栗藿皆鹹。究斯宜食乃調利關機之義也腎爲胃關脾與胃合故假鹹柔耎以利其關關利而胃氣乃行胃行而脾氣方化故應脾宜味與衆不同也。新校正云按上文曰肝苦急急食甘以緩之心苦緩急食酸以收之脾苦濕急食苦以燥之肺苦氣上逆急食苦以泄之腎苦燥急食辛以潤之此肝心肺腎食宜皆與前文合獨脾食鹹宜不用苦故王氏特注其義

腎色黑宜食辛黃黍雞肉桃葱皆辛。腎性喜燥故食辛物而取其津潤也。

辛散酸收甘緩苦堅鹹耎此皆自然之氣也然辛味苦味匪唯堅散而已辛亦能潤能散苦亦能燥能泄故上文曰脾苦濕急食苦以燥之肺苦氣上逆急食苦以泄之則其謂苦之燥泄也又曰腎苦燥急食辛以潤之則其謂辛之濡潤也。

毒藥攻邪藥謂金玉土石草木菜果蟲魚鳥獸之類皆可以祛邪養正者也然辟邪安正惟毒乃能以其能然故通謂之毒藥也。新校正云按本草云下藥為佐使主治病以應地多毒不可久服欲除寒熱邪氣破積聚愈疾者本下經故云毒藥攻邪

五穀為養謂粳米小豆麥大豆黃黍也。五果為助謂桃李杏栗棗也。五畜為益謂牛羊豕犬雞也。五菜為充謂葵藿薤葱韭也。新校正云按五常政大論曰大毒治病十去其六常毒治病十其七小毒治病十去其八無毒治病十去其九穀肉果菜食養盡之無使過之傷其正也。

氣味合而服之以補精益氣氣為陽化味曰陰施氣味合和則補益精氣矣陰陽應象大論曰陽為氣陰為味味歸形形歸氣氣歸精精歸化精食氣形食味又

曰：形不足者，温之以氣；精不足者，補之以味。由是則補精益氣，其義可知。新校正云：按孫思邈云：精以食氣，氣養精以榮色；形以食味，味養形以生力。精順五氣以為靈也，若食氣相惡則傷精也；形受味以成也，若食味不調則損形也。是以聖人先用食禁以存性，後制藥以防命，氣味温補以存精形，此之謂氣味合而服之，以補精益氣也。

此五者，有辛酸甘苦鹹，各有所利，或散或收，或緩或急，或堅或耎，四時五藏病，隨五味所宜也。（用五味而調五藏，配肝以甘，心以酸，脾以鹹，肺以苦，腎以辛者，各隨其宜，欲緩欲收，欲耎欲泄，欲散欲堅，而為用，非以相生相養而為義也。）

宣明五氣篇第二十三

（新校正云：按全元起本在第一卷。）

五味所入：酸入肝，（肝合木而味酸也。）辛入肺，（肺合金而味辛也。）苦入心，（心合火而味苦也。）鹹入腎，（腎合水而味鹹也。）甘入脾，（脾合土而味甘也。新校正云：按太素又云：淡入胃。）是謂五入。（新校正云：按至真要大論云：夫五味入胃，各歸所喜，故酸先入肝，苦先入心，甘先入脾，辛先入肺，鹹先入腎。）

五氣所病：心為噫，（象火炎上，煙隨焰出，心不受穢，故噫出之。）肺為欬，（象金堅勁，扣之有聲，邪擊於肺，故為欬也。）肝為語，（象木枝條而形支別語宣委曲故出於肝。脾爲呑。象土包容物歸於內翕如皆受故爲呑也。腎爲欠爲嚏。象水下流上生雲霧氣鬱於胃故欠生焉太陽之氣和利而清於心出於鼻則生嚏也。胃爲氣逆爲噦爲恐。以爲水穀之海腎與爲關關閉不利則氣逆而上行也以包容水穀性喜受寒寒穀相薄故爲噦也寒盛則噦起熱盛則恐生何者胃熱則腎氣微弱故爲恐也下文曰精氣并於腎則恐也。大腸小腸爲泄下焦溢爲水。大腸爲傳道之府小腸爲受盛之府受盛之氣既虛傳道之司不禁故爲泄利也下焦爲分注之所氣窒不寫則溢而爲水。膀胱不利爲癃不約爲遺溺。膀胱爲津液之府水注由之然足三焦脉實約下焦而不通則不得小便足三焦脉虛不約下焦則遺溺也靈樞經曰足三焦者太陽之別也並太陽之正入絡膀胱約下焦實則閉癃虛則遺溺。膽爲怒。中正決斷無私無偏其性剛決故爲怒也六節藏象論曰凡十一藏取決於膽也。是謂五病。

五精所并精氣并於心則喜。精氣謂火之精氣也肺虛而心精并之則爲喜靈樞經曰喜樂无極則傷魄魄爲肺神明心火并於肺金也。并於肺則悲。肝虛而肺氣并之則爲悲靈樞經曰悲哀動中則傷魂魂爲肝神明肺金并於肝木也。并於肝則憂。脾虛而肝氣并之則爲憂靈樞經曰愁憂不解則傷意意爲脾神明肝木并於脾土也。

廿六本 甲六五靈空

并於脾則畏一經云飢也腎虛而脾氣并之則爲畏畏謂畏懼也靈樞經曰恐懼而不解則傷精精爲腎神明脾土并於腎水也并於腎則恐心虛而腎氣并之則爲恐靈樞經曰怵惕思慮則傷神神爲心主明腎水并於心火也怵惕驚懼也此皆正氣不足而勝氣并之乃爲是矣故下文曰是謂五并虛而相并者也

五藏所惡心惡熱熱則脉潰濁肺惡寒寒則氣留滯肝惡風風則筋燥急脾惡濕濕則肉痿腫腎惡燥燥則精竭涸新校正云按楊上善云若余則云肺惡燥今此肺惡寒腎惡燥者燥在於秋寒之始也寒在於冬燥之終也肺在於秋以肺惡寒之甚故言其終腎在於冬腎惡不甚故言其始也是謂五惡

五藏化液心爲汗泄於皮腠也肺爲涕潤於鼻竅也肝爲淚注於眼目也脾爲涎溢於脣口也腎爲唾生於牙齒也是謂五液

五味所禁辛走氣氣病無多食辛病謂力少不自勝也鹹走血血病無多食鹹苦走骨骨病無多食苦新校正云按皇甫士安云鹹先走腎此云走血

者腎合三焦血脉雖屬肝心而爲中焦之道故鹹入而走血也苦走心此云走骨者水火相濟骨氣通於心也甘走肉肉病無多食甘酸走筋筋病無多食酸是皆爲行其氣速故不欲多食多食則病甚故病者無多食也是謂五禁無令多食新校正云按太素五禁云肝病禁辛心病禁鹹脾病禁酸肺病禁苦腎病禁甘名此爲五裁楊上善云口嗜而欲食之不可多也必自裁之命曰五裁

五病所發陰病發於骨陽病發於血陰病發於肉骨肉陰靜故陽氣從之血脉陽動故陰氣乘之陽病發於冬陰病發於夏夏陽氣盛故陰病發於夏冬陰氣盛故陽病發於冬各隨其少也是謂五發

五邪所亂邪入於陽則狂邪入於陰則痺邪居於陽脉之中則四支熱盛故爲狂邪入於陰脉之內則六經凝泣而不通故爲痺搏陽則爲巔疾邪內搏於陽則脉流薄疾故爲上巔之疾搏陰則爲瘖邪內搏於陰則脉不流故令瘖不能言新校正云按難經云重陽者狂重陰者癲巢元方云邪入於陰則爲癲脉經云陰附陽則狂陽附

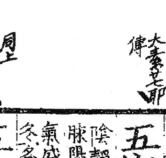

陰則癲孫思邈云邪入於陽則爲狂邪入於陰則爲血痺邪入於陽傳則爲癲瘂邪入於陰傳則爲痛瘖全元起云邪已入陰復傳於陽邪氣盛府藏受邪使其氣不朝榮氣不復周身邪與正氣相擊發動爲癲疾邪已入陽陽今復傳於陰藏府受邪故不能言是勝正也諸家之論不同今具載之陽入之陰則靜陰出之陽則怒隨所之而爲疾也之往也新校正云按全元起云陽入陰則爲靜出則爲怒千金方云陽入於陰病靜陰出於陽病怒是謂五亂

五邪所見春得秋脉夏得冬脉長夏得春脉秋得夏脉冬得長夏脉名曰陰出之陽病善怒不治是謂五邪皆同命死不治新校正云按陰出之陽病善怒已見前條此再言之文義不倫必古文錯簡也

五藏所藏心藏神精氣之化成也靈樞經曰兩精相薄謂之神肺藏魄精氣之匡佐也靈樞經曰並精而出入者謂之魄肝藏魂神氣之輔弼也靈樞經曰隨神而往來者謂之魂脾藏意記而不忘者也靈樞經曰心有所憶謂之意腎藏志專意而不移者也靈樞經曰意之所存謂之志腎受五臟六腑之精元氣之本生成之根爲胃之關是以志能則命

通。新校正云：按楊上善云：腎有二枚，左為腎，藏志；右為命門，藏精也。是謂五藏所藏。

五藏所主：心主脈，壅遏榮氣，應息而動也。肺主皮，包裹筋肉，間拒諸邪也。肝主筋，束絡機關，隨神而運也。脾主肉，覆藏筋骨，通行衛氣也。腎主骨，張筋化髓，幹以立身也。是謂五主。

五勞所傷：久視傷血，勞於心也。久臥傷氣，勞於肺也。久坐傷肉，勞於脾也。久立傷骨，勞於腎也。久行傷筋，勞於肝也。是謂五勞所傷。

五脈應象：肝脈弦，耎虛而滑，端直以長也。心脈鉤，如鉤之偃，來盛去衰也。脾脈代，耎而弱。肺脈毛，輕浮而虛，如毛羽也。腎脈石，沈堅而搏，如石之投也。是謂五藏之脈。

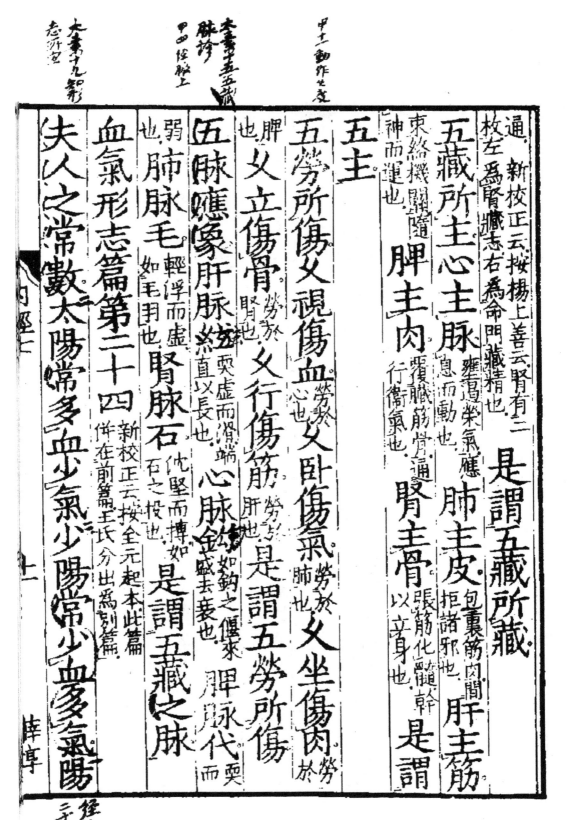

血氣形志篇第二十四

新校正云：按全元起本此篇併在前篇，王氏分出為別篇。

夫人之常數，太陽常多血少氣，少陽常少血多氣，陽

明常多氣多血少陰常少血多氣厥陰常多血少氣

太陰常多氣少血此天之常數血氣多少此天之常數故用鍼之道常寫其多也　新校正云

按甲乙經十二經水篇云陽明多血多氣刺深六分留十呼太陽多血多氣刺

深五分留七呼少陽少血多氣刺深四分留五呼太陰多血少氣刺深三分留

四呼少陰少血多氣刺深二分留三呼厥陰多血少氣刺深一分留二呼太陽

太陰血氣多少與素問不同又陰陽二十五人形性血氣不同篇與素問同蓋

皇甫疑而兩存之也足太陽與少陰為表裏少陽與厥陰為表裏

陽明與太陰為表裏是為足陰陽也手太陽與少陰

為表裏少陽與心主為表裏陽明與太陰為表裏是

為手之陰陽也今知手足陰陽所苦凡治病必先去

其血乃去其所苦伺之所欲然後寫有餘補不足

其血謂見血脉盛滿獨異於常者乃去之不謂常刺則先去其血也欲知背俞先度其兩乳間中

大素十九知形志所宜
甲六逆順病本
十四一引大素
靈九針月

折之更以他草度去半已即以兩隅相拄也乃舉以度其背令其一隅居上齊脊大椎兩隅在下當其下隅者肺之俞也度謂度量也言以草量其乳間四分去一使斜與橫等折為三隅以上隅齊脊大椎則兩隅下當肺俞也復下一度心之俞也謂以上隅齊脊三椎也復下一度左角肝之俞也右角脾之俞也復下一度腎之俞也是謂五藏之俞灸刺之度也靈樞經及中誥咸云肺俞在三椎之傍心俞在五椎之傍肝俞在九椎之傍脾俞在十一椎之傍腎俞在十四椎之傍尋此經草量之法則合度之人其初度兩隅之下約當肺俞再度兩隅之下約當心俞三度兩隅之下約當七椎七椎之傍乃鬲俞之位此經云左角肝之俞右角脾之俞殊與中誥等經不同又四度則兩隅之下約當九椎九椎之傍乃肝俞也經云腎俞未究其源形樂志苦病生於脈治之以灸刺形謂身形志謂心志細而言之則七神殊守通而論之則約形志以爲中外爾然形樂謂不甚勞役志苦謂結慮深思不甚勞役則筋骨平調結慮深思則榮衛乖否氣血不順故病生於脈焉夫盛寫虛補是灸刺之道猶當去其血絡而

辛亨

後調之故上文曰凡治病必先去其血乃去其所苦伺之所欲然後寫有餘補不足則其義也形樂志樂病生於肉治之以鍼石志樂謂悅懌忘憂也然筋骨不勞心神悅懌則肉理相比氣道滿塡衛氣怫結故病生於肉也夫衛氣留滿以鍼寫之結聚膿血石而破之石謂石鍼則砭石也今亦以鈹鍼代之形苦志樂病生於筋治之以熨引形苦謂修業就役也然修業以爲就役而作一過其用則致勞傷勞用以傷故病生於筋熨謂藥熨引謂導引形苦志苦病生於咽嗌治之以百藥修業就役結慮深思憂則肝氣并於脾肝與膽合嗌爲之使故病生於嗌也宣明五氣篇曰精氣并於肝則憂奇病論曰肝者中之將也取決於膽咽爲之使也　新校正云按甲乙經咽嗌作困竭百藥作甘藥形數驚恐經絡不通病生於不仁治之以按摩醪藥驚則脉氣并恐則神不收脉并神游故經絡不通而爲不仁之病矣夫按摩者所以開通閉塞導引陰陽醪藥者所以養正祛邪調中理氣故方之爲用宜以此焉醪藥謂酒藥也不仁謂不應其用則𤸷痺矣是謂五形志也刺陽明出血氣刺太陽出血惡氣刺少陽出氣惡血刺太陰出氣惡血刺少陰出

氣惡血，刺厥陰出血惡氣也。明前三陽三陰血氣多少之刺約也。新校正云：按太素云刺陽明出血氣，刺太陰出血氣。楊上善注云：陽明太陰雖為表裏，其血氣俱盛，故並寫血氣。如是則太陰與陽明等，俱為多血多氣。前文太陰一云多血少氣，二云多氣少血，莫可的知。詳太素血氣並寫之旨，則二說俱未為得，自與陽明同兩。又此刺陽明一節，宜續前寫有餘補不足下，不當隔在草度法五形志後。

重廣補注黃帝內經素問卷第七

玉機真藏論 瀩古代切 㵳音愈 䐃渠殞切 瞀莫候切 三部九候

論 歃所甲切，飲血也 坰古螢切 蠕而勻切

經脈別論 跌仆音赴 罷極上音疲 如瀝下音歷 藏氣法時論

○[illegible]

慧音惠 焠七內切 [illegible]烏[illegible]切 䀮䀮音荒 臑內人朱切 宣明五氣論

翕音吸 啑音帝 窒陟栗切 凝 泣音澀 瘖讀作音 血氣形志論 相柱

腘

音 ○—○ 迭

此二行移前卷被古抄本元版並元亦從削

△瘻於危切，濕病也，足不能行也。瘻音係，小兒病。又尺制切。

○欬 苦蓋切

■噦 呼會切，鳥逆也

尻苦刀切 腨時轉切腸也 胻胡郎切脛也 奭音歎

[illegible]知東切

[illegible]音鈹

重廣補注黃帝内經素問卷第八

啓玄子次注林億孫奇高保衡等奉　敕校正孫兆重改誤

寶命全形論篇第二十五

新校正云：按全元起本在第六卷，名《刺禁》。

黃帝問曰：天覆地載，萬物悉備，莫貴於人。人以天地之氣生，四時之法成。天以德流，地以氣化，德氣相合，而乃生焉。《易》曰：天地絪縕，萬物化醇。此之謂也。則假以溫涼寒暑，生長收藏，四時運行，而方成立。君王衆庶，盡欲全形，貴賤雖殊，然其寶命一矣，故好生惡死者，貴賤之常情也。形之疾病，莫知其情，留淫日深，著於骨髓，心私慮之，新校正云按太素慮作患。余欲鍼除其疾病，為之奈何？虛邪之中人微，先見于色，不知于身，有形元形，故莫知其情狀也。留而不去，淫衍日深，邪氣襲虛，故著於骨髓。帝矜不度，故請行其鍼。新校正云按別本不度作不庶。岐伯對曰：夫塩之味鹹者，其氣令器津泄；鹹謂塩之味苦，浸淫而潤物者也。夫鹹為苦而生，鹹從水而有水也，潤下而苦泄，故能令器中水津液潤滲泄焉。凡虛中而受物者皆謂之器，其於體外則謂陰囊，其於身中所同則謂膀胱矣。然以病配於五藏，則心氣伏於腎中而不去，乃為是矣。何者？腎象水而味鹹，心合火而味苦，苦流汗液，鹹走胞囊，火為水持，故陰囊之外津潤如汗而滲泄不止也。凡鹹之為氣，天陰則潤，在土則浮，在人則囊濕而皮膚剝起。絃絶者，其音斯敗；陰囊津泄而脉絃絶者，診當言音嘶嗄，敗易舊聲爾。何者？肝氣傷也。肝氣傷則金本缺，金本缺則肺氣不全，肺主音聲，故言音嘶嗄。木敷者，其葉發；敷，布也。言木氣散布，外榮於所部者，其病當發於肺葉之中也。何者？以木氣發散故也。平人氣象論曰：藏真散於肝，肝又合木也。病深者，其聲噦。噦謂聲濁惡也。肺藏惡血，故如是。人有此三者，是謂壞府。府謂胃也。以肺處胃中故也。壞謂損壞其府而取病也。抱朴子云：仲景開胃以納赤餅，由此則胃可啓之而取病矣。三者，謂脉弦絶，肺葉發，聲濁噦。毒藥無治，短鍼無取，此皆絶皮傷肉血氣爭黑。病內潰於肺中，故毒藥無治；外不在於經絡，故短鍼無取。是以絕皮傷肉，乃可攻之。以惡血久與肺氣交爭，故當血見而色黑也。　新校正云：詳岐伯之對與黃帝所問不相當。別按《太素》云：夫鹽之味鹹者，其氣令器津泄；絃絕者，其音嘶敗；木陳者，其葉落；病深者，其聲噦。人有此三者，是謂壞府，毒藥無治，短鍼無取，此皆絕皮傷肉，血氣爭黑。三字與此經不同，而注意大異。楊上善注云：言欲知病微者，須知其候。鹽之在於器中，津液泄於外，見津而知鹽之有鹹也。聲嘶知琴瑟之絃將絕，葉落者知陳木之已盡。舉此三物衰壞之微，以比聲噦識病深之候。人有聲噦同三譬者，是爲府壞之候。中府壞者，病之深也。其病既深，故鍼藥不能取，以其皮肉血氣各不相得故也。再詳上善作此等注義，方與黃帝上下問荅義相貫穿。王氏解鹽鹹器津，義雖淵微，至於注絃絕音嘶、木敷葉發，殊不與帝問相協，考之不若楊義之得多也。帝曰：余念其痛，心爲之亂惑，反甚其病，不可更代，百姓聞之，以爲殘賊，爲之柰何？殘謂殘害，賊謂損劫。言恐涉於不仁，致慊於黎庶也。岐伯曰：夫人生於地，懸命於天，天地合氣，命之曰人。形假物成，故生於地；命惟天賦，故懸於天。德氣同歸，故謂之人也。《靈樞經》曰：天之在我者德，地之在我者氣，德流氣薄而生者也。然德者道之用，氣者生之毋也。人能應四時者，天地爲之父母。人能應四時和氣而養生者，天地恒畜養之，故爲父母。四氣調神大論曰：夫四時陰陽者，萬物之根本也。所以聖人春夏養陽，秋冬養陰，以從其根，故與萬物沉浮於生長之門也。知萬物者，謂之天子。知萬物之根本者，天地常育養之，故謂曰天之子。天有陰陽，人有十二節。節謂節氣，外所以應十二月，内所以主十二經脉也。天有寒暑，人有虛實。寒暑有盛衰之紀，虛實表多少之殊，故人以虛實應天寒暑也。能經天地陰陽之化者，不失四時；知十二節之理者，聖智不能欺也。經，常也。言能常應順天地陰陽之道而脩養者，則合四時生長之宜；能知十二節氣之所遷至者，雖聖智亦不欺侮而奉行之也。能存八動之變，五勝更立，能達虛實之數者，獨出獨入，呿吟至微，秋毫在目。存謂心存，達謂明達，呿謂欠呿，吟謂吟嘆，秋毫在目，言細必察也。八動謂八節之風變動。五勝謂五行之氣相勝。立謂當其王時。變謂氣至而變易。知是三者，則應效明著，速猶影響，皆神之獨出獨入，亦非鬼靈能召遣也。新校正云：按楊上善云：呿謂露齒出氣。

帝曰：人生有形，不離陰陽，天地合氣，別爲九野，分爲

今本太素為神也

四時月有小大日有短長萬物並至不可勝量虛實呿吟敢問其方 請說用鍼之意 岐伯曰木得金而伐火得水而滅土得木而達金得火而缺水得土而絶萬物盡然不可勝竭 達通也言物類雖不可竭盡而數要之皆如五行之氣而有勝負之性分爾 故鍼有懸布天下者五黔首共餘食莫知之也 言鍼之道有若高懸示人彰布於天下者五矣而百姓共知餘食咸棄蔑之不務於本而崇乎末莫知眞要深在其中所謂五者次如下句 新校正云按全元起本餘食作飽食注云人愚不解陰陽不知鍼之妙飽食終日莫能知其妙益又太素作飮食楊上善注云黔首共服用此道然不能得其意 一曰治神 專精其心不妄動亂也所以云手如握虎神无營於衆物蓋欲調治精神專其心也 新校正云按楊上善云存生之道知此五者以為攝養可得長生也魂神意魄志以為神主故皆名神欲為鍼者先須治神故人無悲哀動中則魂不傷肝得無病秋無難也無怵惕思慮則神不傷心得無病冬無難也無愁憂不解則意不傷脾得無病春無難也無喜樂不極則魄不傷肺得無病夏無難也無盛怒者則志不傷腎得無病季夏無難也是以五過不起於心則神清性明五神各安其藏則壽延遐算也 二曰

玄元皇帝云〻三句並王冰注文

甲乙針道

知養身。知養己身之法，亦如養人之道矣。陰陽應象大論曰：用鍼者以我知彼，用之不殆，此之謂也。新校正云：按太素身作形，楊上善云：飲食男女，節之以限；風寒暑濕，攝之以時；有異單豹外凋之害，即內養形也；實慈恕以愛人，和塵勞而不迹，有殊張毅高門之傷，即外養形也。內外之養周備，則不求生而久生，無期壽而長壽，此則鍼布養形之極也。玄元皇帝曰：太上養神，其次養形。詳王氏之注，專治神養身於用鍼之際，其說甚狹，不若上善之說爲優。若必以此五者解爲用鍼之際，則下文知毒藥爲眞，王氏亦不尊用鍼爲解也。三曰知毒藥爲眞。毒藥攻邪，順宜而用，正眞之道，其在茲乎。四曰制砭石小大。古者以砭石爲鍼，故不舉九鍼，但言砭石爾。當制其大小者，隨病所宜而用之。新校正云：按全元起云：砭石者，是古外治之法，有三名：一鍼石，二砭石，三鑱石，其實一也。古來未能鑄鐵，故用石爲鍼，故名之鍼石。言工必砥礪鋒利，制其小大之形，與病相當。黃帝造九鍼以代鑱石。上古之治者，各隨方所宜，東方之人多癰腫聚結，故砭石生於東方。五曰知府藏血氣之診。諸陽爲府，諸陰爲藏。故血氣形志篇曰：太陽多血少氣，少陽少血多氣，陽明多氣多血，少陰少血多氣，厥陰多血少氣，太陰多氣少血。是以刺陽明出血氣，刺太陽出血惡氣，刺少陽出氣惡血，刺太陰出氣惡血，刺少陰出氣惡血，刺厥陰出血惡氣也。精知多少，則補寫萬全。五法俱立，各有所先。事宜則應者先用。今末世之刺也，虛者實之，滿者泄之此皆衆工所共知也若夫法天則地隨應而動和之者若響隨之者若影道無鬼神獨來獨往隨應而動言其効也若影若響言其近也夫如影之隨形響之應聲豈復有鬼神之召遣耶蓋由隨應而動之自得爾帝曰願聞其道岐伯曰凡刺之眞必先治神專其精神寂無動亂刺之眞要其在斯焉五藏已定九候已備後乃存鍼先定五藏之脉備循九候之診而有太過不及者然後乃存意於用鍼之法衆脉不見衆凶弗聞外内相得無以形先衆脉謂七診之脉衆凶謂五藏相乘外内相得言形氣相得也無以形先言不以已形之衰盛寒温料病人之形氣使同於已也故下文曰可玩往來乃施於人玩謂玩弄言精熟也標本病傳論曰謹熟陰陽無與衆謀此其類也新校正云按此文出陰陽別論此云標本病傳論者誤也人有虛實五虛勿近五實勿遠至其當發間不容瞚人之虛實非其遠近而有之蓋由血氣一時之盈縮爾然其未發則如雲垂而視之可久至其發也則如電滅而指所不及遲速之殊有如此矣新校正云按甲

乙經瞶作暄，全元起本及太素作眴。**手動若務鍼耀而勻**手動用鍼，心如專務於一事也。鍼經曰：一其形，聽其動靜，而知邪正，此之謂也。鍼耀而勻，謂鍼形光淨，而上下勻平。**靜意視義觀適之變是謂冥冥莫知其形**冥冥言血氣變化之不可見也。故靜意視息，以義斟酌，觀所調適經脈之變易爾。雖且鍼下用意精微而測量之，猶不知變易形容誰爲其象也。新校正云：按八正神明論云：觀其冥冥者，言形氣榮衛之不形於外，而工獨知之，以日之寒溫，月之虛盛，四時氣之浮沈，參伍相合而調之，工常先見之，然而不形於外，故曰觀於冥冥焉。**見其烏烏見其稷稷從見其飛不知其誰**烏烏歎其氣至，稷稷嗟其已應，言所鍼得失，如從空中見飛鳥之往來，豈復知其所使之元主耶？是但見經脈盈虛而爲信，亦不知其誰之所召遣爾。**伏如橫弩起如發機**血氣之未應鍼，則伏如橫弩之安靜；其應鍼也，則起如機發之迅疾。

帝曰：何如而虛？何如而實？言血氣既伏如橫弩，起如發機，然其虛實豈留呼而可爲準定耶？虛實之形，何如而約之？**岐伯曰：刺虛者須其實，刺實者須其虛。**言要以氣至有効而爲約，不必守息數而爲定法也。**經氣已至，愼守勿失。**無變法而失經氣也。**深淺在志遠**

大素廿四天忌

近若一如臨深淵手如握虎神無營於衆物言精心專一也所鍼經脉雖深淺不同然其補寫皆如一俞之專意故手如握虎神不外營焉　新校正云按鍼解論云刺實須其虛者留鍼陰氣隆至乃去鍼也刺虛須其實者陽氣隆至鍼下熱乃去鍼也經氣已至慎守勿失者勿變更也深淺在志者知病之内外也遠近如一者深淺其候等也如臨深淵者不敢墮也手如握虎者欲其壯也神无營於衆物者靜志觀病人无左右視也

八正神明論篇第二十六

新校正云按全元起本在第二卷又與本素知官能篇大意同文勢小異

黄帝問曰用鍼之服必有法則焉今何法何則服事也法象也則準也約也岐伯對曰法天則地合以天光謂合日月星辰之行度帝曰願卒聞之岐伯曰凡刺之法必候日月星辰四時八正之氣氣定乃刺之候日月者謂候日之寒温月之空滿也星辰者謂先知二十八宿之分應水漏刻者也略而言之常以日加之於宿上則知人氣在太陽否日行一舍人氣在三陽與陰分矣細而言之從房至畢十四宿水下五十刻半日之度也從昴至心亦十四宿水下五十刻終日

之度也是故從房至畢者爲陽從昴至心者爲陰陽主晝陰主夜也凡日行一舍故水下三刻與七分刻之四也靈樞經曰水下一刻人氣在太陽水下二刻人氣在少陽水下三刻人氣在陽明水下四刻人氣在陰分水下不止氣行亦爾又曰日行一舍人氣行於身一周與十分身之八日行二舍人氣行於身三周與十分身之六日行三舍人氣行於身五周與十分身之四日行四舍人氣行於身七周與十分身之二日行五舍人氣行於身九周然日行二十八舍人氣亦行於身五十周與十分身之四由是故必候日月星辰也四時八正之氣者謂四時正氣八節之風來朝於太一者也謹候其氣之所在而刺之氣定乃刺之者謂八節之風氣靜定乃可以刺經脉調虛實也故曆忌云八節前後各五日不可刺灸凶是則謂氣未定故不可灸刺也　新校正云按八節風朝太一具天元玉冊中

是故天溫日明則人血淖液而衛氣浮故血易寫氣易行天寒日陰則人血凝泣而衛氣沉泣謂如水中居雪也月始生則血氣始精衛氣始行月郭滿則血氣實肌肉堅月郭空則肌肉減經絡虛衛氣去形獨居是以因天時而調血氣也是以天寒無刺血凝泣而衛氣沉也天溫

無疑 血淖液而氣易行也 月生無寫月滿無補月郭空無治是謂得時而調之 謂得天時也 因天之序盛虛之時移光定位正立而待之 候日遷移定氣所在南面正立待氣至而調之也 故日月生而寫是謂藏虛 血氣弱也 新校正云按全元起本藏作減藏當作減 月滿而補血氣揚溢絡有留血命曰重實 絡一爲經誤血氣盛也留一爲流非也 月郭空而治是謂亂經陰陽相錯眞邪不別沈以留止外虛內亂淫邪乃起 氣失紀故淫邪起 帝曰星辰八正何候歧伯曰星辰者所以制日月之行也 制謂制度定星辰則可知日月行之制度矣略而言之周天二十八宿三十六分人氣行一周天凡一千八分周身十六丈二尺以應二十八宿合漏水百刻都行八百一十丈以分晝夜也故人十息氣行六尺日行二分二百七十息氣行十六丈二尺一周於身水下二刻日行二十分五百四十息氣行再周於身水下四刻日行四十分二千七百息氣行十周於身水下二十刻日行五宿二十分一萬三千五百息氣行五十周

大素廿四卷
神論

於身水下百刻日行二十八宿也細而言之則常以一十周加之二分又十分分之六乃奇分盡矣是故星辰所以制日月之行度也　新校正云詳周天二十八宿至日行二十八宿也本靈樞文今具甲乙經中

八正者所以候八風之虛邪以時至者也八正謂八節之正氣也八風者東方嬰兒風南方大弱風西方剛風北方大剛風東北方凶風東南方弱風西南方謀風西北方折風也虛邪謂乘人之虛而爲病者也以時至謂天應太一移居以八節之前後風朝中宮而至者也　新校正云詳太一移居風朝中宮義具天元玉冊

四時者所以分春秋冬夏之氣所在以時調之也

八正之虛邪而避之勿犯也四時之氣所在者謂春氣在經脉夏氣在孫絡秋氣在皮膚冬氣在骨髓也然觸冒虛邪動傷眞氣避而勿犯乃不病焉靈樞經曰聖人避邪如避矢石蓋以其能傷眞氣也

以身之虛而逢天之虛兩虛相感其氣至骨入則傷五藏以虛感虛同氣而相應也

工候救之弗能傷也候知而止故弗能傷之救止也

故曰天忌不可不知也人忌於天故云天忌犯之則病故不可不知也

黃帝曰善其法星辰者余聞之矣願聞法

往古者岐伯曰法往古者先知鍼經也驗於來今者先知日之寒溫月之虚盛以候氣之浮沈而調之於身觀其立有驗也（候氣不差故立有驗）觀其冥冥者言形氣榮衛之不形於外而工獨知之（明前篇靜意視義觀適之變是謂冥冥莫知其形也雖形氣榮衛不形見於外而工以心神明悟獨得知其衰盛焉善惡悉可明之　新校正云按前篇乃寶命全形論）以日之寒溫月之虚盛四時氣之浮沈參伍相合而調之工常先見之然而不形於外故曰觀於冥冥焉（工所以常先見者何哉以守法而神通明也）通於無窮者可以傳於後世也是故工之所以異也（法著故可傳後世後世不絕則應用通於无窮矣以獨見知故工所以異於人也）然而不形見於外故俱不能見也（工異於粗者以粗俱不能見也）視之無形嘗之無味故謂冥冥若神髣

甲乙鍼道

髴言形氣榮衛不形於外以不可見故視无形嘗无味伏如横弩起如發機窈窈冥冥莫知元主謂如神運髣髴焉若如也虚邪者八正之虚邪氣也八正之虚邪謂八節之虚邪也以從虚之鄉來襲虚而入爲病故謂之八正虚邪正邪者身形若用力汗出腠理開逢虚風其中人也微故莫知其情莫見其形正邪者不從虚之鄉來也以中人微故莫知其情意莫見其形狀上工救其萌牙必先見三部九候之氣盡調不敗而救之故曰上工下工救其已成救其已敗救其已成者言不知三部九候之相失因病而敗之也義備離合眞邪論中知其所在者知診三部九候之病脉處而治之故曰守其門戶焉莫知其情而見邪形也三部九候爲候邪之門戶也守門戶故見邪形以中人微故莫知其情狀也帝曰余聞補寫未得其意岐伯曰寫必用方方

者以氣方盛也以月方滿也以日方溫也以身方定也以息方吸而内鍼乃復候其方吸而轉鍼乃復候其方呼而徐引鍼故曰寫必用方其氣而行焉方猶正也寫邪氣出則真氣流行矣補必用員員者行也行者移也行謂宣不行之氣令必宣行移謂移未復之脉俾其平復刺必中其榮復以吸排鍼也鍼入至血謂之中榮故員與方非鍼也所言方員者非謂鍼形正謂行移之義也故養神者必知形之肥瘦榮衛血氣之盛衰血氣者人之神不可不謹養神安則壽延神去則形弊故不可不謹養也

帝曰妙乎哉論也合人形於陰陽四時虛實之應冥冥之期其非夫子孰能通之然夫子數言形與神何謂形何謂神願卒聞之神謂神智通悟形謂形診可觀岐伯

曰請言形形乎形目冥冥問其所病新校正云按甲乙經作捫其所痛義亦通索之於經慧然在前按之不得不知其情故曰形外隱其無形故目冥冥而不見內藏其有象故以診而可索於經也慧然在前按之不得言三部九候之中卒然逢之不可爲之期準也離合眞邪論曰在陰與陽不可爲度從而察之三部九候卒然逢之早遏其路此其義也帝曰何謂神岐伯曰請言神神乎神耳不聞目明心開而志先慧然獨悟口弗能言俱視獨見適若昏昭然獨明若風吹雲故曰神耳不聞言神用之微密也目明心開而志先者言心之通如昏昧開卷目之見如氛翳闢明神雖內融志已先往矣慧然謂清爽也悟猶了達也慧然獨悟口弗能言者謂心中清爽而了達口不能宣吐以寫心也俱視獨見適若昏者歎見之異速也言與衆俱視我忽獨見適猶若昏昧爾既獨見了心眼昭然獨能明察若雲隨風卷日麗天明至哉神乎妙用如是不可得而言也三部九候爲之原九鍼之論不必存也以三部九候經脉爲之本原則可通神悟之妙用若以九鍼之論僉議則其旨惟博其知彌遠矣故曰三部九候爲之原九鍼之論不必存也

離合眞邪論篇第二十七 新校正云按全元起本在第一卷名經合第二卷重出名眞邪論

黃帝問曰余聞九鍼九篇夫子乃因而九之九九八十一篇余盡通其意矣經言氣之盛衰左右傾移以上調下以左調右有餘不足補寫於榮輸余知之矣此皆榮衛之傾移虛實之所生非邪氣從外入於經也余願聞邪氣之在經也其病人何如取之奈何岐伯對曰夫聖人之起度數必應於天地故天有宿度地有經水人有經脈 宿謂二十八宿度謂天之三百六十五度也經水者謂海水瀆水渭水湖水沔水汝水江水淮水漯水河水漳水濟水也以其內合經脈故名之經水焉經脈者謂手足三陰三陽之脈所以言者以內外參合人氣應通故言之也 新校正云按甲乙經云足陽明外合於海水內屬於胃足太陽外合於淸水內屬膀胱足少陽外合於渭水內屬於膽足太陰外合於湖水內屬於脾足厥陰外合於沔水內屬於肝足

內經 九

少陰外合於汝水內屬於腎手陽明外合於江水內屬於大腸手太陽外合於淮水內屬於小腸手少陽外合於漯水內屬於三焦手太陰外合於河水內屬於肺手心主外合於漳水內屬於心包手少陰外合於濟水內屬於心天地溫和則經水安靜天寒地凍則經水凝泣天暑地熱則經水沸溢卒風暴起則經水波涌而隴起人經脈亦應之夫邪之入於脈也寒則血凝泣暑則氣淖澤虛邪因而入客亦如經水之得風也經之動脈其至也亦時隴起其行於脈中循循然循循然順動貌言隨順經脈之動息因循呼吸之往來但形狀或異耳循循一為輴輴其至寸口中手也時大時小大則邪至小則平其行無常處大謂大常平之形診小者非細小之謂也以其比大則謂之小若無大以比則自是平常之經氣爾然邪氣者因其陰氣則入陰經因其陽氣則入陽脈故其行無常處也在陰與陽不可為度以隨經脈之流運也從而察之三部九候卒然逢

之早遏其路。逢謂逢遇，遏謂遏絕。三部之中，九候之位，卒然逢遇，當按而止之，即而寫之，逕路既絕，則大邪之氣無能爲也。所謂寫者，如下文云。吸則內鍼，無令氣忤，靜以久留，無令邪布，吸則轉鍼，以得氣爲故，候呼引鍼，呼盡乃去，大氣皆出，故命曰寫。按經之旨，先補眞氣，乃寫其邪也。何以言之？下文補法，呼盡內鍼，靜以久留；此段寫法，吸則內鍼，又靜以久留。然呼盡則次其吸，吸至則不兼呼，內鍼之候既同，久留之理復一，則先補之義昭然可知。《鍼經》云：寫曰迎之，迎之意，必持而內之，放而出之，排陽出鍼，疾氣得泄。補曰隨之，隨之意若忘之，若行若悔，如蚊虻止，如留如還。則補之必久留也。所以先補者，眞氣不足，鍼乃寫之，則經脈不滿，邪氣無所排遣，故先補眞氣令足，後乃寫出其邪矣。引謂引出，去謂離穴。候呼而引至其門，呼盡而乃離穴戶，則經氣審以平定，邪氣無所勾留，故大邪之氣隨鍼而出也。呼謂氣出，吸謂氣入，轉謂轉動也。大氣謂大邪之氣，錯亂陰陽者也。帝曰：不足者補之奈何？岐伯曰：必先捫而循之，切而散之，推而按之，彈而怒之，抓而下之，通而取之，外引其門，以閉其神。捫循謂手摸，切謂指按也。捫而循之，欲氣舒緩；切而散之，使經脈宣散；推而按之排蹷其皮也彈而怒之使脉氣䐜滿也抓而下之置鍼準也通而取之以常法也外引其門以閉其神則推而按之者也謂蹷按也外之皮令當應鍼之處針已放去則不破之皮蓋其所刺之門門不開則神氣内守故云以閉其神也經調論曰外引其皮令當其門戶又曰推闔其門令神氣存此之謂也 新校正云按王引調經論文今詳非本論之文傍見甲乙經鍼道篇又曰已下乃當篇之文也 呼盡內鍼靜以久留以氣至爲故呼盡内鍼亦同吸也言必以氣至而爲去鍼之故不以息之多數而便去鍼也鍼經曰刺之而氣不至無問其數刺之氣至去之勿復鍼此之謂也無問息數以爲遲速之約要當以氣至而鍼去不當以鍼下氣未至而鍼出乃更爲也 如待所貴不知日暮諭人事於候氣也暮晚也 其氣以至適而自護適調適也護慎守也言氣已平調則當慎守勿令改變使疾更生也鍼經曰經氣已至慎守勿失此其義也所謂慎守當如下說 新校正云詳王引鍼經之言乃素問寶命全形論文兼見于鍼解論耳 候吸引鍼氣不得出各在其處推闔其門令神氣存大氣留止故命曰補正言也外門已閉神氣復存候吸引鍼大氣不泄補之爲義斷可知焉然此木氣謂大經之氣流衍榮衛者 帝曰候氣奈何謂候可取之氣也 岐伯曰夫邪去絡

入於經也舍於血脉之中繆刺論曰邪之客於形也必先舍於皮毛留而不去入舍於孫脉留而不去入舍於絡脉留而不去入舍於經脉故云去絡入於經也其寒溫未相得如涌波之起也時來時去故不常在以周遊於十六丈二尺經脉之分故不常在所候之處故曰方其來也必按而止之止而取之無逢其衝而寫之衝謂應水刻數之平氣也靈樞經曰水下一刻人氣在太陽水下二刻人氣在少陽水下三刻人氣在陽明水下四刻人氣在陰分然氣在太陽則太陽獨盛氣在少陽則少陽獨盛夫見獨盛者便謂邪來以鍼寫之則反傷真氣故下文曰真氣者經氣也經氣太虛故曰其來不可逢此之謂也經氣應刻乃謂為邪工若寫之則深誤也故曰其來不可逢故曰候邪不審大氣已過寫之則真氣脫脫則不復邪氣復至而病益蓄不悟其邪反誅無罪則真氣泄脫邪氣復侵經氣大虛故病彌蓄積故曰其往不可追此之謂也已隨經脉之流去不可復追召使還不可挂以髮者待邪之

至時而發鍼寫矣。言輕微而有尚且知之，況若涌波不知其至也。若先若後者血氣已盡，其病不可下。言不可取而取，失時也。新校正云：按全元起本作血氣已虛，盡字當作虛字，此字之誤也。故曰知其可取如發機，不知其取如扣椎。故曰知機道者不可挂以髮，不知機者扣之不發，此之謂也。機者動之微，言貴知其微也。帝曰：補寫奈何？岐伯曰：此攻邪也，疾出以去盛血，而復其眞氣。視有血者乃取之。此邪新客，溶溶未有定處也，推之則前，引之則止，逆而刺之，温血也。言邪之新客，未有定居，推鍼補之，則隨補而前進，若引鍼致之，則隨引而留止也。若不出盛血而反温之，則邪氣内勝，反增其害，故下文曰。刺出其血，其病立已。帝曰：善。然眞邪以合，波隴不起，候之奈何？岐伯曰：審捫循三部九候之盛虛而調之。盛者寫之，虛者補之，不盛不虛，以經形之則其法也察其左右上下相失及相减者審其病藏以期之氣之在陰則候其氣之在於陰分而刺之氣之在陽則候其氣之在於陽分而刺之是謂逢時靈樞經曰水下一刻人氣在太陽水下四刻人氣在陰分也積刻不已氣亦隨在周而復始故審其病藏以期其氣而刺之不知三部者陰陽不別天地不分地以候地天以候天人以候人調之中府以定三部故曰刺不知三部九候病脉之處雖有大過且至工不能禁也禁謂禁止也然候邪之處尚未能知豈復能禁止其邪氣耶誅罰無過命曰大惑反亂大經眞不可復用實爲虛以邪爲眞用鍼無義反爲氣賊奪人正氣以從爲逆榮衛散亂眞氣已失邪獨内著絶人長命予人天殃不知三部九候故不能久長識非精辨學未該明且亂大經又爲氣賊動爲殘害安可久乎因不知合之

四時五行因加相勝釋邪攻正絶人長命非惟昧三部九候之為弊若不知四時五行之氣序亦足以殞絶其生靈也邪之新客來也未有定處推之則前引之則止逢而寫之其病立已再言之者其法必然

通評虛實論篇第二十八

新校正云按全元起本在第四卷

黃帝問曰何謂虛實岐伯對曰邪氣盛則實精氣奪則虛奪謂精氣減少如奪去也帝曰虛實何如言五藏虛實之大體也岐伯曰氣虛者肺虛也氣逆者足寒也非其時則生當其時則死非時謂年直之前後也當時謂正直之年也餘藏皆如此五藏同帝曰何謂重實岐伯曰所謂重實者言大熱病氣熱脉滿是謂重實帝曰經絡俱實何如何以治之岐伯曰經絡皆實是

寸脈急而尺緩也皆當治之故曰滑則從濇則逆也脈急謂脈口也夫虛實者皆從其物類始故五藏骨肉滑利可以長久也物之生則滑利物之死則枯濇故濇爲逆滑爲從從謂順也帝曰絡氣不足經氣有餘何如岐伯曰絡氣不足經氣有餘者脈口熱而尺寒也秋冬爲逆春夏爲從治主病者春夏陽氣高故脈口熱尺中寒爲順也十二經十五絡各隨左右而有太過不足工當尋其至應以施鍼艾故云治主其病者也帝曰經虛絡滿何如岐伯曰經虛絡滿者尺熱滿脈口寒濇也此春夏死秋冬生也秋冬陽氣下故尺中熱脈口寒爲順也帝曰治此者奈何岐伯曰絡滿經虛灸陰刺陽經滿絡虛刺陰灸陽以陰分主絡陽分主經故爾帝曰何謂重虛此反問前重實也岐伯曰脈氣上虛尺虛是謂

重虛。言尺寸脈俱虛。新校正云：按甲乙經作脈虛氣虛尺虛，是謂重虛。此少一虛字，多一上字。王注言尺寸脈俱虛，則不兼氣虛也。詳前熱病氣熱脈滿爲重實，此脈虛氣虛尺虛爲重虛，是脈與氣俱實爲重實，俱虛爲重虛，不但尺寸俱虛爲重虛也。帝曰：何以治之？岐伯曰：所謂氣虛者，言無常也。尺虛者，行步恇然。寸虛則脈動無常，尺虛則行步恇然不足。新校正云：按楊上善云：氣虛者，膻中氣不定也。王謂寸虛則脈動無常，非也。脈虛者，不象陰也。不象太陰之候也。何以言之？氣口者，脈之要會，手太陰之動也。如此者，滑則生，濇則死也。帝曰：寒氣暴上，脈滿而實，何如？言氣熱脈滿，已謂重實，滑則從，濇則逆。今氣寒脈滿，亦可謂重實乎？其於滑濇生死逆從何如？岐伯曰：實而滑則生，實而逆則死。逆謂濇也。新校正云：詳王氏以逆爲濇，大非。古文簡略，辭多互文，上言滑而下言逆，舉滑則從可知，言逆則濇可見，非謂逆爲濇也。帝曰：脈實滿，手足寒，頭熱，何如？岐伯曰：春秋則生，冬夏則死。大略言之，夏手足寒，非病也，是夏行冬令，夏得則冬死；冬脈實滿頭熱，亦非病也，是冬行夏令，冬得則夏亡。反冬夏以言之，則皆不死，春秋得之是病，故生死皆在時之孟月也。

脉浮而濇濇而身有熱者死（新校正云按甲乙經移續於此舊在後帝曰形度骨度脉度筋度何以知其度也下對問義不相類王氏頗知其錯簡而不知皇甫士安嘗移附此也今去後條移從於此）帝曰其形盡滿何如岐伯曰其形盡滿者脉急大堅尺濇而不應也（形盡滿謂四形藏盡滿也新校正云按甲乙經太素濇作滿）如是者故從則生逆則死帝曰何謂從則生逆則死岐伯曰所謂從者手足溫也所謂逆者手足寒也帝曰乳子而病熱脉懸小者何如（懸謂如懸物之動也）岐伯曰手足溫則生寒則死（新校正云按太素死手字楊上善云足溫氣下故生足寒氣不下者逆而致死）帝曰乳子中風熱喘鳴肩息者脉何如岐伯曰喘鳴肩息者脉實大也緩則生急則死（緩謂如縱緩急謂如弦張之急非往來之緩急也正理傷寒論曰緩則中風故乳子中風脉緩則生急則死）帝曰腸澼便血何如

甲十一腸澼 脉四之七

甲十一五氣 消癉 脉四之七

岐伯曰身熱則死寒則生熱爲血敗故死寒爲榮氣在故生也帝曰腸澼下白沫何如岐伯曰脉沉則生脉浮則死陰病而見陽脉與證相反故死帝曰腸澼下膿血何如岐伯曰脉懸絶則死滑大則生帝曰腸澼之屬身不熱脉不懸絶何如岐伯曰滑大者曰生懸濇者曰死以藏期之肝見庚辛死心見壬癸死肺見丙丁死腎見戊巳死脾見甲乙死是謂以藏期之帝曰癲疾何如岐伯曰脉搏大滑久自巳脉小堅急死不治脉小堅急爲陰陽病而見陰脉故死不治　新校正云按巢元方云脉沉小急實死不治小牢急亦不可治帝曰癲疾之脉虚實何如岐伯曰虚則可治實則死以反證故帝曰消癉虚實何如岐伯曰脉實大病久可治脉懸小堅病久不可治久病血氣衰脉不當實大故不可治　新校正云詳經言實大病久可治注意以爲

疾 六五

疾 六十

太素卅身度　太素第卅順時　甲七六經受病　甲十一癰疽下　太素卅刺腋癰數

不可治按甲乙經太素全元起本並云可治又按巢元方云脉數大者生細小浮者死又云沉小者生實牢大者死帝曰形度骨度脉度筋度何以知其度也形度具三備經筋度脉度骨度並具在靈樞經中此問亦合在彼經篇首錯簡也一經以此問爲逆從論首非也帝曰春亟治經絡夏亟治經俞秋亟治六府冬則閉塞閉塞者用藥而少鍼石也亟猶急也閉塞謂氣之門戶閉塞也所謂少鍼石者非癰疽之謂也冬月雖氣門閉塞然癰疽氣烈內作大膿不急寫之則爛筋腐骨故雖冬月亦宜鍼石以開除之癰疽不得頃時回所以癰疽之病冬月猶得用鍼石者何此病頃時回轉之間過而不寫則內爛筋骨穿通藏府癰不知所按之不應手乍來乍已刺手太陰傍三痏與纓脉各二但覺似有癰疽之候不的知發在何處故按之不應手也乍來乍已言不定痛於一處也手太陰傍足陽明脉謂胃部氣戶等六穴之分也纓脉亦足陽明脉也近纓之脉故曰纓脉纓謂冠帶也以有左右故云各二掖癰大熱刺足少陽五刺而熱不止刺手心主三刺手太陰

針五五

甲九腸胃大腸 月刺霍亂數 甲十一霍亂 甲十二小兒

經絡者大骨之會各三。大骨會肩也謂肩貞穴在肩髃後骨解間陷者中 暴癰筋緛隨分而痛魄汗不盡胞氣不足治在經俞。癰者暴發隨脈所過筋絡緛急肉分中痛汗液滲泄如不盡兼胞氣不足者悉可以本經脈穴俞補寫之 新校正云按此二條舊散在篇中今移使相從 腹暴滿按之不下取手太陽經絡者胃之募也。太陽爲手太陽也手太陽太陽經絡之所生故取中脘穴即胃之募也中誥曰中脘胃募也居蔽骨與齊中手太陽少陽足陽明脈所生故云經絡者胃募也 新校正云按甲乙經云取太陽經絡血者則已無胃之募也等字又楊上善注云足太陽其說各不同未知孰是 少陰俞去脊椎三寸傍五用員利鍼。謂取足少陰俞外去脊椎三寸兩傍穴各五痏也少陰俞謂第十四椎下兩傍腎之俞也 新校正云按甲乙經云用員利鍼刺已如食頃久立已必視其經之過於陽者數刺之 霍亂刺俞傍五。霍亂者取少陰俞傍志室穴 新校正云按楊上善云刺主霍亂輸傍五取之 足陽明及上傍三。足陽明言胃俞也取胃俞兼取少陰俞外兩傍向上第三穴則胃倉穴也 刺癇驚脈五。謂陽陵泉在膝上外陷者中也 鍼手太陰各五刺經太陽五刺

針、四七 針、三七

甲十二五氣

甲十二有病

手少陰經絡傍者一足陽明一上踝五寸刺三鍼經大陽謂足太陽也手太陰五謂魚際穴在手大指本節後內側散脉經太陽五謂承山穴在足腨腸下分肉間陷者中也手少陰經絡傍者謂支正穴在腕後同身寸之五寸骨上廉肉分間手太陽絡別走少陰者足陽明一者謂解谿穴在足腕上陷者中也上踝五寸謂足少陽絡光明穴按內經明堂中誥圖經悉主霍亂各具明文　新校正云按別本注云恐不主霍亂未詳所謂又按甲乙經太素刺癇驚脉五至此爲刺驚癇王注爲刺霍亂者王注非也

凡治消癉仆擊偏枯痿厥氣滿發逆肥貴人則高梁之疾也隔塞閉絶上下不通則暴憂之病也暴厥而聾偏塞閉不通內氣暴薄也不從內外中風之病故瘦留著也蹠跛寒風濕之病也消謂內消癉謂伏熱厥謂氣逆高膏也梁粱字也蹠謂足也夫肥者令人熱中甘者令人中滿故熱氣內薄發爲消渴偏枯氣滿逆也逆者謂違背常候與平人異也然愁憂者氣閉塞而不行故隔塞否閉氣脉斷絶而上下不通也氣固於內則大小便道偏不得通泄也何者藏府氣不化禁固而不宜散故爾也外風中人伏藏不去則陽氣內受爲熱外燔肌肉消爍故留薄肉分消瘦而皮膚

七八

明

太素卷 六藏府 氣液 甲乙卷七 六經

著於筋骨也濕勝於足則筋不利寒勝於足則攣急風濕寒勝則衛氣結聚衛氣結聚則肉痛故足跛而不可履也黃帝曰黃疸暴痛癲疾厥狂久逆之所生也五藏不平六府閉塞之所生也頭痛耳鳴九竅不利腸胃之所生也足之三陽從頭走足然久厥逆而不下行則氣怫積於上焦故爲黃疸暴痛癲狂氣逆矣食飲失宜吐利過節故六府閉塞而令五藏之氣不和平也腸胃否塞則氣不順序氣不順序則上下中外互相勝負故頭痛耳鳴九竅不利也

太陰陽明論篇第二十九

新校正云按全元起本在第四卷

黃帝問曰太陰陽明爲表裏脾胃脉也生病而異者何也脾胃藏府皆合於土病生而異故問不同岐伯對曰陰陽異位更虛更實更逆更從或從内或從外所從不同故病異名也脾藏爲陰胃府爲陽陽脉下行陰脉上行陽脉從外陰脉從内故言所從不同病異名也　新校正云按楊上善云春夏陽明爲實太陰爲虛秋冬太陰爲實陽明

十三

爲■即更實更虛也春夏太陰爲逆陽明爲從秋冬陽明爲逆太陰爲從即更逆更從也帝曰願聞其異狀也岐伯曰陽者天氣也主外陰者地氣也主内是所謂陰陽異位也故陽道實陰道虛是所謂更實更虛也故犯賊風虛邪者陽受之食飲不節起居不時者陰受之是所謂或從内或從外也陽受之則入六府陰受之則入五藏入六府則身熱不時卧上爲喘呼入五藏則䐜滿閉塞下爲飧泄久爲腸澼是所謂所從不同病異名也故喉主天氣咽主地氣故陽受風氣陰受濕氣同氣相求爾故陰氣從足上行至頭而下行循臂至指端陽氣從手上行至頭而下行至足是所謂更逆更從也靈樞經曰手之三陰從藏走手手之三陽從手走頭足之三陽從頭走足足之三陰從足走腹所行而異故更逆更從也故曰陽病者上行極

而下陰病者下行極而上此言其大凡爾然足少陰脉下行則不同諸陰之氣也故傷於風者上先受之傷於濕者下先受之陽氣炎上故受風陰氣濁下故受濕蓋同氣相合爾帝曰脾病而四支不用何也岐伯曰四支皆稟氣於胃而不得至經新校正云按太素至經作徑至楊上善云胃以水穀資四支不能徑至四支要因於脾得水穀津液營衛於四支必因於脾乃得稟也脾氣布化水穀精液四支乃得以稟受也今脾病不能爲胃行其津液四支不得稟水穀氣氣日以衰脉道不利筋骨肌肉皆無氣以生故不用焉帝曰脾不主時何也肝主春心主夏肺主秋腎主冬四藏皆有正應而脾無正主也岐伯曰脾者土也治中央常以四時長四藏各十八日寄治不得獨主於時也脾藏者常著胃土之精也土者生萬物而法天

地故上下至頭足不得主時也治主也著謂常約著於胃也土氣於四時之中各於季終寄王十八日則五行之氣各王七十二日以終一歲之日矣外主四季則在人內應於手足也帝曰脾與胃以膜相連耳新校正云按太素作以募相逆楊上善云脾陰胃陽脾內胃外其位各異故相逆也而能爲之行其津液何也岐伯曰足太陰者三陰也其脉貫胃屬脾絡嗌故太陰爲之行氣於三陰陽明者表也胃是脾之表也五藏六府之海也亦爲之行氣於三陽藏府各因其經而受氣於陽明故爲胃行其津液四支不得稟水穀氣日以益衰陰道不利筋骨肌肉無氣以生故不用焉明脾主四支之義也

陽明脉解篇第三十

新校正云按全元起本在第三卷

黄帝問曰足陽明之脉病惡人與火聞木音則惕然而驚鍾鼓不爲動聞木音而驚何也願聞其故（前篇言入六府則身熱不時臥上爲喘呼然陽明者胃脉也今病不如前篇之言而反聞木音而驚故問其異也）岐伯對曰陽明者胃脉也胃者土也故聞木音而驚者土惡木也（陰陽書曰木剋土故土惡木也）帝曰善其惡火何也岐伯曰陽明主肉其脉（新校正云按甲乙經脉作肌）血氣盛邪客之則熱熱甚則惡火帝曰其惡人何也岐伯曰陽明厥則喘而惋惋則惡人（惋熱内鬱故惡人耳）（新校正云按脉解云欲獨閉戸牖而處何也陰陽相搏陽盡陰盛故獨閉戸牖而處）帝曰或喘而死者或喘而生者何也岐伯曰厥逆連藏則死連經則生（經謂經脉藏謂五神藏所以連藏則死者神去故也）帝曰善病甚則棄衣而走登高而歌或

至不食數日踰垣上屋所上之處皆非其素所能也病反能者何也〔素本也踰垣謂驀牆也坚其稍異於常〕岐伯曰四支者諸陽之本也陽盛則四支實實則能登高也〔陽受氣於四支故四支爲諸陽之本也　新校正云按脈解云陰陽爭而外并於陽〕帝曰其棄衣而走者何也〔棄不用也〕岐伯曰熱盛於身故棄衣欲走也帝曰其妄言罵詈不避親踈而歌者何也岐伯曰陽盛則使人妄言罵詈不避親踈而不欲食不欲食故妄走也〔足陽明胃脉下膈屬胃絡脾足太陰脾脉入腹屬脾絡胃上膈俠咽連舌本散舌下故病如是〕

重廣補注黃帝內經素問卷第八

○淖 奴敎切 多也

○瘅 徒干切 劳病也

寳命全形論 嗄 所嫁切 呿吟 上丘伽切 黔 音鉗 棄蔑 音滅 容瞚 音寅

八正神明論 髣髴 上音倣 下音弗 離合真邪論 輴 徐倫切 蚊

虻 武庚切 捫 音門 抓 側交切 溶 音容 通評虛實論 恇 去王切 ○痏 音洧

蹠 之石切 太陰陽明論 閉塞 蘇則切 陰陽脉解論 惋 烏貫切 踰 音于

重廣補注黄帝内經素問卷第九

啓玄子次註林億孫竒高保衡等奉敕校正孫兆重改誤

熱論　刺熱篇

評熱病論　逆調論

熱論篇第三十一

新校正云按全元起本在第五卷

黄帝問曰今夫熱病者皆傷寒之類也或愈或死其死皆以六七日之間其愈皆以十日以上者何也不知其解願聞其故寒者冬寒之氣也冬時嚴寒萬類深藏君子固密不傷於寒觸冒之者乃名傷寒其傷於四時之氣皆能為病以傷寒為毒者最乘殺厲之氣中而即病名曰傷寒不即病者寒毒藏於肌膚至春變為溫病至夏至後變為熱病然其發起皆為傷寒致之故曰熱病者皆傷寒之類也　新校正云按傷寒論云至春變為溫病至夏變為暑病與王注異王注本素問為說傷寒論本陰陽大論為說故此不同　岐伯

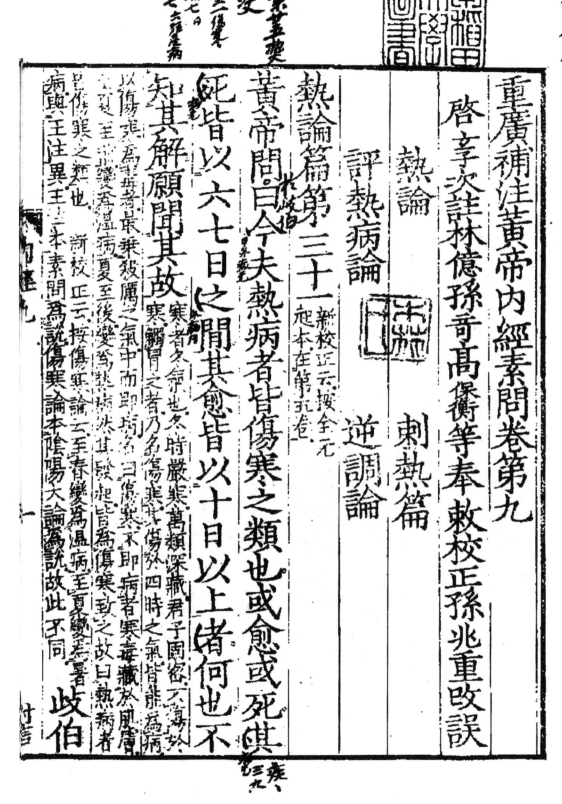

故曰巨陽者諸陽之屬也。巨，大也。太陽之氣，經絡氣血榮衛於身，故諸陽氣皆所宗屬。其脈連於風府，風府，穴名也，在項上入髮際同身寸之一寸宛宛中是。故為諸陽主氣也。足太陰脈浮氣之在頭中者凡五行，故統主諸陽之氣。人之傷於寒也，則為病熱，熱雖甚不死；寒毒薄於膚腠，陽氣不得散發而內怫結，故傷寒者反為病熱。其兩感於寒而病者，必不免於死。藏府相應而俱受寒，謂之兩感。帝曰：願聞其狀。謂非兩感者之形證。岐伯曰：傷寒一日，巨陽受之，三陽之氣，太陽脈浮，脈浮者外在於皮毛，故傷寒一日太陽先受之。故頭項痛腰脊強。上文云其脈連於風府，略言也。細而言之者，足太陽脈從巔入絡腦，還出別下項，循肩髆內，俠脊抵腰中，故頭項痛腰脊強。新校正云：按甲乙經及太素作頭項與腰脊皆痛。二日陽明受之，以陽感熱，同氣相求，故自太陽入陽明也。陽明主肉，其脈俠鼻絡於目，故身熱目疼而鼻乾，不得臥也。身熱者，以肉受邪，胃中熱煩，故不得臥，餘隨脈絡之所生也。三日少陽受之，少陽主膽，新校正云：按全元起本膽作骨，元起注云：少陽者肝之表，肝候筋，筋會於骨，是少陽之氣所榮故言主於骨甲乙經太素等並作骨其脈循脇絡於耳故胷脇痛而耳聾三陽經絡皆受其病而未入於藏者故可汗而已以病在表故可汗也新校正云按全元起云藏作府元起注云傷寒之病始入於皮膚之腠理漸勝於諸陽而未入府故須汗發其寒熱而散之太素亦作府四日太陰受之陽極而陰受也太陰脈布胃中絡於嗌故腹滿而嗌乾五日少陰受之少陰脈貫腎絡於肺繫舌本故口燥舌乾而渴六日厥陰受之厥陰脈循陰器而絡於肝故煩滿而囊縮三陰三陽五藏六府皆受病榮衞不行五藏不通則死矣死猶𣩵也言精氣皆𣩵也是故其死皆病六七日間者以此也其不兩感於寒者七日巨陽病衰頭痛少愈邪氣漸退經氣漸和故少愈八日陽明病衰身熱少愈九日少陽病衰耳聾微聞十日太陰

病衰腹減如故則思飲食十一日少陰病衰渴止不滿舌乾已而嚏十二日厥陰病衰囊縱少腹微下大氣皆去病日已矣（大氣謂大邪之氣也是故其愈皆病十日已上者以此也）帝曰治之奈何岐伯曰治之各通其藏脉病日衰已矣其未滿三日者可汗而已其滿三日者可泄而已（此言表裏之大體也正理傷寒論曰脉大浮數病為在表可發其汗脉細沉數病在裏可下之由此則雖日過多但有表證而脉大浮數猶宜發汗日數雖少即有裏證而脉沈細數猶宜下之正應隨脉證以汗下之）帝曰熱病已愈時有所遺者何也（邪氣衰去不盡如遺之在人也）岐伯曰諸遺者熱甚而強食之故有所遺也若此者皆病已衰而熱有所藏因其穀氣相薄兩熱相合故有所遺也帝曰善治遺奈何岐伯曰視其虛實調其逆從

可使必已矣。審其虛實而補寫之則必已。帝曰：病熱當何禁之？岐伯曰：病熱少愈，食肉則復，多食則遺，此其禁也。是所謂戒食勞也。熱雖少愈，猶未盡除，脾胃氣虛，故未能消化，肉堅食駐，故熱復生。復謂復舊病也。帝曰：其病兩感於寒者，其脈應與其病形何如？岐伯曰：兩感於寒者，病一日則巨陽與少陰俱病，則頭痛口乾而煩滿；新校正云：按傷寒論云：煩滿而渴。二日則陽明與太陰俱病，則腹滿身熱，不欲食，譫言；譫言，謂妄謬而不次也。新校正云：按楊上善云：多言也。三日則少陽與厥陰俱病，則耳聾囊縮而厥，水漿不入，不知人，六日死。巨陽與少陰為表裏，陽明與太陰為表裏，少陽與厥陰為表裏，故兩感寒氣，同受其邪。帝曰：五藏已傷，六府不通，榮衛不行，如是之後，三日乃死，何也？岐伯曰：陽明者，十二經脈之長也，其血氣

太素卅温暑病

太素廿五藏熱病 靈樞九熱病 甲乙七六經受病

盛故不知人三日其氣乃盡故死矣以上承之氣海故三日氣盡乃死凡病傷寒而成温者先夏至日者爲病温後夏至日者爲病暑暑當與汗皆出勿止此以熱多少盛衰而爲義也陽熱未盛爲寒所制故爲病曰温陽熱大盛寒不能制故爲病曰暑然暑病者當與汗之令愈勿反止之令其甚也　新校正云按凡病傷寒已下全元起本在奇病論中王氏移於此楊上善云冬傷於寒輕者夏至以前發爲温病冬傷於寒甚者夏至以後發爲暑病

刺熱篇第三十二新校正云按全元起本在第五卷

肝熱病者小便先黄腹痛多卧身熱肝之脉環陰器抵少腹而上故小便不通先黄腹痛多卧也寒薄生熱身故熱焉熱爭則狂言及驚脇滿痛手足躁不得安卧經絡雖已受熱而神藏猶未納邪邪正相薄故云爭也餘爭同之又肝之脉從少腹上俠胃貫鬲布脇肋循喉嚨之後絡舌本故狂言脇滿痛也肝性静而主驚駭故病則驚手足躁擾卧不得安庚辛甚甲乙大汗氣逆則庚辛死肝主

木庚辛爲金金剋木故甚死於庚辛也甲乙爲木故大汗於甲乙刺足厥陰少陽厥陰肝脉少陽膽脉其逆則頭痛員員脉引衝頭也肝之脉自舌本循喉嚨之後上出額與督脉會於巔故頭痛員員然脉引衝於頭中也員員謂似急也心熱病者先不樂數日乃熱夫所以任治於物者謂心病氣入於經絡則神不安治故先不樂數日乃熱也熱爭則卒心痛煩悶善嘔頭痛面赤無汗心手少陰脉起於心中其支別者從心系上俠咽小腸之脉直行者循咽下鬲抵胃其支別者從缺盆循頸上頰至目外眥故卒心痛煩悶善嘔頭痛面赤也心在液爲汗今病熱故無汗以出新校正云按甲乙經外眥作兊眥王注厥論亦作兊眥外當作兊壬癸甚丙丁大汗氣逆則壬癸死心主火壬癸爲水水滅火故甚死於壬癸也丙丁爲火故大汗於丙丁氣逆之證經闕其文刺手少陰太陽少陰心脉太陽小腸脉脾熱病者先頭重頰痛煩心顏青欲嘔身熱胃之脉起於鼻交頞中下循鼻外入上齒中還出俠口環脣下交承漿却循頤後下廉出大迎循頰車上耳前過客主人循髮際至額顱故先頭重頰痛顏青也脾之脉支別者復從胃別上鬲注心中其直行者上鬲俠咽故煩心欲嘔而身熱也新校正云按甲乙經太素云脾熱病者先頭重顏痛無顏青二字也熱爭

內經九　四

据楊注改之則本文寒作塞者係誤也

則胷痛不可用俛仰腹滿泄兩頷痛。胃之脉支別者起胃下口循腹裏下至氣街中而合以下髀氣街者腰之前故腰痛也脾之脉入腹屬脾絡胃又胃之脉自交承漿却循頤後下廉出大迎循頰車故腹滿泄而兩頷痛甲乙甚戊巳大汗氣逆則甲乙死脾主甫乙爲木木伐土故甚死於甲乙也戊巳爲土故大汗於戊巳氣逆之證經所未論刺足太陰陽明。太陰脾脉陽明胃脉新校正云按甲乙經熱病下篇云病先頭重頰痛煩心身熱熱爭則腰痛不可用俛仰腹滿兩頷痛甚暴泄善飢而不欲食善噫熱中足清腹脹食不化善嘔泄有膿血苦嘔無所出先取三里後取太白章門肺熱病者先淅然厥起毫毛惡風寒舌上黃身熱肺主皮膚外養於毛故熱中之則先淅然惡風寒起毫毛也肺之脉起於中焦下絡大腸還循胃口今肺熱入胃胃熱上升故舌上黃而身熱熱爭則喘欬痛走胷膺背不得大息頭痛不堪汗出而寒肺居鬲上氣主胷膺復在變動爲欬又藏氣而主呼吸背復爲胷中之府故喘欬痛走胷膺背不得大息也肺之絡脉上會耳中今熱氣上熏故頭痛不堪汗出而寒丙丁甚庚辛大汗氣逆則丙丁死肺主金丙丁爲火火爍金故甚死於丙丁也庚辛爲金故大汗於庚辛也氣逆之證經闕未書刺手太陰陽明，出血如大豆，立已。（太陰肺脉，陽明大腸脉，當視其絡脉盛者，乃刺而出之。）

腎熱病者，先腰痛䯒痠，苦渴數飲，身熱。（膀胱之脉，從肩髆內俠脊抵腰中，又腰為腎之府，故先腰痛也。又腎之脉，自循內踝之後上腨內，出膕內廉。又直行者，從腎上貫肝鬲，入肺中，循喉嚨，俠舌本，故䯒痠苦渴數飲身熱。）熱爭則項痛而強，䯒寒且痠，足下熱，不欲言。（膀胱之脉，從腦出別下項。又腎之脉，起於小指之下，斜趣足心，出於然骨之下，循內踝之後，別入跟中，以上䯒內。又其直行者，從腎上貫肝鬲，入肺中，循喉嚨，俠舌本，故項痛而強，䯒寒且痠，足下熱，不欲言也。新校正云：按《甲乙經》然骨作然谷。）其逆則項痛員員澹澹然。（腎之筋，循脊內俠膂，上至項，結于枕骨，與膀胱之筋合。膀胱之脉又並下于項，故項痛員員然也。澹澹，為似欲不定也。）戊己甚，壬癸大汗，氣逆則戊己死。（腎主水，戊己為土，土刑水，故甚死於戊己也。壬癸為水，故大汗於壬癸也。）刺足少陰太陽。（少陰腎脉，太陽膀胱脉。）諸汗者，至其所勝日汗出也。（氣王日為所勝，王則勝邪，故各當其王日汗。）

肝熱病者，左頰先赤。（肝氣合木，木氣應春，南面正理之，則其左頰也。）心熱病者，顏先赤。（心氣合火火氣炎上指象明候故候於顏額額也脾熱病者鼻先赤脾氣合土土王於中鼻處面中故占鼻也肺熱病者右頰先赤肺氣合金金氣應秋南面正理之則其右頰也腎熱病者頤先赤腎氣合水水惟潤下指象明候故候於頤也病雖未發見赤色者刺之名曰治未病聖人不治已病治未病不治已亂治未亂此之謂也熱病從部所起者至期而已期為大汗日也如肝甲乙心丙丁脾戊己肺庚辛腎壬癸是為期日也其刺之反者三周而已反謂反取其氣也如肝病刺脾脾病刺腎腎病刺心心病刺肺肺病刺肝者皆是反刺五藏之氣也三周謂三周於三陰三陽之脈狀也又太陽病而刺寫陽明陽明病而刺寫少陽少陽病而刺寫太陰太陰病而刺寫少陰少陰病而刺寫厥陰厥陰病而刺寫少陽如此是為反取三陰三陽之脈氣也重逆則死先刺已反病氣流傳又反刺之是為重逆一逆刺之尚至三周乃已況其重逆而得生邪諸當汗者至其所勝日汗大出也王則勝邪故各當其王日汗新校正云按此條文注二十四字與前文重複當從刪去甲乙經太素亦不重出諸治熱病以飲之寒水乃刺之必寒衣之居止寒處身寒而止也寒水在胃陽氣外盛故飲寒乃刺熱退則涼生

故身寒而止針。

熱病先胸脇痛，手足躁，刺足少陽，補足太陰。

此則舉正取之例。然足少陽木病，而寫足少陽之木氣，補足太陰之土氣者，恐木傳於土也。胸脇痛，丘虛主之。丘虛在足外踝下如前陷者中，足少陽脈之所過也，刺可入同身寸之五分，留七呼，若灸者可灸三壯。熱病手足躁，經無所主治之穴，然補足太陰之脈，當於井滎取之也。新校正云：詳足太陰，全元起本及太素作手太陰。楊上善云：手太陰上屬肺，從肺出腋下，故胸脇痛。又按靈樞經云：熱病而胸脇痛，手足躁，取之筋間，以第四鍼索筋於肝，不得索之於金，金肺也。以此決知作手太陰者爲是。

病甚者爲五十九刺。

五十九刺者，謂頭上五行行五者，以越諸陽之熱逆也；大杼、膺俞、缺盆、背俞，此八者，以寫胸中之熱也；氣街、三里、巨虛上下廉，此八者，以寫胃中之熱也；雲門、髃骨、委中、髓空，此八者，以寫四支之熱也；五藏俞傍五，此十者，以寫五藏之熱也。凡此五十九穴者，皆熱之左右也，故病甚則爾刺之。然頭上五行者，當中行謂上星、顖會、前頂、百會、後頂，次兩傍謂五處、承光、通天、絡却、玉枕，又次兩傍謂臨泣、目窗、正營、承靈、腦空也。上星在顱上直鼻中央入髮際同身寸之一寸陷者中，容豆，刺可入同身寸之四分。新校正云：按甲乙經四分作三分，水熱穴論注亦作三分。詳此注下文云刺如上星法，又云刺如顖會法，既有二法，則當依甲乙經及水熱穴論注，上星刺入三分，顖會刺入四分。顖會在上星後同身寸之一寸陷者，刺如上星法。前頂在顖會後同身寸之一寸五分骨間陷者中，刺如顖會法。百會在前頂後同身寸之一寸五分，頂中央旋毛中陷容指。

督脉足太陽脉之交會刺如上星法後頂在百會後同身寸之一寸五分枕骨上刺如顖會法然是五者皆督脉氣所發也上星留六呼若灸者並灸五壯次兩傍穴五處在上星兩傍同身寸之一寸五分承光在五處後同身寸之一寸通天在承光後同身寸之一寸五分絡却在通天後同身寸之一寸五分玉枕在絡却後同身寸之七分然是五者並足太陽脉氣所發刺可入同身寸之三分五處通天各留七呼絡却留五呼玉枕留三呼若灸者可灸三壯新校正云按甲乙經承光不可灸玉枕刺入二分也 又次兩傍臨泣在頭直目上入髮際同身寸之五分足太陽少陽陽維三脉之會目窻正營遞相去同身寸之一寸承靈腦空遞相去同身寸之一寸五分然是五者並足少陽陽維二脉之會腦空一穴刺可入同身寸之四分餘並可刺入同身寸之三分臨泣留七呼若灸者可灸五壯大杼在項第一椎下兩傍相去各同身寸之一寸半陷者中督脉別絡足太陽手太陽三脉氣之會刺可入同身寸之三分留七呼若灸者可灸五壯新校正云按甲乙經作七壯氣穴注作七壯刺瘧注熱穴注作五壯膺俞者膺中俞也正名中府在胷中行兩傍相去同身寸之六寸雲門下一寸乳上三肋間動脉應手陷者中仰而取之手足太陰脉之會刺可入同身寸之三分留五呼若灸者可灸五壯缺盆在肩上横骨陷者中手陽明脉氣所發刺可入同身寸之二分留七呼若灸者可灸三壯背俞當是風門熱府在第二椎下兩傍各同身寸之一寸半督脉足太陽之會刺可入同身寸之五分留七呼若灸者可灸五壯驗今明堂中誥圖經不言背俞未詳果何處也新校正云按王注水熱穴論以風門熱府爲背俞又注氣穴論以大杼爲背俞此注云未

詳三注不同蓋疑之也 氣街在腹齊下橫骨兩端鼠鼷上同身寸之一寸動
應手足陽明脉氣所發刺可入同身寸之三分留七呼若灸者可灸五壯三里
在膝下同身寸之三寸䯒外廉兩筋肉分間足陽明脉之所入也刺可入同身
寸之一寸留七呼若灸者可灸三壯巨虛上廉足陽明與大腸合在三里下同
身寸之三寸足陽明脉氣所發刺可入同身寸之八分若灸者可灸三壯巨虛
下廉足陽明與小腸合在上廉下同身寸之三寸足陽明脉氣所發刺可入同身寸
之三分若灸者可灸三壯雲門在巨骨下胷中行兩傍 新校正云按氣穴論
注胷中行兩傍作俠任脉傍橫去任脉文雖異穴之處所則同 相去同身寸
之六寸動脉應手中府當其下同身寸之一寸雲門手太陰脉氣所發舉臂取
之刺可入同身寸之七分若灸者可灸五壯驗今明堂中誥圖經不載髃骨穴
詳其穴以寫四支之熱恐是肩髃穴穴在肩端兩骨間手陽明蹻脉之會刺可入同身
寸之六分留六呼若灸者可灸三壯委中在足膝後屈處膕中央約文中動脉
新校正云詳委中穴與氣穴注骨空注刺瘧論注并此王氏四處注之彼三注
無足膝後屈處五字與此注異者非實有異蓋注有詳略爾 足太陽脉之所
入也刺可入同身寸之五分留七呼若灸者可灸三壯髓空者正名腰俞在脊
中第二十一椎節下間督脉氣所發刺可入同身寸之二分 新校正云按甲
乙經作二寸水熱穴論注亦作二寸氣府論注骨空論注作二分 留七呼若
灸者可灸三壯五藏俞傍五者謂魄戶神堂魂門意舍志室五穴也在俠脊兩
傍各相去同身寸之三寸並足太陽脉氣所發也魄戶在第三椎下兩傍正坐
取之刺可入同身寸之五分若灸者可灸五壯神堂在第五椎下兩傍刺可入

同身寸之三分，若灸者可灸五壯。魂門在第九椎下兩傍，正坐取之，刺可入同身寸之五分，若灸者可灸三壯。意舍在第十一椎下兩傍，正坐取之，刺可入同身寸之五分，若灸者可灸三壯。志室在第十四椎下兩傍，正坐取之，刺可入同身寸之五分，若灸者可灸三壯。是所謂此經之五十九刺法也。若鍼經所指五十九刺，則殊與此經不同，雖俱治熱病之要穴，然合用之理全向背，猶當以病候形證所應經法，即隨所證而刺之。熱病始手臂痛者，刺手陽明太陰而汗出止。手臂痛，列缺主之。列缺者，手太陰之絡，去腕上同身寸之一寸半，別走陽明者也，刺可入同身寸之三分，留三呼，若灸者可灸五壯。欲出汗，商陽主之。商陽者，手陽明脈之井，在手大指次指內側，去爪甲角如韭葉，手陽明脈之所出也，刺可入同身寸之一分，留一呼，若灸者可灸三壯。熱病始於頭首者，刺項太陽而汗出止。天柱主之。天柱在俠項後髮際大筋外廉陷者中，足太陽脈氣所發，刺可入同身寸之二分，留六呼，若灸者可灸三壯。熱病始於足脛者，刺足陽明而汗出止。新校正云：按此條素問本無，太素亦無，今按甲乙經添入。熱病先身重骨痛，耳聾好瞑，刺足少陰。據經無正主穴，當補寫井滎爾。新校正云：按靈樞經云：熱病而身重骨痛，耳聾而好瞑，取之骨，以第四鍼索骨於腎，不得索之土，土脾也。病甚爲五十九刺。如古法。熱病

先眩冒而熱，胸脇滿，刺足少陰少陽。亦井滎也

太陽之脉，色榮顴骨，熱病也。榮飾也，謂赤色見於顴骨如榮飾也。顴骨謂目下當外眥也。太陽合火，故見色赤。新校正云：按楊上善云：赤色榮顴者，骨熱病也。與王氏之注不同。

榮未交，新校正云：按甲乙經、太素作榮未夭，下文榮未交亦作夭。

曰今且得汗，待時而已。榮一為營字之誤也。曰者，引古經法之端由也。言色雖明盛，但陰陽之氣不交錯者，故法云今且得汗之而已。待時者，謂肝病待甲乙，心病待丙丁，脾病待戊己，肺病待庚辛，腎病待壬癸，是謂待時而已。所謂交者，次如下句。

與厥陰脉爭見者，死期不過三日。外見太陽之赤色，內應厥陰之弦脉，然太陽受病，當傳入陽明，今反厥陰之脉來見者，是土敗而木賊之也，故死。然土氣已敗，木復狂行，木生數三，故期不過三日。

其熱病內連腎，少陽之脉色也。病或為氣，恐字誤也。若赤色氣內連鼻兩傍者，是少陽之脉色，非厥陰色。何者？腎部近於鼻也。新校正云：詳或者欲改腎作鼻。按甲乙經、太素並作腎。楊上善云：太陽水也，厥陰木也，水以生木，木盛水衰，故太陽水色見時，有木爭見者，水死。以其熱病內連於腎，腎為熱傷，故死。本舊無少陽之脉色也六字，乃王氏所添，王注非，當從上善之義。

少陽之脉，色榮頰前，熱病也。頰前即顴骨下近鼻兩傍也。新校正云：按甲乙經、太素並前字

素髓空字太素无則是衍文非樂神以守其位也

作筋楊上善云足少陽部在頰赤色榮之即知筋熱病也榮未交曰今且得汗待時而已與少陰脉爭見者死期不過三日少陽受病當傳入於太陰今反少陰脉來見亦土敗而木賊之也故死不過三日亦木之數然新校正云詳或者欲改少陰作厥陰按甲乙經太素作少陰楊上善云少陽為木少陰為水少陽色見之時有少陰爭見者是毋勝子故木死王作此注亦非舊本及甲乙經太素並無期不過三日六字此是王氏成足此文也熱病氣穴三椎下間主胷中熱四椎下間主鬲中熱五椎下間主肝熱六椎下間主脾熱七椎下間主腎熱榮在骶也脊節之謂椎脊窮之謂骶言腎熱之氣外通尾骶也尋此文椎間所主神藏之熱又不正當其藏俞而云主療在理未詳項上三椎陷者中也此舉數脊椎大法也言三椎下間主胷中熱者何以數之言皆當以陷者中為氣發之所頰下逆顴為大瘕下牙車為腹滿顴後為脇痛頰上者鬲上也此所以候面部之色發明腹中之病診

評熱病論篇第三十三

新校正云按全元起本在第五卷

脈經七
大素廿五熱病說
甲乙卷七六經受病一中
玉函溫熱病陰陽交

黃帝問曰：有病溫者，汗出輒復熱，而脈躁疾不爲汗衰，狂言不能食，病名爲何？岐伯對曰：病名陰陽交，交者死也。交，謂交合陰陽之氣不分別也。帝曰：願聞其說。岐伯曰：人所以汗出者，皆生於穀，穀生於精。言穀氣化爲精，精氣勝乃爲汗。今邪氣交爭於骨肉而得汗者，是邪卻而精勝也。言初汗也。精勝則當能食而不復熱，復熱者，邪氣也；汗者，精氣也。今汗出而輒復熱者，是邪勝也。不能食者，精無俾也。無俾，言無可使爲汗也。穀不化則精不生，精不化流，故無可使。病而留者，其壽可立而傾也。如是者，若汗出疾速，留著而不去，則其人壽命立至傾危也。新校正云：詳病而留者，按王注病當作疾。又按甲乙經作而熱留者。且夫熱論曰：汗出而脈尚躁盛者死。熱論，謂上古熱論也。凡汗後脈當遷靜，而反躁急以盛滿者，是眞氣竭而邪盛，故知必死也。今脈不與汗相

脉七

畏土動作笑度

千金八論難究状

醫心三引以品

應此不勝其病也其死明矣脉不静而躁盛是不相應狂言者是失志失志者死志舍於精今精無所使是志無所居志不留居則失志也今見三死不見一生雖愈必死也汗出脉躁盛一死不勝其病二死狂言失志者三死也帝曰有病身熱汗出煩滿煩滿不為汗解此為何病岐伯曰汗出而身熱者風也汗出而煩滿不解者厥也病名曰風厥帝曰願卒聞之岐伯曰巨陽主氣故先受邪少陰與其為表裏也得熱則上從之從之則厥也上從之謂少陰隨從於太陽而上也帝曰治之奈何岐伯曰表裏刺之飲之服湯謂寫太陽補少陰也飲湯者謂止逆上之腎氣也帝曰勞風為病何如岐伯曰勞風法在肺下從勞風生故曰勞風勞謂腎勞也腎脉者從腎上貫肝鬲入肺中故腎勞風生上居肺下也其為病也使人強上冥視新校正云按楊上善云強上好

痓、

三十

仰也。其視，謂合眼視不明也。又千金方其視作目眩。唾出若涕，惡風而振寒，此爲勞風之病。膀胱脉起於目内眥，上額交巔上，入絡腦，還出別下項，循肩髆内，俠脊抵腰中，入循膂絡腎。今腎精不足，外吸膀胱，膀胱氣不能上營，故使人頭項強而視不明也。肺被風薄，勞氣上熏，故令唾出若鼻涕。腎氣不足，陽氣内攻，勞熱相合，故惡風而振寒。帝曰：治之奈何？岐伯曰：以救俛仰。救猶止也。俛仰，謂屈伸也。言止屈伸於動作，不使勞氣滋蔓。巨陽引精者三日，中年者五日，不精者七日。新校正云：按甲乙經作三日中若五日，千金方作候之三日及五日中不精明者是也，與此不同。欬出青黃涕，其狀如膿，大如彈丸，從口中若鼻中出，不出則傷肺，傷肺則死也。巨陽者，膀胱之脉也，膀胱與腎爲表裏，故巨陽引精也。巨，大也。然太陽之脉吸引精氣上攻於肺者三日，中年者五日，素不以精氣用事者七日，當欬出稠涕，其色青黃如膿狀，平調欬者，從咽而上出於口；暴卒欬者，氣衝突於蓄門而出於鼻。夫如是者，皆腎氣勞竭，肺氣内虛，陽氣奔迫之所爲，故不出則傷肺也。肺傷則榮衛散解，魄不内治，故死。新校正云：按王氏云卒暴欬者，氣衝突於蓄門而出於鼻。按難經七衝門無蓄門之名，疑是賁門。楊操云：賁者，鬲也。胃氣之所出，胃出穀氣以傳於肺，肺在鬲上，故胃爲賁門。帝曰：有病腎風者面胕痝然壅害於言可刺不痝然腫起貌壅謂目下壅如卧蠶形也腎之脉從腎上貫肝鬲入肺中循喉嚨俠舌本故妨害於言語岐伯曰虛不當刺不當刺而刺後五日其氣必至至謂病氣來至也然謂藏配一日而五日至腎夫腎已不足風內薄之謂腫爲實以針大泄反傷藏氣真氣不足不可復故刺後五日其氣必至也帝曰其至何如岐伯曰至必少氣時熱時熱從胸背上至頭汗出手熱口乾苦渴小便黃目下腫腹中鳴身重難以行月事不來煩而不能食不能正偃正偃則欬病名曰風水論在刺法中刺法篇亡今經亡帝曰願聞其說岐伯曰邪之所湊其氣必虛陰虛者陽必湊之故少氣時熱而汗出也小便黃者少腹中有熱也不能正偃者胃中不和也正偃則欬甚上迫肺也

諸有水氣者微腫先見於目下也帝曰何以言岐伯曰水者陰也目下亦陰也腹者至陰之所居故水在腹者必使目下腫也眞氣上逆故口苦舌乾臥不得正偃正偃則欬出清水也諸水病者故不得臥臥則驚驚則欬甚也腹中鳴者病本於胃也薄脾則煩不能食食不下者胃脘隔也身重難以行者胃脈在足也月事不來者胞脈閉也胞脈者屬心而絡於胞中今氣上迫肺心氣不得下通故月事不來也考上文所釋之義未解熱從胸背上至頭汗出手熱口乾苦渴之義應古論簡脫而此差謬之爾如是者何腎少陰之脉從腎上貫肝鬲入肺中循喉嚨俠舌本又膀胱太陽之脉從目內眥上額交巔上其支者從巔至耳上角其直者從巔入絡腦還出別下項循肩髆內俠脊抵腰中入循膂令陰不足而陽有餘故熱從胸背上至頭而汗出口乾苦渴

也然心者陽藏也其脉行於臂手腎者陰藏也其脉循於會足腎不足則心氣有餘故手熱矣又以心腎之脉俱是少陰脉也帝曰善哉

逆調論篇第三十四 新校正云按全元起本在第四卷

黄帝問曰人身非常温也非常熱也爲之熱而煩滿者何也 異於常候故曰非常新校正云按甲乙經無爲之熱三字 岐伯對曰陰氣少而陽氣勝故熱而煩滿也帝曰人身非衣寒也中非有寒氣也寒從中生者何 言不知誰爲元主邪 岐伯曰是人多痺氣也陽氣少陰氣多故身寒如從水中出 言自由形氣陰陽之爲是非衣寒而中有寒也 帝曰人有四支熱逢風寒如炙如火者何也 新校正云按全元起本無如火二字太素云如炙於火當從太素之文 岐伯曰是人者陰氣虛陽氣盛四支者陽也兩陽相得而陰氣虛少少水不能滅盛火而陽獨

治獨治者不能生長也獨勝而止耳水爲陰火爲陽今陽氣有餘陰氣不足故云少水不能滅盛火也治者王也勝者盛也故云獨勝而止逢風而如炙如火者是人當肉爍也爍言消也言久久此人當肉消削也　新校正云詳如炙如火當從太素作如炙於火帝曰人有身寒湯火不能熱厚衣不能溫然不凍慄是爲何病歧伯曰是人者素腎氣勝以水爲事太陽氣衰腎脂枯不長一水不能勝兩火腎者水也而生於骨腎不生則髓不能滿故寒甚至骨也以水爲事言盛欲也所以不能凍慄者肝一陽也心二陽也腎孤藏也一水不能勝二火故不能凍慄病名曰骨痺是人當攣節也腎不生則髓不滿髓不滿則筋乾縮故節攣拘帝曰人之肉苛者雖近衣絮猶尚苛也是謂何疾苛謂癳重歧伯曰

榮氣虛衛氣實也榮氣虛則不仁衛氣虛則不用榮衛俱虛則不仁且不用肉如故也人身與志不相有曰死（身用志不應志爲身不親兩者似不相有也　新校正云按甲乙經曰死作三十日死也）

帝曰人有逆氣不得臥而息有音者有不得臥而息無音者有起居如故而息有音者有得臥行而喘者有不得臥不能行而喘者有不得臥臥而喘者皆何藏使然願聞其故

岐伯曰不得臥而息有音者是陽明之逆也足三陽者下行今逆而上行故息有音也陽明者胃脉也胃者六府之海（水穀海也）其氣亦下行陽明逆不得從其道故不得臥也下經曰胃不和則臥不安此之謂也（下經上古經也）

傅

夫起居如故而息有音者此肺之絡脈逆也絡脈不得隨經上下故留經而不行絡脈之病人也微故起居如故而息有音也夫不得臥臥則喘者是水氣之客也夫水者循津液而流也腎者水藏主津液主臥與喘也帝曰善詳經所解之旨不得臥而息無音有得臥行而喘有不得臥不能行而喘此三義悉闕而未論亦古之脫簡也

重廣補注黃帝內經素問卷第九

熱論 譆之閻切多言也 怫音弗 刺熱論 頷胡感切 洒淅上先禮切下先曆切 痠音酸

胘音玄 跟音根 評熱病論 胕痝下莫江切 髆音傳 逆調論 苛胡歌切

内經九 十三 張[illegible]

重廣補註黃帝內經素問卷第十

啓玄子次註林億孫奇高保衡等奉敕校正孫兆重改誤

瘧論　刺瘧篇

氣厥論　欬論

瘧論篇第三十五 新校正云按全元起本在第五卷

黃帝問曰夫痎瘧皆生於風其蓄作有時者何也痎猶老也亦瘦也　新校正云按甲乙經云夫瘧疾皆生於風其以日作以時發何也與此文異太素同今文楊上善云痎有云二日一發名痎瘧此經但夏傷於暑至秋爲病或云痎瘧或但云瘧不必以日發間日以定痎也但應四時其形有異以爲痎爾岐伯對曰瘧之始發也先起於毫毛伸欠乃作寒慄鼓頷慄謂戰慄鼓謂振動腰脊俱痛寒去則內外皆熱頭痛如破渴欲冷飲帝曰何氣

冷

使然。願聞其道。岐伯曰：陰陽上下交爭，虛實更作，陰陽相移也。陽氣者，下行極而上；陰氣者，上行極而下。故曰陰陽上下交爭也。陽虛則外寒，陰虛則内熱，陽盛則外熱，陰盛則内寒。由此寒去熱生，則虛實更作，陰陽之氣相移易也。陽并於陰，則陰實而陽虛，陽明虛則寒慄鼓頷也。陽并於陰，言陽氣入於陰分也。陽明，胃脉也。胃之脉自交承漿，却分行循頤後下廉，出大迎；其支別者，從大迎前下人迎。故氣不足則惡寒戰慄，而頤頷振動也。巨陽虛則腰背頭項痛。巨陽者，膀胱脉。其脉從頭別下項，循肩髆内，俠脊抵腰中，故氣不足則腰背頭項痛也。三陽俱虛，則陰氣勝，陰氣勝則骨寒而痛，寒生於内，故中外皆寒。陽盛則外熱，陰虛則内熱，外内皆熱，則喘而渴，故欲冷飲也。熱傷氣，故内外皆熱則喘而渴。此皆得之夏傷於暑，熱氣盛，藏於皮膚之内，腸胃之外，此榮氣之所舍也。腸胃之外，榮氣所主，故云榮氣所舍也。舍，猶居也。此令人汗空疏，新校正云：按全元起本作汗出空踈，甲乙經、大素並同。腠理開，因得秋氣，汗出遇風，及得之以浴，水氣舍於皮膚之内，與衛氣并居。衛氣者，晝日行於陽，夜行於陰，此氣得陽而外出，得陰而内薄，内外相薄，是以日作。作，發也。帝曰：其間日而作者何也？間日，謂隔日。岐伯曰：其氣之舍深，内薄於陰，陽氣獨發，陰邪内著，陰與陽爭不得出，是以間日而作也。不與衛氣相逢會，故隔日發也。帝曰：善。其作日晏與其日早者，何氣使然？晏，猶暮也。岐伯曰：邪氣客於風府，循膂而下。風府，穴名，在項上入髮際同身寸之一寸大筋内宛宛中也。膂，謂脊兩傍。衛氣一日一夜大會於風府，其明日日下一節，故其作也晏。此先客於脊背也，每至於風府則腠理開，腠理開則邪氣入，邪氣入則病作以此日作稍益晏也（節謂脊骨之節然邪氣遠則逢會遲故發暮也）其出於風府日下一節二十五日下至骶骨二十六日入於脊內注於伏膂之脈（項已下至尾骶凡二十四節故日下一節二十五日下至骶骨二十六日入於脊內注於伏膂之脈也伏膂之脈者謂膂筋之間腎脈之伏行者也腎之脈循股內後廉貫脊屬腎其直行者從腎上貫肝鬲入肺中以其貫脊又不正應行穴但循膂伏行故謂之伏膂脈　新校正云按全元起本二十五日作二十一日二十六日作二十二日甲乙經太素並同伏膂之脈甲乙經作太衝之脈巢元方作伏衝）其氣上行九日出於缺盆之中其氣日高故作日益早也（以腎脈貫脊屬腎上入肺中肺者缺盆為之道陰氣之行速故其氣上行九日出於缺盆之中）其間日發者由邪氣內薄於五藏橫連募原也其道遠其氣深其行遲不能與衛氣俱行不得皆出故間日乃作也（募原謂鬲募之原系　新校正云按全元起本募作膜太素巢元方並同舉痛論亦作膜原）帝曰夫子言衛氣每

約之案素問原作莫帝原正字叔名叔形躬膜莫帝也莫帝然一躰也甚莫帝俗字作膜者俗字家也而書人俗寫力字作功凡从力字多作功之類是也而莫帝下巾字与男下力相似故莫帝遂訛作募

至於風府，腠理乃發，發則邪氣入，入則病作。今衛氣日下一節，其氣之發也，不當風府，其日作者奈何？岐伯曰：新校正云：按全元起本及甲乙經、太素自此邪氣客於頭項至下則病作，故八十八字並無。此邪氣客於頭項，循膂而下者也，故虛實不同，邪中異所，則不得當其風府也。故邪中於頭項者，氣至頭項而病；中於背者，氣至背而病；中於腰脊者，氣至腰脊而病；中於手足者，氣至手足而病。故下篇各以居邪之所而刺之。衛氣之所在，與邪氣相合則病作。故風無常府，衛氣之所發，必開其腠理，邪氣之所合，則其府也。虛實不同，邪中異所，衛邪相合，病則發焉，不必悉當風府而發作也。新校正云：按甲乙經、巢元方則其府也作其病作。帝曰：善。夫風之與瘧也，相似同類，而風獨

大素廿五三瘧
病源十一溫瘧
外臺五瘧
千金十溫瘧
外臺五引巢元

常在瘧得有時而休者何也風瘧皆有盛衰故云相似同類也岐伯曰風氣留其處故常在瘧氣隨經絡沈以內薄新校正云按甲乙經作次以內傳故衞氣應乃作留謂留止隨謂隨從帝曰瘧先寒而後熱者何也岐伯曰夏傷於大暑其汗大出腠理開發因遇夏氣淒滄之水寒新校正云按甲乙經太素水寒作小寒迫之藏於腠理皮膚之中秋傷於風則病成矣暑爲陽氣中風者陽氣受之故秋傷於風則病成矣夫寒者陰氣也風者陽氣也先傷於寒而後傷於風故先寒而後熱也病以時作名曰寒瘧露形觸冒則風寒傷之帝曰先熱而後寒者何也岐伯曰此先傷於風而後傷於寒故先熱而後寒也亦以時作名曰溫瘧以其先熱故謂之溫其但熱而不寒者陰氣先絕陽氣

內經十　三

獨發則少氣煩冤手足熱而欲嘔名曰癉瘧癉熱也極熱爲之也帝曰夫經言有餘者寫之不足者補之今熱爲有餘寒爲不足夫瘧者之寒湯火不能溫也及其熱冰水不能寒也此皆有餘不足之類當此之時良工不能止必須其自衰乃刺之其故何也願聞其說言何暇不早使其盛極而自止乎岐伯曰經言無刺熇熇之熱新校正云按全元起本及太素熱作氣無刺渾渾之脉無刺漉漉之汗故爲其病逆未可治也熇熇盛熱也渾渾言無端緒也漉漉言汗大出也夫瘧之始發也陽氣并於陰當是之時陽虛而陰盛外無氣故先寒慄也陰氣逆極則復出之陽陽與陰復并於外則陰虛而陽實故先熱而渴陰盛則胃

寒故先寒戰慄陽盛則胃熱故先熱欲飲也夫瘧氣者并於陽則陽勝并於陰則
陰勝陰勝則寒陽勝則熱瘧者風寒之氣不常也病
極則復復謂復舊也言其氣發至極還復如舊至新校正云按甲乙經作瘧者風寒之暴氣不常病極則復至全元起本及太素作瘧風寒
氣也不常病極則復至至字連上句與王氏之意異病之發也如火之熱如風雨不可當
也以其盛熾故不可當也故經言曰方其盛時必毀新校正云按太素云勿敢必毀因其
衰也事必大昌此之謂也方正也正盛寫之或傷真氣故必毀病氣衰已補其經氣則邪氣弭退正氣安
平故必大昌也夫瘧之未發也陰未并陽陽未并陰因而調之
真氣得安邪氣乃亡所寫必中所補必當故真氣得安邪氣乃亡也故工不能治其
已發爲其氣逆也真氣浸息邪氣大行真不勝邪是爲逆也帝曰善攻之奈何早
晏何如岐伯曰瘧之且發也陰陽之且移也必從四

未始也陽已傷陰從之故先其時堅束其處令邪氣不得入陰氣不得出審候見之在孫絡盛堅而血者皆取之此眞往而未得并者也言牢縛四支令氣各在其處則邪所居處必自見之既見之則刺出其血爾往猶去也　新校正云按甲乙經眞往作其往太素作直往帝曰瘧不發其應何如岐伯曰瘧氣者必更盛更虛當氣之所在也病在陽則熱而脉躁在陰則寒而脉靜陰靜陽躁故脉亦隨之極則陰陽俱衰衛氣相離故病得休衛氣集則復病也相薄至極物極則反故極則陰陽俱衰帝曰時有間二日或至數日發或渴或不渴其故何也岐伯曰其間日者邪氣與衛氣客於六府而有時相失不能相得故休數日乃作也氣不相會故數日不能發也瘧者陰陽更勝

外臺五瘧
病源上
醫心十四引病源

也或甚或不甚故或渴或不渴陽勝陰甚則渴，陽勝陰不甚則不渴也。勝謂强盛於彼之氣也。帝曰：論言夏傷於暑，秋必病瘧。新校正云：按生氣通天論并陰陽應象大論二論俱云夏傷於暑，秋必痎瘧。今瘧不必應者何也？言不必皆然。岐伯曰：此應四時者也。其病異形者，反四時也。其以秋病者寒甚，秋氣清涼，陽氣下降，熱藏肌肉，故寒甚也。以冬病者寒不甚，冬氣嚴冽，陽氣伏藏，不與寒爭，故寒不甚。以春病者惡風，春氣溫和，陽氣外泄，肉腠開發，故惡於風。以夏病者多汗。夏氣暑熱，津液充盈，外泄皮膚，故多汗也。帝曰：夫病溫瘧與寒瘧而皆安舍？舍於何藏？安，何也。舍，居止也。藏，謂五神藏也。岐伯曰：溫瘧者，得之冬中於風寒，氣藏於骨髓之中，至春則陽氣大發，邪氣不能自出，因遇大暑，腦髓爍，肌肉消，腠理發泄，或有所用力，邪氣與汗皆出，此病藏於腎，其氣先從内出之於外也腎主於冬冬主骨髓腦為髓海上下相應厥熱上熏故腦髓銷爍銷爍則熱氣外流故肉削減而病藏於腎也如是者陰虛而陽盛陽盛則熱矣陰虛謂腎藏氣虛陽盛謂膀胱太陽氣盛衰則氣復反入入則陽虛陽虛則寒矣故先熱而後寒名曰温瘧衰謂病衰退也復反謂入腎陰脈中帝曰癉瘧何如岐伯曰癉瘧者肺素有熱氣盛於身厥逆上衝中氣實而不外泄因有所用力腠理開風寒舍於皮膚之内分肉之間而發發則陽氣盛陽氣盛而不衰則病矣其氣不及於陰新校正云按全元起本及太素作不及之陰巢元方作不及之陰故但熱而不寒氣内藏於心而外舍於分肉之間令人銷爍脱肉故命曰癉瘧帝曰善哉

大素廿五十二瘧 自篇末移此
病源十一
外臺五瘧
甲乙七陰陽相移

刺瘧篇第三十六

新校正云按全元起本在第六卷

足太陽之瘧令人腰痛頭重寒從背起 足太陽脉從巔入絡腦還出別下項循肩髆內俠脊抵腰中其支別者從髆內左右別下貫胂過髀樞故令腰痛頭重寒從背起 新校正云按三部九候論注貫胂作貫臀刺腰痛注亦作貫臀厥論注作貫胂甲乙經作貫胂 先寒後熱熇熇暍暍然 熇熇甚熱狀暍暍亦熱盛也太陽不足故先寒寒極則生熱故後熱暍暍也 熱止汗出難已 熱生是爲氣虛熱止則爲氣復氣復而汗反出此爲邪氣盛而眞不勝故難已 新校正云按全元起本并甲乙經太素巢元方並作先寒後熱暍暍止汗出與此文異 刺郄中出血 太陽之郄是謂金門金門在足外踝下一名曰關梁陽維所別屬也刺可入同身寸之三分若灸者可灸三壯黃帝中誥圖經云委中主之則古法以委中爲郄中也委中在膕中央約文中動脈足太陽脈之所入也刺可入同身寸之五分留七呼若灸者可灸三壯 新校正云詳刺郄中甲乙經作膕中今王氏兩注之當以膕中爲正

足少陽之瘧令人身體解㑊 身體解㑊次如下句 寒不甚熱不甚 陽氣未盛故令其然 惡見人見人心惕惕然 膽與肝合肝虛則恐邪薄其氣故惡見人見人心惕惕然也 熱多汗出甚 邪盛則熱多中風故汗出

刺足少陽。俠谿主之。俠谿在足小指次指歧骨間本節前陷者中，少陽之滎。刺可入同身寸之三分，留三呼，若灸者可灸三壯。足陽明之瘧，令人先寒洒淅，洒淅寒甚，久乃熱，熱去汗出。喜見日月光火氣，乃快然。陽虛則外先寒，陽虛極則復盛，故寒甚久乃熱也。熱去汗已，陰又內強，陽不勝陰，故喜見日月光火氣乃快然也。刺足陽明跗上。衝陽穴也。在足跗上同身寸之五寸骨間動脈上，去陷谷同身寸之三寸，陽明之原。刺可入同身寸之三分，留十呼，若灸者可灸三壯。足太陰之瘧，令人不樂，好大息。心氣流於肺則喜，今脾藏受病，心母救之，火氣下入於脾，不上行於肺，又太陰脈支別者，復從胃上鬲注心中，故令人不樂，好大息也。不嗜食，多寒熱汗出。脾主化穀，營助四傍，今邪薄之，諸藏無稟，土寄四季，王則邪氣交爭，故不嗜食，多寒熱而汗出。新校正云：按《甲乙經》云：多寒少熱。病至則善嘔，嘔已乃衰。足太陰脈入腹屬脾絡胃，上鬲俠咽，故病氣來至則嘔，嘔已乃衰退也。即取之。待病衰去，即而取之。其言衰即取之，井俞及公孫也。公孫在足大指本節後同身寸之一寸，太陰絡也。刺可入同身寸之四分，留七呼，若灸者可灸三壯。足少陰之瘧，令人嘔吐甚，多寒熱，熱多寒少。足少陰脈貫肝鬲，入肺中，循喉

龍故嘔吐甚多寒熱也腎爲陰藏陰氣生寒今陰氣不足故熱多寒少　新校正云按甲乙經云嘔吐甚多寒少熱欲閉戶牖而處

其病難已胃陽明脉病欲獨閉戶牖而處今謂胃土病證反見腎水之中土刑於水故其病難已也太鍾太谿悉主之太鍾在足內踝後街中少陰絡也刺可入同身寸之二分留七呼若灸者可灸三壯太谿在足內踝後跟骨上動脉陷者中少陰俞也刺可入同身寸之三分留七呼若灸者可灸三壯也　新校正云按甲乙經云其病難已取太谿又按太鍾穴甲乙經作跟後衝中刺䯒痛篇注作跟後街中動脉水穴注云在內踝後此注云內踝後街中諸注不同當以甲乙經爲正

足厥陰之瘧令人腰痛少腹滿小便不利如癃狀非癃也數便意恐懼氣不足腹中悒悒足厥陰脉循股陰入髦中環陰器抵少腹故病如是癃謂不得小便也悒悒不暢之貌　新校正云按甲乙經數便意三字作數噫二字刺足厥陰太衝主之太衝在足大指本節後同身寸之二寸陷者中厥陰俞也刺可入同身寸之三分留十呼若灸者可灸三壯也　新校正云按刺腰痛篇注云在本節後內間動脉應手

肺瘧者令人心寒寒甚熱熱間善驚如有所見者刺手太陰陽明列缺主之列缺在手腕後同身寸之一寸半手太陰絡也刺可入同身寸之三分留三呼若灸者可灸五壯陽明穴合谷主之

合谷在手大指次指岐骨間手陽明脉之所過也刺可入同身寸之三分留六呼若灸者可灸三壯心瘧者令人煩心甚欲得清水反寒多不甚熱刺手少陰神門主之神門在掌後銳骨之端陷者中手少陰俞也刺可入同身寸之三分留七呼若灸者可灸三壯新校正云按太素云欲得清水及寒多寒不甚熱甚也肝瘧者令人色蒼蒼然太息其狀若死者刺足厥陰見血中封主之中封在足內踝前同身寸之一寸半陷者中仰足而取之伸足乃得之足厥陰經也刺出血止常刺者可入同身寸之四分留七呼若灸者可灸三壯脾瘧者令人寒腹中痛熱則腸中鳴鳴已汗出刺足太陰商丘主之商丘在足內踝下微前陷者中足太陰經也刺可入同身寸之三分留七呼若灸者可灸三壯腎瘧者令人洒洒然腰脊痛宛轉大便難目眴眴然手足寒刺足太陽少陰太鍾主之取如前足少陰瘧中法胃瘧者令人且病也善飢而不能食食而支滿腹大胃熱脾虛故善飢而不能食食而支滿腹大也是以下文兼刺太陰　新校正云按太素且病作疸病刺足陽

明太陰橫脉出血厲兊解谿三里主之厲兊在足太指次指之端去爪甲如韭葉陽明井也刺可入同身寸之一分留一呼若灸者可灸一壯解谿在衝陽後同身寸之三寸半腕上陷者中陽明經也刺可入同身寸之五分留五呼若灸者可灸三壯三里在膝下同身寸之三寸䯒骨外廉兩筋肉分間陽明合也刺可入同身寸之一寸留七呼若灸者可灸三壯然足陽明取此三穴足太陰刺其橫脉出血也橫脉謂足內踝前斜過大脉則太陰之經脉也新校正云詳解谿在衝陽後三寸半按甲乙經一寸半氣穴論注二寸半瘧發身方熱刺跗上動脉則陽明之脉也開其空出其血立寒陽明之脉多血多氣熱盛氣壯故出其血而立可寒也瘧方欲寒刺手陽明太陰足陽明太陰亦謂開穴而出其血也當隨井俞而刺之也瘧脉滿大急刺背俞用中鍼傍伍胠俞各一適肥瘦出其血也瘦者淺刺少出血肥者深刺多出血背俞謂大杼五胠俞謂譩譆瘧脉小實急灸脛少陰刺指井灸脛少陰是謂復溜復溜在內踝上同身寸之二寸陷者中足少陰經也刺可入同身寸之三分留三呼若灸者可灸五壯刺指井謂刺至陰至陰在足小指外側去爪甲角如韭葉足太陽井也刺可入同身寸之一分留五呼若灸者可灸三壯瘧脉滿大急

刺背俞用五胠俞背俞各一適行至於血也謂調適肥瘦穴度深淺循三備法而行鍼令至於血脉也背俞謂大杼五胠俞謂譩譆主之新校正云詳此條從瘧脉滿大至此注終文注共五十五字當從删削經文與次前經文重復王氏隨而注之別無義例不若士安之精審不復出也瘧脉緩大虛便宜用藥不宜用鍼緩者中風大爲氣實虛者血虛血虛氣實風又攻之故宜藥治以遣其邪不宜鍼寫而出血也凡治瘧先發如食頃乃可以治過之則失時也先其發時眞邪異居波隴不起故可治過時則眞邪相合攻之則反傷眞氣故曰失時新校正云詳從前瘧脉滿大至此全元起本在第四卷中王氏移續於此也諸瘧而脉不見刺十指間出血血去必已先視身之赤如小豆者盡取之十二瘧者其發各不同時察其病形以知其何脉之病也隨其形證而病脉可知先其發時如食頃而刺之一刺則衰二刺則知三刺則已不已刺舌下兩脉出血釋具下文不已刺郄中盛經

出血又刺項已下俠脊者必已。並足太陽之脉氣也。郄中則委中也。俠脊者謂大杼風門熱府穴也。大杼在項第一椎下兩傍相去各同身寸之一寸半。留者中刺可入同身寸之三分，留七呼，若灸者可灸五壯。風門熱府在第二椎下兩傍各同身寸之一寸半，刺可入同身寸之五分，留七呼，若灸者可灸五壯。新校正云：詳大杼穴灸五壯，按甲乙經作七壯，氣穴論注作七壯，刺熱論及熱穴注並作五壯。舌下兩脉者，廉泉也。廉泉穴名，在頷下結喉上舌本下，陰維任脉之會，刺可入同身寸之三分，留三呼，若灸者可灸三壯。刺瘧者，必先問其病之所先發者，先刺之。先頭痛及重者，先刺頭上及兩頷兩眉間出血。頭上謂上星百會，兩頷謂懸顱，兩眉間謂攢竹等穴也。先項背痛者，先刺之。項風池風府主之，背大杼神道主之。先腰脊痛者，先刺郄中出血。先手臂痛者，先刺手少陰陽明十指間。新校正云：按別本作手陰陽，全本亦作手陰陽。先足脛痠痛者，先刺足陽明十指間出血。各以邪居之所而脫寫之。風瘧，瘧發則汗出惡風，刺三陽經背俞之血者。三陽太陽也。新校正云：按甲乙經云：足三陽。骺痠痛甚，按之不可，名曰胕髓病，以鑱鍼絶骨出血，立已。陽輔穴也。取如氣穴論中府俞法。身體小痛，刺至陰。新校正云：按甲乙經無「至陰」二字。諸陰之井無出血，間日一刺。諸井皆在指端。足少陰井在足心宛宛中。瘧不渴，間日而作，刺足太陽。新校正云：按九卷云足陽明，太素同。渴而間日作，刺足少陽。新校正云：按九卷云手少陽，太素同。溫瘧汗不出，為五十九刺。自胃瘧下至此，尋黃帝中誥圖經所主，或有不與此文同，應古之別法也。

氣厥論篇第三十七

新校正云：按全元起本在第九卷，與厥論相併。

黃帝問曰：五藏六府寒熱相移者何？岐伯曰：腎移寒於肝，癰腫少氣。肝藏血，然寒入則陽氣不散，陽氣不散則血聚氣澀，故為癰腫，又為少氣也。新校正云：按全元起本云腎移寒於脾。元起注云：腎傷於寒而傳於脾，脾主肉，寒生於肉則結為堅，堅化為膿，故為癰也。血傷氣少，故曰少氣。甲乙經亦作移寒於脾。王因誤本，遂解為肝，亦智者之一失也。脾移寒於肝，癰腫筋攣。脾藏主肉，肝藏主筋，肉溫則筋舒，肉冷則筋急，故筋攣也。肉寒則衞氣結聚，故為癰腫。肝移寒於心，狂隔中。心為陽藏，神處其中，寒薄之則神亂離，故狂也。陽氣與寒相薄，故隔塞而中不通也。心移寒於肺，肺消。肺消者飲一溲二，死不治。心為陽藏，反受諸寒，寒氣不消，乃移於肺，寒隨心火內鑠金精，金受火邪，故中消也。然肺藏消鑠，氣無所持，故令飲一而溲二也。金火相賊，故死不能治。肺移寒於腎，為涌水。涌水者，按腹不堅，水氣客於大腸，疾行則鳴濯濯，如囊裹漿水之病也。肺藏氣，腎主水，夫肺寒入腎，腎氣有餘，腎氣有餘則上奔於肺，故云涌水也。大腸為肺之府，然肺腎俱為寒薄，上下皆無所之，故水氣客於大腸也。腎受凝寒，不能化液，大腸積水而不流通，故其疾行則腸鳴而濯濯有聲，如囊裹漿而為水病也。新校正云：按甲乙經"水之病也"作"治主肺者"。脾移熱於肝，則為驚衄。肝藏血，又主驚，故熱薄之則驚而鼻中血出。肝移熱於心，則死。兩陽和合，火木相燔，故肝熱入心則當死也。陰陽別論曰：肝之心謂之生陽，生陽之屬不過四日而死。新校正云：按陰陽別論之文義與此殊，王氏不當引彼誤文附會此義。心移熱於肺，傳為鬲消。心肺兩間中有

此篇柔痓又傷寒論痓字痙論痓字博雅痓字山海經大荒南經痓字等可見

顏氏家訓書證篇有痓字說可參

劉要補解係四時刺逆從論解係可參

斜鬲膜鬲膜下際內連於橫鬲膜故心熱入肺久久傳化內爲鬲熱消渴而多飲也。肺移熱於腎傳爲柔痓。柔謂筋柔而無力痓謂骨痓而不隨氣骨皆熱髓不內充故骨痓强而不舉筋柔緩而無力也。腎移熱於脾傳爲虛腸澼死不可治。脾土制水腎反移熱以與之是脾土不能制水而受病故久久傳爲虛損也腸澼死者腎主下焦象水而冷今乃移熱是精氣內消下焦無主以守持故腸澼除而氣不禁止。胞移熱於膀胱則癃溺血。膀胱爲津液之府胞爲受納之司故熱入膀胱胞中外熱陰絡內溢故不得小便而溺血也正理論曰熱在下焦則溺血此之謂也。膀胱移熱於小腸鬲腸不便上爲口糜。小腸脈絡心循咽下鬲抵胃屬小腸故受熱以下令腸隔塞而不便上則口生瘡而糜爛也糜謂爛也。小腸移熱於大腸爲虙瘕爲沈。小腸熱已移入大腸兩熱相薄則血溢而爲伏瘕也血澀不利則月事沈滯而不行故云爲虙瘕爲沈也虙與伏同瘕一爲疝傳寫誤也。大腸移熱於胃善食而瘦入謂之食亦。胃爲水穀之海其氣外養肌肉熱消水穀又鑠肌肉故善食而瘦入也食亦者謂食入移易而過不生肌膚也亦易也　新校正云按甲乙經入作又王氏注云善食而瘦入也殊爲無義不若甲乙經作又讀連下文。胃移熱於膽亦曰食亦。義同上。

黃運

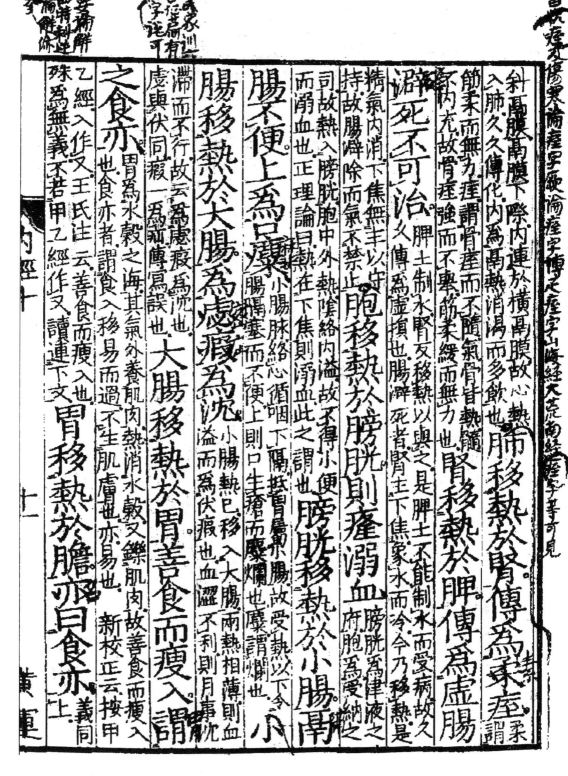

膽移熱於腦則辛頞鼻淵鼻淵者濁涕下不止也腦液下滲則爲濁涕涕下不止如彼水泉故曰鼻淵也頞謂鼻頞也足太陽脉起於目内眥上額交巔上入絡腦足陽明脉起於鼻交頞中傍約太陽之脉今腦熱則足太陽逆與陽明之脉俱盛薄於頞中故鼻頞辛也辛謂酸痛故下文曰傳爲衄衊瞑目以足陽明脉交頞中傍約太陽之脉故耳熱盛則陽絡溢陽絡溢則衄出汗血也衊謂汗血也血出甚陽明太陽脉衰不能榮養於目故目瞑瞑暗也故得之氣厥也厥者氣逆也皆由氣逆而得之

欬論篇第三十八新校正云按全元起本在第九卷

黃帝問曰肺之令人欬何也岐伯對曰五藏六府皆令人欬非獨肺也帝曰願聞其狀岐伯曰皮毛者肺之合也皮毛先受邪氣邪氣以從其合也邪謂寒氣其寒飲食入胃從肺脉上至於肺則肺寒肺寒則外内合邪

○黄帝曰五藏之欬奈何岐伯曰五藏之久欬乃移於府

病源古 外臺无ノ 病源 又引古今録驗

因而客之則爲肺欬肺脉起於中焦下絡大腸還循胃口上鬲屬肺故云從肺脉上至於肺也五藏各以其時受病非其時各傳以與之時謂王月也非王月則不受邪故各傳以與之人與天地相參故五藏各以治時感於寒則受病微則爲欬甚者爲泄爲痛寒氣微則外應皮毛内通肺故欬寒氣甚則入於内内裂則痛入於腸胃則泄痢乘秋則肺先受邪乘春則肝先受之乘夏則心先受之乘至陰則脾先受之乘冬則腎先受之以當用事之時故先受邪氣　新校正云按全元起本及太素无乘秋則三字疑此文誤多也帝曰何以異之欲明其證也岐伯曰肺欬之狀欬而喘息有音甚則唾血肺藏氣而應息故欬則喘息而喉中有聲甚則肺絡逆故唾血也心欬之狀欬則心痛喉中介介如梗狀甚則咽腫喉痹手心主脉起於胷中出屬心包少陰之脉起於心中出屬心系其支别者從心系上俠咽喉故病如是　新校正云按甲乙經介介如梗狀作喝喝又少陰之脉上俠咽不言俠喉肝欬

千金主膽
府欬論

之狀欬則兩脇下痛甚則不可以轉轉則兩胠下滿足厥陰脉上貫鬲布脇肋循喉嚨之後故如是胠亦脇也脾欬之狀欬則右脇下痛陰陰引肩背甚則不可以動動則欬劇足太陰脉上貫鬲俠咽其支別者復從胃別上鬲故病如是也脾氣連肺故痛引肩背也脾氣主右故右胠下陰陰然深慢痛也腎欬之狀欬則腰背相引而痛甚則欬涎足少陰脉上股內後廉貫脊屬腎絡膀胱其直行者從腎上貫肝鬲入肺中循喉嚨俠舌本又膀胱脉從肩髆內別下俠脊抵腰中入循膂絡腎故病如是帝曰六府之欬奈何安所受病岐伯曰五藏之久欬乃移於六府脾欬不已則胃受之胃欬之狀欬而嘔嘔甚則長蟲出脾與胃合又胃之脉循喉嚨入缺盆下鬲屬胃絡脾故脾欬不已胃受之也胃寒則嘔嘔甚則腸氣逆上故蚘出肝欬不已則膽受之膽欬之狀欬嘔膽汁肝與膽合又膽之脉從缺盆以下胸中貫鬲絡肝故肝欬不已膽受之也膽氣好逆故嘔溫苦汁也肺欬不已則大腸受

之大腸欬狀欬而遺失。肺與大腸合，又大腸脉入缺盆絡肺，故肺欬不已，大腸受之。大腸爲傳送之府，故寒入則氣不禁焉。新校正云：按《甲乙經》「遺失」作「遺矢」。心欬不已，則小腸受之，小腸欬狀，欬而失氣，氣與欬俱失。心與小腸合，又小腸脉入缺盆絡心，故心欬不已，小腸受之。小腸寒盛，氣入大腸，欬則小腸氣下奔，故失氣。腎欬不已，則膀胱受之，膀胱欬狀，欬而遺溺。腎與膀胱合，又膀胱脉從肩髆內俠脊抵腰中，入循膂絡腎屬膀胱，故腎欬不已，膀胱受之。膀胱爲津液之府，是故遺溺。久欬不已，則三焦受之，三焦欬狀，欬而腹滿，不欲食飲，此皆聚於胃，關於肺，使人多涕唾而面浮腫氣逆也。三焦者，非謂手少陽也，正謂上焦、中焦耳。何者？上焦者，出於胃上口，並咽以上，貫膈，布胸中，走腋。中焦者，亦至於胃口，出上焦之後，此所受氣者，泌糟粕，蒸津液，化其精微，上注於肺脉，乃化而爲血，故言皆聚於胃，關於肺也。兩焦受病，則邪氣熏肺而肺氣滿，故使人多涕唾而面浮腫氣逆也。腹滿不欲食者，胃寒故也。胃脉者，從缺盆下乳內廉，下循腹至氣街；其支者，復從胃下口循腹裏，至氣街中而合。今胃受邪，故病如是也。何以明其不謂下焦？然下焦者，別於回腸，注於膀胱，故水穀者，常并居於胃中，盛糟粕而俱下於大腸，泌別計循下焦而滲入膀胱，尋此行化，乃與胃口懸遠，故不謂此也。新校正云：按甲乙經胃脉下循腹作下俠臍。帝曰：治之柰何？岐伯曰：治藏者治其俞，治府者治其合，浮腫者治其經。諸藏俞者，皆脉之所起第三穴；諸府合者，皆脉之所起第六穴也；經者，藏脉之所起第四穴，府脉之所起第五穴。靈樞經曰：脉之所注爲俞，所行爲經，所入爲合。此之謂也。帝曰：善。

重廣補注黄帝内經素問卷第十

瘧論　熇火沃切　漉音鹿　弭緜婢切　刺瘧論　暍音謁　悒於急切　眴音舜

氣厥論　痓音熾　麋武悲切　虙音復　衊莫結切　欬論　蚘音回

重廣補注黄帝内經素問卷第十一

啓玄子次注林億孫奇高保衡等奉勅校正孫兆重改誤

舉痛論　腹中論

刺腰痛篇

舉痛論篇第三十九

新校正云：按全元起本在第三卷，名五藏舉痛。所以名舉痛之義未詳。按本篇乃黄帝問五藏卒痛之疾，疑舉乃卒字之誤也。

黄帝問曰：余聞善言天者，必有驗於人；善言古者，必有合於今；善言人者，必有厭於己。如此則道不惑而要數極，所謂明也。善言天者，言天四時之氣，温凉寒暑，生長收藏，在人形氣五藏參應，可驗而指示善惡，故曰必有驗於人。善言古者，謂言上古聖人養生損益之迹，與今養生損益之理，可合而與論成敗，故曰必有合於今也。善言人者，謂言形骸骨節更相枝拄，筋脉束絡，皮肉包裏而五藏六府次居其中假七神五藏而運用之氣絕神去則之於死是以知彼浮形不能堅久靜慮於己亦與彼同故曰必有厭於己也夫如此者是知道要數之極悉無疑惑深明至理而乃能然矣

今余問於夫子令言而可知視而可見捫而可得令驗於己而發蒙解惑可得而聞乎言如發開童蒙之耳解於疑惑者之心令一一條理而目視手循驗之可得捫猶循也

岐伯再拜稽首對曰何道之問也請示問端也

帝曰願聞人之五藏卒痛何氣使然岐伯對曰經脈流行不止環周不休寒氣入經而稽遲泣而不行客於脈外則血少客於脈中則氣不通故卒然而痛

帝曰其痛或卒然而止者或痛甚不休者或痛甚不可按者或按之而痛止者或按之無益者或喘動應手者或心與背相引而痛者或脇肋與少腹

相引而痛者。或腹痛引陰股者。或痛宿昔而成積者。或卒然痛死不知人。有少間復生者。或痛而嘔者。或腹痛而後泄者。或痛而閉不通者。凡此諸痛各不同形。別之奈何。欲明異候之所起岐伯曰。寒氣客於脈外則脈寒。脈寒則縮踡。縮踡則脈絀急。絀急則外引小絡。故卒然而痛。得炅則痛立止。脈左右環。故得寒則縮踡而絀急。縮踡絀急則衛氣不得通流。故外引於小絡脈也。衛氣不入。寒內薄之。脈急不縱。故痛生也。得熱則衛氣復行。寒氣退辟。故痛止。炅。熱也。止。已也。因重中於寒。則痛久矣。重寒難釋。故痛久不消。寒氣客於經脈之中。與炅氣相薄則脈滿。滿則痛而不可按也。按之痛甚者。其義具下文。寒氣稽留。炅氣從上。則脈充大而血氣亂。故痛甚不可按也。脈既滿大。血氣復亂。按之則邪氣攻內。故不可按也。寒氣客於腸胃之間，膜原之下，血不得散，小絡急引故痛，按之則血氣散，故按之痛止。膜謂鬲間之膜，原謂鬲肓之原。血不得散，謂鬲膜之中小絡脉内血也。絡滿則急，故牽引而痛生也。手按之則寒氣散，小絡緩，故痛止。寒氣客於侠脊之脉則深按之不能及，故按之無益也。侠脊之脉者，當中督脉也，次兩傍足太陽脉也。督脉者循脊裏，太陽者貫膂筋，故深按之不能及也。若按當中則脊節曲，按兩傍則膂筋蹙，合曲與蹙，皆衛氣不得行，過寒氣益聚而内畜，故按之無益。寒氣客於衝脉，衝脉起於關元，隨腹直上，寒氣客則脉不通，脉不通則氣因之，故喘動應手矣。衝脉，奇經脉也。關元，穴名，在齊下三寸。言起自此穴，即隨腹而上，非生出於此也，其本生出乃起於胃下也。草者謂上行會於咽喉也。氣因之謂衝脉不通，足少陰氣因之上滿，衝脉與少陰並行，故喘動應於手也。寒氣客於背俞之脉則脉泣，脉泣則血虚，血虚則痛，其俞注於心，故相引而痛，按之則熱氣至，熱氣至則痛止矣。背俞謂心

寒氣客於腸募關元之間絡中血泣不得注於大經血氣稽留不得行故卒然成積矣

俞脉亦足太陽脉也夫俞者皆內通於藏故曰其俞注於心相引而痛也按之則温氣入温氣入則心氣外發故痛止

寒氣客於厥陰之脉厥陰之脉者絡陰器繫於肝寒氣客於脉中則血泣脉急故脇肋與少腹相引痛矣

厥陰者肝之脉入髦中環陰器抵少腹上貫肝鬲布脇肋故曰絡陰器繫於肝脉急引脇與少腹痛也

厥氣客於陰股寒氣上及少腹血泣在下相引故腹痛引陰股

亦厥陰肝脉之氣也以其所循陰股入髦中環陰器上抵少腹故曰厥氣客於陰股寒氣上及於少腹也

寒氣客於小腸膜原之間絡血之中血泣不得注於大經血氣稽留不得行故宿昔而成積矣

言血爲寒氣之所凝結而乃成積

寒氣客於五藏厥逆上泄陰氣竭陽氣未入故卒然痛死不知人氣復反則生矣

言藏氣被寒擁胃而不行氣復得通則已也新校正云詳注中擁胃疑作擁冐

寒氣客於腸胃厥逆上出故痛而嘔也

腸胃客寒留止則陽氣不得下流而反上行寒不去則痛生陽上行則嘔逆故痛而嘔也寒氣客於小腸小腸不得成聚故後泄腹痛矣小腸爲受盛之府中滿則寒邪不居故不得結聚而傳下入於迴腸迴腸廣腸也爲傳導之府物不得停留故後泄而痛熱氣留於小腸腸中痛癉熱焦渴則堅乾不得出故痛而閉不通矣熱滲津液故便堅也帝曰所謂言而可知者也視而可見奈何謂候色也岐伯曰五藏六府固盡有部謂面上之分部視其五色黃赤爲熱中熱則色黃赤白爲寒陽氣少血不上榮於色故白青黑爲痛血凝泣則變惡故色青黑則痛此所謂視而可見者也帝曰捫而可得奈何捫摸也以手循摸也岐伯曰視其主病之脈堅而血及陷下者皆可捫而得也帝曰善余知百病生於氣也夫氣之爲用虛實逆順緩急皆能爲病故發此問端也怒則氣上喜則氣緩悲則氣消恐則氣下

甲乙一精神五藏

腠理開大

寒則氣收，炅則氣泄，驚則氣亂，新校正云：按太素驚作憂。勞則氣耗，思則氣結，九氣不同，何病之生？岐伯曰：怒則氣逆，甚則嘔血及飧泄，新校正云：按甲乙經及太素飧泄作食而氣逆。故氣上矣。怒則陽氣逆上而肝氣乘脾，故甚則嘔血及飧泄也。何以明其然？怒則面赤，甚則色蒼。經曰：盛怒而不止則傷志。明怒則氣逆上而不下也。喜則氣和志達，榮衛通利，故氣緩矣。氣脉和調，故志達暢。榮衛通利，故氣徐緩。悲則心系急，肺布葉舉，而上焦不通，榮衛不散，熱氣在中，故氣消矣。布葉謂布蓋之大葉。新校正云：按甲乙經及太素而上焦不通作兩焦不通。又王注肺布葉舉謂布蓋之大葉，疑非。全元起云：悲則損於心，心系急則動於肺，肺氣繫諸經，逆，故肺布而葉舉。安得謂肺布爲肺布蓋之大葉？恐則精却，却則上焦閉，閉則氣還，還則下焦脹，故氣不行矣。恐則陽精却上而不下流，故却則上焦閉也。上焦既閉，氣不行流，下焦陰氣亦還迴不散，而聚爲脹也。然上焦固禁，下焦氣還，各守一處，故氣不行也。新校正云：詳氣不行當作氣下行也。寒則腠理閉，氣不行，炅則至大泄三句在寒則上，太素。文選注引本草經可考。

太素名脹論。甲乙八卷。脹鼓脹一。

故氣收矣。腠謂津液滲泄之所，理謂文理逢會之中，閉謂密閉，氣謂衛氣，行謂流行，收謂收斂也。身寒則衛氣沉，故皮膚文理及滲泄之處皆閉密而氣不流行，衛氣收斂於中而不發散也。新校正云：按甲乙經氣不行作營衛不行。炅則腠理開，榮衛通，汗大泄，故氣泄。人在陽則舒，在陰則慘，故熱則膚腠開發，榮衛大通，津液外滲而汗大泄也。驚則心無所倚，神無所歸，慮無所定，故氣亂矣。氣奔越故不調理。新校正云：按太素驚作憂。勞則喘息汗出，外內皆越，故氣耗矣。疲力役則氣奔速，故喘息，氣奔速則陽外發，故汗出，然喘且汗出，內外皆踰越於常紀，故氣耗損也。思則心有所存，神有所歸，正氣留而不行，故氣結矣。繫心不散，故氣亦停留。新校正云：按甲乙經歸正二字作止字。

腹中論篇第四十

新校正云：按全元起本在第五卷。

黃帝問曰：有病心腹滿，旦食則不能暮食，此為何病？

岐伯對曰：名為鼓脹。心腹脹滿，不能再食，形如鼓脹，故名鼓脹也。新校正云：按太素鼓作穀。帝曰：治

內經十一　四

之奈何？岐伯曰：治之以雞矢醴，一劑知，二劑已。（按古本草雞矢並不治鼓脹，惟大利小便，微寒。今方制法當取用處湯漬服之。）帝曰：其時有復發者何也？（復謂再發。言如舊也。）岐伯曰：此飲食不節，故時有病也。雖然其病且已時，故當病氣聚於腹也。（飲食不節則傷胃，胃脉者循腹裏而下行，故飲食不節時有病者，復病氣聚於腹中也。）帝曰：有病胸脅支滿者，妨於食，病至則先聞腥臊臭，出清液，先唾血，四支清，目眩，時時前後血，病名爲何？何以得之？（清液，清水也，亦謂之清涕。清涕者，謂從窈漏中漫液而下水出清冷也。眩謂目視眩轉也。前後血謂前陰後陰出血也。）岐伯曰：病名血枯。此得之年少時，有所大脫血，若醉入房中，氣竭肝傷，故月事衰少不來也。（出血多者謂之脫血，漏下、鼻衄、嘔吐出血皆同焉。夫醉則血脉盛，血脉盛則內熱，因而入房，髓液皆下，故腎中氣竭也。肝藏血，以少大脫血，故肝傷也。然於丈夫則精液衰乏，女子則月事衰少而不來。）帝曰：

治之奈何復以何術岐伯曰以四烏鰂骨一藘茹二物并合之丸以雀卵大如小豆以五丸爲後飯飲以鮑魚汁利腸中新校正云按别本一作傷中及傷肝也飯後藥先謂之後飯按古本草經云烏鰂魚骨藘茹等並不治血枯然經法用之是攻其所生所起爾夫醉勞力以入房則腎中精氣耗竭月事衰少不至則中有惡血淹留精氣耗竭則陰萎不起而無精惡血淹留則血痺著中而不散故先茲四藥用入方焉古本草經曰烏鰂魚骨味鹹冷平無毒主治女子血閉藘茹味辛寒平有小毒主散惡血雀卵味甘溫平無毒主治男子陰萎不起強之令熱多精有子鮑魚味辛臭溫平無毒主治瘀血血痺在四支不散者尋文會意方義如此而處治之也新校正云按甲乙經及太素藘茹作蕳茹詳王注性味乃蕳茹當改藘作蕳又按本草烏鰂魚骨冷作微溫雀卵甘作酸與王注異帝曰病有少腹盛上下左右皆有根此爲何病可治不岐伯曰病名曰伏梁伏梁心之積也新校正云詳此伏梁與心積之伏梁大異病有名同而實異者非一如此之類是也帝曰伏梁何因而得之岐伯曰裹大膿血居腸胃之外不可治

太素故伏梁病
千金上積聚

治之每切按之致死。帝曰：何以然？岐伯曰：此下則因陰，必下膿血，上則迫胃脘，生鬲，俠胃脘內癰。（正當衝脈帶脈之部分也。帶脈者，起於季脇，迴身一周，橫絡於齊下。衝脈者，與足少陰之絡起於胃下，出於氣街，循陰股，其上行者，出齊下同身寸之三寸關元之分，俠齊直上，循腹各行，會於咽喉。故病當其分，則少腹盛，上下左右皆有根也。以其上下堅盛，如有潛梁，故曰病名伏梁，不可治也。以裹大膿血，居腸胃之外，按之痛悶不堪，故每切按之致死也。以衝脈下行者絡陰，上行者循腹故也。上則迫近於胃脘，下則因薄於陰器也。若因薄於陰，則便下膿血；若迫近於胃，則病氣上出於鬲，復俠胃脘內長其癰也。何以然哉？以本有大膿血在腸胃之外故也。生當為鬲，出傳文誤也。新校正云：按太素俠胃作使胃。）此久病也，難治。居齊上為逆，居齊下為從，勿動亟奪。（若裹大膿血居齊上，則漸傷心藏，故為逆；居齊下，則去心稍遠，猶得漸攻，故為從。從，順也。亟，數也。奪，去也。言不可移動，但數數去之則可矣。）論在刺法中。（今經亡。）

帝曰：人有身體髀股䯒皆腫，環齊而痛，是為何病？岐伯曰：病名伏梁。（此二十六字，錯簡在奇病論中，若不有此二十六字，則下文無據也。新校正云：詳此並無注解，盡在下卷奇

甲乙十一五氣
溢發一

病論中此風根也此四字此篇本有奇病論中亦有之其氣溢於大腸而著於肓肓之原在齊下故環齊而痛也不可動之動之為水溺濇之病亦衝脉也齊下謂脖胦在齊下同身寸之二寸半靈樞經曰肓之原名曰脖胦帝曰夫子數言熱中消中不可服高梁芳草石藥石藥發瘨芳草發狂多飲數溲謂之熱中多食數溲謂之消中多喜曰瘨多怒曰狂芳美味也夫熱中消中者皆富貴人也今禁高梁是不合其心禁芳草石藥是病不愈願聞其說熱中消中者脾氣之上溢甘肥之所致故禁食高梁芳美之草也通評虛實論曰凡治消癉甘肥貴人則高梁之疾也又奇病論曰夫五味入於口藏於胃脾為之行其精氣津液在脾故令人口甘此肥美之所發也此人必數食甘美而多肥也肥者令人內熱甘者令人中滿故其氣上溢轉為消渴此之謂也夫富貴人者驕恣縱欲輕人而無能禁之禁之則逆其志順之則加其病帝思難詰故發問之高膏粱米也石藥英乳也芳草濃美也然此五者富貴人常服之難禁也岐伯曰夫芳草之氣美石藥之氣悍二者其氣急

疾
六十

疾堅勁故非緩心和人不可以服此二者。脾氣溢而生病，氣美則重盛於脾，消熱之氣躁疾，氣悍則又滋其熱。若人性和心緩，氣候舒勻，不與物爭，釋然寬泰，則神不躁迫，無懼內傷，故非緩心和人，不可以服此二者。悍，利也。堅，定也，固也。勁，剛也。言其芳草石藥之氣，堅定固久，剛烈而卒不歇滅，此二者是也。帝曰：不可以服此二者，何以然？岐伯曰：夫熱氣慓悍，藥氣亦然，二者相遇，恐內傷脾。慓疾也。脾者土也，而惡木，服此藥者，至甲乙日更論。熱氣慓盛則木氣內餘，故心非和緩則躁怒數起，躁怒數起則熱氣因木以傷脾，甲乙為木，故至甲乙日更論脾病之增減也。帝曰：善。有病膺腫，新校正云：按甲乙經作癰腫。頸痛胸滿腹脹，此為何病？何以得之？膺，胸傍也。頸，項前也。胸，膺間也。岐伯曰：名厥逆。氣逆所生，故名厥逆。帝曰：治之奈何？岐伯曰：灸之則瘖，石之則狂，須其氣并，乃可治也。石，謂以石鍼開破之。帝曰：何以然？岐伯曰：陽氣重上，有餘於上，灸之則陽氣入陰入則瘖石之則陽氣虛虛則狂灸之則火氣助陽陽盛故入陰石之則陽氣出陽氣出則內不足故狂須其氣并而治之可使全也并謂并合也待自并合則兩氣俱全故可治若不爾而灸石之則偏致勝負故不得全而瘖狂也帝曰善何以知懷子之且生也岐伯曰身有病而無邪脈也病謂經閉也脈法曰尺中之脈來而斷絕者經閉也月水不利若尺中脈絕者經閉也今病經閉脈反如常者婦人姙娠之證故云身有病而無邪脈帝曰病熱而有所痛者何也岐伯曰病熱者陽脈也以三陽之動也人迎一盛少陽二盛太陽三盛陽明入陰也夫陽入於陰故病在頭與腹乃䐜脹而頭痛也帝曰善新校正云按六節藏象論云人迎一盛病在少陽二盛病在太陽三盛病在陽明與此論同又按甲乙經三盛陽明無入陰也三字

刺腰痛篇第四十一新校正云按全元起本在第六卷

大素廿膂痛 甲乙九腎小腸受病

足太陽脉令人腰痛引項脊尻背如重狀足太陽脉別下項循肩髆內俠脊抵腰中別下貫臀故令人腰痛引項脊尻背如重狀也新校正云按甲乙經貫臀作貫胂刺癰注亦作貫胂三部九候注作貫臀刺其郄中太陽正經出血春無見血郄中委中也在膝後屈處膕中央約文中動脈足太陽脉之所入也刺可入同身寸之五分留七呼若灸者可灸三壯太陽合腎腎王於冬水衰於春故春無見血也少陽令人腰痛如以鍼刺其皮中循循然不可以俛仰不可以顧足少陽脉遶髦際横入髀厭中故令腰痛如以鍼刺其皮中循循然不可俛仰少陽之脉起於目銳眥上抵頭角下耳後循頸行手陽明之前至肩上交出手少陽之後其支別者目銳眥下入大迎合手少陽於䪼下加頰車下頸合缺盆故不可以顧新校正云按甲乙經行手陽明之前作行手少陽之前也刺少陽成骨之端出血成骨在膝外廉之骨獨起者夏無見血成骨謂膝外近下䯒骨上端兩起骨相並間陷容指者也䯒骨所成柱膝髀骨故謂之成骨也少陽合肝肝王於春木衰於夏故無見血也陽明令人腰痛不可以顧顧如有見者善悲足陽明脉起於鼻交頞中下循鼻外入上齒中還出俠口環脣

下交承漿却循頤後下廉出大迎其支別者從大迎前下人迎循喉嚨入缺盆又其支別者起胃下口循腹裏至氣街中而合以下髀故令人腰痛不可顧顧如有見者陽虛故悲也刺陽明於䯒前三痏上下和之出血秋無見血按内經中誥流注圖經陽明脉穴俞之所主此腰痛者悉刺䯒前三痏則正三里穴也三里穴在膝下同身寸之三寸䯒骨外廉兩筋肉分間刺可入同身寸之一寸留七呼若灸者可灸三壯陽明合脾脾王長夏土衰於秋故秋無見血新校正云按甲乙經䯒作骭足少陰令人腰痛痛引脊内廉足少陰脉上股内後廉貫脊屬腎故令人腰痛痛引脊内廉也新校正云按全元起本脊内廉作脊内痛太素亦同此前少足太陰腰痛證并刺足太陰法應古文脫簡也刺足少陰於内踝上二痏春無見血出血太多不可復也按内經中誥流注圖經少陰脉穴俞所主此腎脊痛者當刺内踝上則正復溜穴也復溜在内踝後上同身寸之二寸動脉陷者中刺可入同身寸之三分留三呼若灸者可灸五壯足厥陰之脉令人腰痛腰中如張弓弩弦足厥陰脉自陰股環陰器抵少腹其支別者與太陰少陽結於腰髁下挾脊第三第四骨空中其穴即中髎下髎故腰痛則中如張弓弩之弦也如張弦者言強急之甚刺足厥陰之脉在腨踵魚腹之外循

之累累然乃刺之（腨踵者，言脈在腨外側下當足跟也。腨形勢如臥魚之腹，故曰魚腹之外也。循其分肉有血絡累累然，乃刺出之。此正當蠡溝穴分，足厥陰之絡，在內踝上五寸，別走少陽者。刺可入同身寸之二分，留三呼，若灸者可灸三壯。厥陰一經作居陰，是傳寫草書厥字爲居也。新校正云：按經云厥陰之脈令人腰痛，次言刺厥陰之脈，注言刺厥陰之絡，經注相違，疑經中脈字乃絡字之誤也。）其病令人善言，默默然不慧，刺之三痏。（厥陰之脈循喉嚨之後，上入頏顙，絡於舌本，故病則善言。風盛則昏冒，故不爽慧也。三刺其處，腰痛乃除。新校正云：按經云善言默默然不慧，詳善言與默默二病難相兼，全元起本無善字，於義爲允。又按甲乙經厥陰之脈不絡舌本，王氏於素問之中五處引注，而注厥論與刺熱及此三篇皆云絡舌本，注風論、瘧論二篇不言絡舌本，蓋王氏亦疑而兩言之也。）解脈令人腰痛，痛引肩，目𥇍𥇍然，時遺溲。（解脈，散行脈也，言不合而別行也。此足太陽之經，起於目內眥，上額交巔上，循肩髆，俠脊抵腰中，入循膂，絡腎屬膀胱，下入膕中，故病斯候也。又其支別者，從髆內別下貫胂，循髀外後廉而下合於膕中，兩脈如繩之解股，故名解脈也。）刺解脈，在膝筋肉分間郄外廉之橫脈出血，血變而止。（膝後兩傍大筋雙上，股之後兩筋之間橫文之處，努肉高起則郄中之分也。古中誥以膕中爲太陽之郄，當取郄外廉有血絡橫見迢然紫黑

佛　太素作陰陽維脉

而盛滿者乃刺之當見黑血必候其血色變赤乃止血不變赤極而寫之必行血色變赤乃止此太陽中經之爲腰痛也解脉令人腰痛如引帶常如折腰狀善恐足太陽之別脉自肩而別下循背脊至腰而橫入髀外後廉而下合膕中故若引帶如折腰之狀　新校正云按甲乙經如引帶作如裂善恐作善怒也刺解脉在郄中結絡如黍米刺之血射以黑見赤血而已郄中則委中穴足太陽合也在膝後屈處膕中央約文中動脉刺可入同身寸之五分留七呼若灸者可灸三壯此經刺法也今則取其結絡大如黍米者當黑血箭射而出見血變赤然可止也　新校正云按全元起云有兩解脉病源各異恐誤未詳同陰之脉令人腰痛痛如小錘居其中怫然腫足少陽之別絡也並少陽經上行去足外踝上同身寸之五寸乃別走厥陰並經下絡足跗故曰同陰脉也佛怒也言腫如嗔怒也　新校正云按太素小錘作小鍼刺同陰之脉在外踝上絕骨之端爲三痏絕骨之端如前同身寸之三分陽輔穴也足少陽脉所行刺可入同身寸之五分留七呼若灸者可灸三壯陽維之脉令人腰痛痛上怫然腫陽維起於陽則太陽之所生奇經入脉此其一也刺陽維之脉脉與

太陽合腨下間去地一尺所。太陽所主與正經並行而上至腨下，復與太陽合而上也。腨下去地正同身寸之一尺，是則承光穴在銳腨腸下肉分間陷者中，刺可入同身寸之七分，若灸者可灸五壯。以其取腨腸下肉分間，故云合腨下間。新校正云：按穴之所在，乃承山穴，非承光也。山字誤為光。

衡絡之脈令人腰痛，不可以俛仰，仰則恐仆，得之舉重傷腰，衡絡絕，惡血歸之。衡，橫也，謂太陽之外絡，自腰中橫入髀外後廉，而下與中經合於膕中者。今舉重傷腰，則橫絡絕，中經獨盛，故腰痛不可以俛仰矣。一經作衡絕之脈，傳寫魚魯之誤也。若是衡脈中諸，不應取太陽脈委陽殷門之穴也。刺之在郄陽筋之間，上郄數寸，衡居為二痏出血。橫居二穴，謂委陽殷門，平視橫相當也。郄陽謂浮郄穴上側委陽穴也。筋之間謂膝後膕上兩筋之間殷門穴也。二穴各去臀下橫文同身寸之六寸，故曰上郄數寸也。委陽刺可入同身寸之七分，留五呼，若灸者可灸三壯。殷門刺可入同身寸之五分，留七呼，若灸者可灸三壯。故曰衡居為二痏。新校正云：詳王氏云浮郄穴上側委陽穴也，按甲乙經，委陽在浮郄穴下一寸，不得言上側也。

會陰之脈令人腰痛，痛上漯漯然汗出，汗乾令人欲飲，飲已欲走。足太陽之中經也，其脈循腰下會於後陰，故曰會陰之脈。其經自腰下行至足，令陽氣大盛，故痛上漯然汗出。汗液既出，則腎燥陰虚，故汗乾令人欲飲。飲水以救腎也。水入腹已，腎氣復生，陰氣流行，太陽又盛，故飲水已反欲走也。刺直陽之脈上三痏，在蹻上郄下五寸橫居，視其盛者出血。直陽之脈，則太陽之脈，俠脊下行，貫臀下至膕中，下循腨，過外踝之後，條直而行者，故曰直陽之脈也。蹻爲陽蹻所生申脈穴，在外踝下也。郄下則膕下也。言此刺處在膕下同身寸之五寸，上承郄中之穴，下當申脈之位，是謂承筋穴，即腨中央如外陷者中也，太陽脈氣所發，禁不可刺，可灸三壯。今云刺者，謂刺其血絡之盛滿者也。兩腨皆有太陽經氣下行，當視兩腨中央有血絡盛滿者，乃刺出之，故曰視其盛者出血。新校正云：詳上云會陰之脈令人腰痛，此云刺直陽之脈者，詳此直陽之脈，即會陰之脈也，文變而事不殊。又承筋穴注云腨中央如外，按甲乙經及骨空論注無如外二字。飛陽之脈令人腰痛，痛上怫怫然，甚則悲以恐。是陰維之脈也。去內踝上同身寸之五寸腨分中，並少陰經而上也。少陰之脈前，則陰維脈所行也。足少陰之脈，從腎上貫肝鬲，入肺中，循喉嚨，俠舌本；其支別者，從肺出絡心，注胸中，故甚則悲以恐也。恐者生於腎，悲者生於心。刺飛陽之脈，在內踝上五寸，臣億等按甲乙經作二寸。少陰之前，與陰維之會。內踝後上同身寸之五寸，復溜穴，少陰脈所行，刺可入同身寸之三分。內踝之後，築賓穴，陰維之郄，刺可入同身寸之三分若灸者可灸五壯少陰之前陰維之會以三脉會在此穴位分也刺可入同身寸之三分若灸者可灸五壯今中誥經文正同此法臣億等按甲乙經足太陽之絡別走少陰者名曰飛揚在外踝上七寸又去築賓陰維之郄在内踝上腨分中復溜穴在内踝上二寸今此經注都與甲乙不合者疑經注中五寸字當作二寸則素問與甲乙相應矣

昌陽之脉令人腰痛痛引膺目䀮䀮然甚則反折舌卷不能言陰蹻脉也陰蹻者足少陰之別也起於然骨之後上内踝之上直上循陰股入陰而循腹上入胸裏入缺盆上出人迎之前入頄内廉屬目内眥合於太陽陽蹻而上行故腰痛之狀如此刺内筋爲二痏在内踝上大筋前太陰後上踝二寸所内筋謂大筋之前分肉也太陰後大筋前即陰蹻之郄交信穴也在内踝上同身寸之二寸少陰前太陰後筋骨之間陷者之中刺可入同身寸之四分留五呼若灸者可灸三壯今中誥經文正主此

散脉令人腰痛而熱熱甚生煩腰下如有横木居其中甚則遺溲散脉足太陰之别也散行而上故以名焉其脉循股内入腹中與少陰少陽結於腰髁下骨空中故病則腰下如有横木居其中甚乃遺溲也刺散脉在膝前骨肉分間絡外廉束脉爲三痏謂膝前内側也

骨肉分，謂膝内輔骨之下下廉腨肉之兩間也。絡外廉則太陰之絡，色青而見者也。輔骨之下後有大筋撷束膝胻之骨，令其連屬，取此筋骨繫束之處脉以去其病，是曰地機，三刺而已，故曰束脉爲之三痏也。肉里之脉令人要痛，不可以欬，欬則筋縮急。肉里之脉，少陽所生，則陽維之脉氣所發也。里，裏也。刺肉里之脉爲二痏，在太陽之外，少陽絶骨之後。分肉主之。一經云少陽絶骨之前，傳寫誤也。絶骨之前，足少陽脉所行；絶骨之後，陽維脉所過，故指曰在太陽之外，少陽絶骨之後也。分肉穴在足外踝直上絶骨之端，如後同身寸之二分，筋肉分間，陽維脉氣所發，刺可入同身寸之五分，留十呼，若灸者可灸三壯。新校正云：按分肉之穴，甲乙經不見，與氣穴注兩出，而分寸不同。氣穴注二分作三分，五分作三分，十呼作七呼。腰痛俠脊而痛至頭几几然，目䀮䀮欲僵仆，刺足太陽郄中出血。郄中，委中。新校正云：按太素作頭沈沈然。腰痛上寒，刺足太陽陽明；上熱，刺足厥陰；不可以俛仰，刺足少陽；中熱而喘，刺足少陰，刺郄中出血。此法玄妙，中誥不同，莫可窺測，當用知其應，不示聞，皆應先去血絡，乃調之也。腰痛上寒，

不可俛仰取足太陽

不可顧刺足陽明上廉陰市主之陰市在膝上同身寸之三寸伏兔下陷者中足陽明脉氣所發刺可入同身寸之三分留七呼若灸者可灸三壯不可顧三里主之三里在膝下同身寸之三寸䯒外廉兩筋肉分間足陽明脉之所入也刺可入同身寸之一寸留七呼若灸者可灸三壯

上熱刺足太陰地機主之地機在膝下同身寸之五寸足太陰之郄也刺可入同身寸之三分若灸者可灸三壯　新校正云按甲乙經作五壯

中熱而喘刺足少陰涌泉太鍾悉主之涌泉在足心陷者中屈足捲指宛宛中足少陰脉之所出刺可入同身寸之三分留三呼若灸者可灸三壯太鍾在足跟後衝中動脉足少陰之絡刺可入同身寸之二分留七呼若灸者可灸三壯　新校正云按刺瘧注太鍾在內踝後街中水穴論注在內踝後此注在跟後街中動脉三注不同甲乙經亦云跟後衝中當從甲乙經爲正

大便難刺足少陰涌泉主之

少腹滿刺足厥陰太衝主之在足大指本節後內間同身寸之二寸陷者中脉動應手足厥陰脉之所注也刺可入同身寸之三分留十呼若灸者可灸三壯

如折不可以俛仰不可舉刺足太陽如折束骨主之不可以俛仰京骨崑崙悉主之不可舉申脉僕參悉主之束骨在足小指外側本節後赤白肉際陷者中足太陽脉之所注也刺可入同身寸之三分留三呼若灸者可灸三壯京骨在足外側大骨下赤白肉際陷者中按而得之足太陽脉之所過也刺可入同身寸之三分留七呼若

甲乙五腎小腸受病一九八

炎者可灸三壯崑崙在足外踝後跟骨上陷者中細脈動應手足太陽脈之所行也刺可入同身寸之五分留十呼若灸者可灸三壯申脈在外踝下同身寸之五分容爪甲陽蹻之所生也刺可入同身寸之六分留十呼若灸者可灸三壯僕參在跟骨下陷者中足太陽陽蹻二脈之會刺可入同身寸之三分留七呼若灸者可灸三壯　新校正云按甲乙經申脈在外踝下陷者中無五分字刺入六分作三分留十呼作留六呼氣穴注作七呼僕參留七呼甲乙經作六呼

引脊内廉刺足少陰復溜主之取同飛陽注從腨痛上寒不可顧至此件經語除注並合朱書　新校正云按全元起本及甲乙經并太素自腰痛上寒至此並無乃王氏所添也今注云從腰痛上寒至並合朱書十九字非王冰之語蓋後人所加也

腰痛引少腹控䏚不可以仰新校正云按甲乙經作不可以俛仰**刺腰尻交者兩髁胂上以月生死爲痏數發鍼立已**此邪客於足太陰之絡也控通引也䏚謂季脇下之空軟處也腰尻交者謂髁下尻骨兩傍四骨空左右八穴俗呼此骨爲八髎骨也此腰痛取腰髁下第四髎即下髎穴也足太陰厥陰少陽三脈左右交結於中故曰腰尻交者也兩髁胂謂兩髁骨下堅起肉也胂上非胂之上巔正當刺胂肉矣直刺胂肉即胂上也何者胂之上巔別有中膂肉俞白環俞雖並主腰痛考其形證經不相應矣髁骨即腰脊兩傍起骨也俠脊兩傍腰髁之下各有胂肉隴起而斜趣於髁骨之後内承其髁故曰兩髁胂也下承髁胂肉左右兩胂各有四

鯛

墨訛黑

骨空。故曰上髎、次髎、中髎、下髎。上髎當髁骨下陷者中，餘三髎少斜下按之陷中是也。四空悉主腰痛，惟下髎所主文與經同，即太陰厥陰少陽所結者也。刺可入同身寸之二寸，留十呼，若灸者可灸三壯。以月生死爲痏數者，月初向圓爲月生，月半向空爲月死，死月刺少，生月刺多。繆刺論曰：月生一日一痏，二日二痏，漸多之，十五日十五痏，十六日十四痏，漸少之。其痏數多少如此，即知也。左取右，右取左。痛在左，針取右；痛在右，針取左。所以然者，以其脉左右交結於尻骨之中故也。新校正云：詳此腰痛引少腹一節，與繆刺論重。

重廣補注黄帝内經素問卷第十一

舉痛論 泣而音澁 絀急上丁骨切 腹中論 則昨則魚切 藘茹上力居切下音如

脖胦上蒲没切下烏朗切 痟音陰 刺腰痛論 厥乂艷切 髁苦瓦切 髎音遼 踹

踵丑用切 蠡溝上盧啓切又落戈切 嘿音嘿 小鍾直垂切 漯他合切 髂苦嫁切 擷

虎結切 眇亡表切

内經十一 十三

洒 十二ノ一ヲ 十三ノ十ウ
炲 十二ノ三ウ
胞絡 絶 十二ノ九ヲ
後 十二ノ十三ヲ
前開 十二ノ十三ヲ
肉蠕動 十二ノ十ヲ
成 一作盛 十二ノ三ヲ注
百病生原 十三ノ六ウ
瘧 十二ノ十四ウ
大腸 回腸 之ミ 十三ノ七ウ
帶脉 十二ノ十ウ
偃臥 十三ノ一ウ
石 硬 十三ノ三ヲ 二見 七ヲ
薗 十二ノ九ウ
皮 十二ノ九ウ
色 ミ 十二ノ十二ヲ
刺陵 十二ノ三ウ
陰陽十二官相使中 十三ノ九ヲ
十二經脉之海 十三ノ十ヲ

怢慄 十二ノ一ヲ
陰曲 十二ノ三ウ
下經 十三ノ九ウ 三見 十ヲ
涇溲 十二ノ十三ウ
不仁 十二ノ八ヲ 十ヲ
內外爲误 十二ノ十三ウ
膜 更筋 一名 十三ノ八ウ注
解㑊 十二ノ一ヲ
少腹 十四ノ五ヲ
脾主為胃行其津液者也 十三ノ五ヲ 十二ノ十三ヲ
膻中 十三ノ四ヲ
巔疾 十三ノ六ウ
鑱 十二ノ四ヲ
取決於膽咽為使 十三ノ十ヲ
強上 十三ノ十ヲ
睆ミ 十三ノ十二ヲ
募俞 十二ノ五ウ
息癃也死肉也 十三ノ二ヲ
五常 十三ノ十ヲ

嚇 十二ノ三ヲ
胞ヲ 十二ノ五ウ 十三ノ三ウ 九
閏宗筋 十三ノ十ヲ 十ウ
譫言 十二ノ十三ウ
肓膜 十二ノ七ウ 十三ノ四ウ
并 恒陰陽中 十三ノ一ウ
外鼓 十三ノ八ヲ 二見
[illegible] 十三ノ四ヲ
大腸 之別 十三ノ四ウ
一息十至以上 十三ノ八ヲ
疹 十三ノ四ヲ 三ウ
疹筋 十三ノ四ウ
酒ミ 十三ノ十一ヲ
浙ミ 十四ノ一ウ
蒐孰 十三ノ九ウ
背任衝 回起 十三ノ十ウ
榮兪 十三ノ十ウ

瘧 十二ノ三ウ
麗 陳 十三ノ七ウ
酒 十二ノ十一ヲ
僵仆 十二ノ十四ヲ 十三ノ一ウ 偃
本病曰 十二ノ九ウ
胸 仆 十二ノ十二ウ
十二俞 十三ノ九ヲ
鬓 十二ノ五ウ 十ウ
腹 急 十二ノ七ウ
髓者以腦為主 十三ノ五ヲ
沫 十二ノ八ヲ
煎厥 十二ノ十二ウ
肯 十三ノ四ウ 十二ノ七ウ 十四ヲ 三ヲ
全注 十三ノ五ヲ
濕後る氣 十三ノ十三ヲ
昊 十四ノ十一ヲ
論言 十二ノ十ヲ
全本 十二ノ九ウ
動 十三ノ七ウ
腹急 十二ノ七ウ

重廣補注黄帝内經素問卷第十二

啓玄子次注林億孫奇高保衡等奉敕校正孫兆重改誤

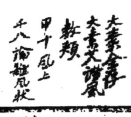

風論篇第四十二 新校正云按全元起本在第九卷

黄帝問曰風之傷人也或爲寒熱或爲熱中或爲寒中或爲癘風或爲偏枯或爲風也其病各異其名不同或内至五藏六府不知其解願聞其說傷謂人自中之岐伯對曰風氣藏於皮膚之間内不得通外不得泄腠理開疎則邪風入風氣入已玄府閉封故内不得通外不得泄也風者善行而數變腠理開則洒然寒

閉則熱而悶洒然寒貌悶不爽貌腠理開則風飄揚故寒腠理閉則風混亂故悶其寒也則衰食飲其熱也則消肌肉故使人怢慄而不能食名曰寒熱寒風入胃故食飲衰熱氣內藏故消肌肉寒熱相合故怢慄而不能食名曰寒熱也怢慄卒振寒貌　新校正云詳怢慄全元起本作失味甲乙經作解㑊

風氣與陽明入胃循脈而上至目內眥其人肥則風氣不得外泄則為熱中而目黃人瘦則外泄而寒則為寒中而泣出陽明者胃脈也胃脈起於鼻交頞中下循鼻外入上齒中還出俠口環脣下交承漿却循頤後下廉循喉嚨入缺盆下鬲屬胃故與陽明入胃循脈而上至目內眥也人肥則腠理密緻故不得外泄則為熱中而目黃人瘦則腠理開疏風得外泄則寒中而泣出

風氣與太陽俱入行諸脈俞散於分肉之間與衛氣相干其道不利故使肌肉憤䐜而有瘍衛氣有所凝而不行故其肉有不仁也肉分之間衛氣行處風與衛氣相薄俱行於肉分之間故氣道澀而不利也

道不利，風氣內攻，衛氣相持，故肉憤䐜而瘡出也。瘍，瘡也。若衛氣被風吹之，不得流轉，所在偏併，凝而不行，則肉有不仁之處也。不仁，謂㾮而不知寒熱痛癢。癘者，有榮氣熱胕，其氣不清，故使其鼻柱壞而色敗，皮膚瘍潰。吹則風入於經脈之中也。榮行脈中，故風入脈中，內攻於血，與榮氣合，合熱而血胕壞也。其氣不清，言潰亂也。然血脈潰亂，榮復挾風，陽脈盡上於頭，鼻爲呼吸之所，故鼻柱壞而色惡，皮膚破而潰爛也。脈要精微論曰：脈風盛爲癘。風寒客於脈而不去，名曰癘風，或名曰寒熱。始爲寒熱，熱成曰癘風。新校正云：按別本成一作盛。以春甲乙傷於風者爲肝風，以夏丙丁傷於風者爲心風，以季夏戊己傷於邪者爲脾風，以秋庚辛中於邪者爲肺風，以冬壬癸中於邪者爲腎風。春甲乙木肝主之，夏丙丁火心主之，季夏戊己土脾主之，秋庚辛金肺主之，冬壬癸水腎主之。風中五藏六府之俞，亦爲藏府之風，各入其門戶所中，則爲偏風。隨俞左右而偏中之，則爲偏風。風氣循風府而上，

大素廿九諸風狀論

則爲腦風。風入係頭，則爲目風，眼寒。風府，穴名，正入項髮際一寸，大筋內宛宛中，督脈、陽維之會。自風府而上，則腦戶也。腦戶者，督脈、足太陽之會，故循風府而上，則爲腦風也。足太陽之脈者，起於目內眥，上額交巔上，入絡腦，還出，故風入係頭，則爲目風，眼寒也。飲酒中風，則爲漏風。熱鬱腠疎，中風汗出，多如液漏，故曰漏風。經具名曰酒風。入房汗出中風，則爲內風。內耗其精，外開腠理，因內風襲，故曰內風。經具名曰勞風。新沐中風，則爲首風。沐髮中風，舍於頭，故曰首風。久風入中，則爲腸風飧泄。風在腸中，上熏於胃，故食不化而下出焉。飧泄者，食不化而出也。新校正云：按全元起云：飧泄者，水穀不分爲利。外在腠理，則爲泄風。風居腠理，則玄府開通，風薄汗泄，故云泄風。故風者，百病之長也，至其變化，乃爲他病也，無常方，然致有風氣也。長，先也，先百病而有也。新校正云：按全元起本及甲乙經，致字作故攻。帝曰：五藏風之形狀不同者何？願聞其診及其病能。診謂可言之證，能謂內作病形。岐伯曰：肺風之狀，多汗惡風，色皏然白，時欬短氣，晝日則差暮則甚診在眉上其色白凡内多風氣則熱有餘熱則腠理開故多汗也風薄於内故惡風焉皏謂薄白色也肺色白在變動爲欬主藏氣風内迫之故色皏然白時欬短氣也晝則陽氣在表故差暮則陽氣入裏風内應之故甚也眉上謂兩眉間之上闕庭之部所以外司肺候故診在焉白肺色也心風之狀多汗惡風焦絶善怒嚇赤色病甚則言不可快診在口其色赤焦絶謂脣焦而文理斷絶也何者熱則皮剝故也風薄於心則神亂故善怒而嚇人也心脉支別者從心系上俠咽喉而主舌故病甚則言不可快也口脣色赤故診在焉赤者心色也　新校正云按甲乙經無嚇字肝風之狀多汗惡風善悲色微蒼嗌乾善怒時憎女子診在目下其色青肝病則心藏無養心氣虛故善悲肝合木木色蒼故色微蒼也肝脉者循股陰入髦中環陰器抵少腹俠胃屬肝絡膽上貫膈布脅肋循喉嚨之後入頏顙上出額與督脉會於巔其支別者從目系下故嗌乾善怒　時憎女子診在目下也青肝色也脾風之狀多汗惡風身體怠墯四支不欲動色薄微黃不嗜食診在鼻上其色黃脾脉起於足上循䯒骨又上膝股内前廉入腹屬脾絡胃上膈俠咽連舌本散

舌下其支別者復從胃別上鬲注心中心脉出於手循臂故身體怠墮四支不欲動而不嗜食脾氣合土主中央鼻於面部亦居中故診在焉黄脾色也　新校正云按王注脾風不當引心脉出於手循臂七字於義無取脾主四支脾風則四支不欲動矣

腎風之狀多汗惡風面痝然浮腫脊痛不能正立其色炲隱曲不利診在肌上其色黑　痝然言腫起也炲黑色也腎者陰也目下亦陰也故腎藏受風則面痝然而浮腫腎脉者起於足下上循腨内出膕内廉上股内後廉貫脊故脊痛不能正立也隱曲者謂隱蔽委曲之處也腎藏精外應交接今藏被風薄精氣内微故隱蔽委曲之事不通利所爲也陰陽應象大論曰氣歸精精食氣今精不足則氣内歸精氣不注皮故肌皮上黒也黒腎色也

胃風之狀頸多汗惡風食飲不下鬲塞不通腹善滿失衣則䐜脹食寒則泄診形瘦而腹大　胃之脉支別者從頤後下廉過人迎循喉嚨入缺盆下鬲屬胃絡脾其直行者從缺盆下乳内廉下俠齊入氣衝中其支別者起胃下口循腹裏至氣衝中而合故頸多汗食飲不下鬲塞不通腹善滿也然失衣則外寒而中熱故腹䐜脹食寒則寒物薄胃而陽不内消故泄利胃合脾而主肉胃氣不足則肉不長故瘦也胃中風氣稸聚故腹大也　新校正云按孫思邈云新食竟取風爲胃風

首風之狀頭面

多汗惡風。當先風一日則病甚，頭痛不可以出內。至其風日則病少愈。頭者諸陽之會，風客之則皮腠疏，故頭面多汗也。夫人陽氣外合於風，故先當風一日則病甚，以先風甚，故亦先衰。是以至其風日則病少愈。內謂室屋之內也。不可以出屋室之內者，以頭痛甚而不喜外風故也。新校正云：按孫思邈云：新沐浴竟取風為首風。

漏風之狀，或多汗，常不可單衣，食則汗出，甚則身汗，喘息惡風，衣常濡，口乾善渴，不能勞事。脾胃風熱，故不可單衣。腠理開疏，故食則汗出。甚則風薄於肺，故身汗喘息惡風，衣裳濡，口乾善渴也。形勞則喘息，故不能勞事。新校正云：按孫思邈云：因醉取風為漏風，其狀惡風，多汗少氣，口乾善渴，近衣則身熱如火，臨食則汗流如雨，骨節懈惰，不欲自勞。

泄風之狀，多汗，汗出泄衣上，口中乾上漬，其風不能勞事，身體盡痛則寒。上漬，謂皮上濕如水漬也，以多汗出故爾。汗多則津液涸，故口中乾。形勞則汗出甚，故不能勞事。身體盡痛，以其汗多，汗多則亡陽，故寒也。新校正云：按孫思邈云：新房室竟取風為內風，其狀惡風，汗流沾衣裳，疑此泄風乃內風也。按本論前文先云漏風、內風、首風，次言入中為腸風，在外為泄風，今有泄風而無內風，孫思邈載內風乃此泄風之狀，故疑

大素全存

此淛字內之誤也。帝曰善。

痺論篇第四十三

新校正云：按全元起本在第八卷。

黃帝問曰：痺之安生？安猶何也。言何以生。岐伯對曰：風寒濕三氣雜至，合而爲痺也。雖合而爲痺，發起亦殊矣。其風氣勝者爲行痺，寒氣勝者爲痛痺，濕氣勝者爲著痺也。風則陽受之，故爲痺行；寒則陰受之，故爲痺痛；濕則皮肉筋脉受之，故爲痺著而不去也。故乃痺從風寒濕之所生也。帝曰：其有五者何也？言風寒濕氣各異，則三痺生，有五何氣之勝也。岐伯曰：以冬遇此者爲骨痺，以春遇此者爲筋痺，以夏遇此者爲脉痺，以至陰遇此者爲肌痺，以秋遇此者爲皮痺。冬主骨，春主筋，夏主脉，秋主皮，至陰主肌肉，故各爲其痺也。至陰謂戊己月及土寄王月也。帝曰：內舍五藏六府，何氣使然？言皮肉筋脉痺以五時之外遇，然內居藏府，何以致之。岐伯曰：五藏皆

圭筋極

大素三陰陽雜說

有合，病久而不去者，內舍於其合也。肝合筋，心合脈，脾合肉，肺合皮，腎合骨，久病不去，則入於是。故骨痹不已，復感於邪，內舍於腎；筋痹不已，復感於邪，內舍於肝；脈痹不已，復感於邪，內舍於心；肌痹不已，復感於邪，內舍於脾；皮痹不已，復感於邪，內舍於肺。所謂痹者，各以其時重感於風寒濕之氣也。時謂氣王之月也。肝王春，心王夏，肺王秋，腎王冬，脾王四季之月。感謂感應也。凡痹之客五藏者：肺痹者，煩滿喘而嘔。以藏氣應息，又其脈還循胃口，故使煩滿喘而嘔。心痹者，脈不通，煩則心下鼓，暴上氣而喘，嗌乾善噫，厥氣上則恐。心合脈，受邪則脈不通利也。邪氣內擾，故煩也。手心主心包之脈，起於胸中，出屬心包，下鬲。手少陰心脈，起於心中，出屬心系，下鬲絡小腸。其支別者，從心系上俠咽喉；其直者，復從心系却上肺。故煩則心下鼓，滿暴上氣而喘，嗌乾也。心主為噫，以下鼓滿，故噫之以出氣也。若是逆氣上乘於心，則恐畏也，神懼凌弱故爾。肝痹者，夜卧則驚，多飲數小便，上為引如懷。肝主驚駭，氣相應，故中夜卧則驚也。肝之脉循股陰，入髦中，環陰器，抵少腹，俠胃，屬肝，絡膽，上貫鬲，布脇肋，循喉嚨之後，上入頏顙，故多飲水，數小便，上引少腹，如懷妊之狀。腎痺者，善脹，尻以代踵，脊以代頭。腎者胃之關，關不利則胃氣不轉，故善脹也。尻以代踵，謂足攣急也。脊以代頭，謂身踡屈也。踵，足跟也。腎之脉起於足小指之下，斜趣足心，出於然骨之下，循內踝之後，別入跟中，以上腨內，出膕內廉，上股內後廉，貫脊，屬腎，絡膀胱。其直行者，從腎上貫肝鬲，入肺中，氣不足而受邪，故不伸展。新校正云：詳然骨一作然谷。脾痺者，四支解墯，發欬嘔汁，上為大塞。土王四季，外主四支，故四支解墯。又以其脉起於足，循腨䯒，上膝股也。然脾脉入腹，屬脾絡胃，上鬲俠咽，故發欬嘔汁。脾氣養肺，胃復連咽，故上為大塞也。腸痺者，數飲而出不得，中氣喘爭，時發飧泄。大腸之脉入缺盆，絡肺，下鬲屬大腸。小腸之脉又入缺盆，絡心，循咽下鬲抵胃，屬小腸。今小腸有邪則脉不下鬲，脉不下鬲則腸不行化，而胃氣蓄熱，故多飲水而不得下出也。腸胃中陽氣與邪氣奔喘交爭，得時通利，以腸氣不化，故時或得通則為飧泄。胞痺者，少腹膀胱按之內痛，若沃以湯，澀於小便，上為清涕。膀胱為津液之府胞內居之，少腹處關元之中，內藏胞器。然膀胱之脈起於目內眥，上額交巔上，入絡腦，還出別下項，循肩髆內，俠脊抵膂中，入循膂絡腎屬膀胱。其支別者，從膂中下貫臀，入膕中。今胞受風寒濕氣，則膀胱太陽之脈不得下流於足，故少腹膀胱按之內痛，若沃以湯，澀於小便也。小便既澀，太陽之脈不得下行，故上爍其腦而為清涕出於鼻竅矣。沃，猶灌也。新校正云：按全元起本「內痛」二字作「兩髀」。

陰氣者，靜則神藏，躁則消亡。陰，謂五神藏也。所以說神藏與消亡者，言人安靜不涉邪氣，則神氣寧以內藏；人躁動觸冒邪氣，則神被害而離散，藏無所守，故曰消亡。此言五藏受邪之為痹也。

飲食自倍，腸胃乃傷。藏以躁動致傷，府以飲食見損，皆謂過用越性則受其邪。此言六府受邪之為痹也。

淫氣喘息，痹聚在肺；淫氣憂思，痹聚在心；淫氣遺溺，痹聚在腎；淫氣乏竭，痹聚在肝；淫氣肌絕，痹聚在脾。淫氣，謂氣之妄行者，各隨藏之所主而入為痹也。新校正云：詳從上「凡痹之客五藏者」至此，全元起本在《陰陽別論》中，此王氏之所移也。

諸痹不已，亦益內也。從外不去，則益深至於身內。

其風氣勝者，其人易已也。

帝曰：痹，其時有死者，或疼久者，或易已者，其故何也？岐伯

立言家傷寒例亦異作棄[?]此作不異似傷字然宋校云引傷寒論亦異則王注元來作亦不異可知也

曰其入藏者死其留連筋骨間者疼久其留皮膚間者易已入藏者死以神去也筋骨疼久以其定也皮膚易已以浮淺也由斯深淺故有是不同帝曰其客於六府者何也岐伯曰此亦其食飲居處爲其病本也四方雖土地溫涼高下不同物性剛柔食居不異但動過其分則六府致傷陰陽應象大論曰水穀之寒熱感則害六府　新校正云按傷寒論曰物性剛柔食居亦異六府亦各有俞風寒濕氣中其俞而食飲應之循俞而入各舍其府也六府俞亦謂背俞也膽俞在十椎之傍胃俞在十二椎之傍三焦俞在十三椎之傍大腸俞在十六椎之傍小腸俞在十八椎之傍膀胱俞在十九椎之傍隨形分長短而取之如是各去脊同身寸之一寸五分並足太陽脉氣之所發也　新校正云詳六府俞並在本椎下兩傍此注言在椎之傍者文略也帝曰以鍼治之奈何岐伯曰五藏有俞六府有合循脉之分各有所發各隨其過新校正云按甲乙經隨作治則病瘳也肝之俞曰太衝心之俞曰太陵脾之俞曰太白肺之俞曰太淵腎之俞曰太谿皆經脉之所注也太衝在足大指間本節後二寸陷者中　新校正云按刺腰

痛注云太衝在足大指本節後內間二寸陷者中動脈應手刺可入同身寸
之三分留十呼若灸者可灸三壯太陵在手掌後骨兩筋間陷者中刺可入同
身寸之六分留七呼若灸者可灸三壯太白在足內側核骨下陷者中刺可入
同身寸之三分留七呼若灸者可灸三壯太淵在手掌後陷者中刺可入同身
寸之二分留二呼若灸者可灸三壯太谿在足內踝後跟骨上動脈陷者中刺
可入同身寸之三分留七呼若灸者可灸三壯也胃合入于三里膽合入于陽
陵泉大腸合入于曲池小腸合入于小海三焦合入于委陽膀胱合入于委中
三里在膝下三寸䯒外廉兩筋肉間刺可入同身寸之一寸留七呼若灸者可灸
三壯陽陵泉在膝下一寸䯒外廉陷者中刺可入同身寸之六分留十呼若灸
者可灸三壯小海在肘內大骨外去肘端五分陷者中屈肘乃得之刺可入同
身寸之二分留七呼若灸者可灸五壯曲池在肘外輔屈肘曲骨之中刺可入
同身寸之五分留七呼若灸者可灸三壯委陽在足膕中外廉兩筋間刺可入
同身寸之七分留五呼若灸者可灸三壯屈伸而取之委中在膕中央約文中
動脈刺可入同身寸之五分留七呼若灸者可灸三壯 新校正云按刺熱注
委中在足膝後屈處餘並同此 故經言循脈之分各有所發各隨其過則病
瘳也過謂脈所經過處 新校正云詳王氏以委陽爲三焦之合按甲乙經云
委陽三焦下輔俞也足太陽之別絡三焦之合宜在手少陽經天井穴爲少陽
脉之所入爲合詳此六府之合但引本經所入之穴獨三焦不引本經所入之
穴者王氏之誤也王氏但見甲乙經云三焦合于委陽彼說自異彼又以大腸
合于巨虛上廉小腸合于下廉此以曲池小海易之故知當以天井穴爲合也

帝曰榮衛之氣亦令人痺乎岐伯曰榮者水穀之精氣也和調於五藏灑陳於六府乃能入於脉也正理論曰穀入於胃脉道乃行水入於經其血乃成又靈樞經曰榮氣之道内穀爲寶新校正云按別本寶作實穀入於胃氣傳與肺精專者上行經隧由此故水穀精氣合榮氣運行而入於脉也故循脉上下貫五藏絡六府也榮行脉内故無所不至衛者水穀之悍氣也其氣慓疾滑利不能入於脉也悍氣謂浮盛之氣也以其浮盛之氣故慓疾滑利不能入於脉中也故循皮膚之中分肉之間熏於肓膜散於胸腹皮膚之中分肉之間謂脉外也肓膜謂五藏之間鬲中膜也以其浮盛故能布散於胸腹之中空虛之處熏其肓膜令氣宣通也逆其氣則病從其氣則愈不與風寒濕氣合故不爲痺帝曰善痺或痛或不痛或不仁或寒或熱或燥或濕其故何也岐伯曰痛者寒氣多也有寒故痛也風寒濕氣

客於肉分之間迫切而爲沫得寒則聚聚則排分肉肉裂則痛故有寒則痛也其不痛不仁者病久入深榮衛之行濇經絡時踈故不通新校正云按甲乙經不通作不痛詳甲乙經此條論不痛與不仁兩事後言不痛是再明不痛之爲重也皮膚不營故爲不仁不仁者皮頑不知有無也其寒者陽氣少陰氣多與病相益故寒也病本生於風寒濕氣故陰氣益之也其熱者陽氣多陰氣少病氣勝陽遭陰故爲痺熱遭遇也言遇於陰氣陰氣不勝故爲熱　新校正云按甲乙經遭作乘其多汗而濡者此其逢濕甚也陽氣少陰氣盛兩氣相感故汗出而濡也中表相應則相感也帝曰夫痺之爲病不痛何也岐伯曰痺在於骨則重在於脉則血凝而不流在於筋則屈不伸在於肉則不仁在於皮則寒故具此五者則不痛也凡痺之類逢寒則蟲逢熱

則縱。帝曰善。蟲謂皮中如蟲行。縱謂縱緩不相就。新校正云按甲乙經蟲作急。

痿論篇第四十四新校正云按全元起本在第四卷

黃帝問曰五藏使人痿何也。痿謂痿弱無力以運動。岐伯對曰肺主身之皮毛。心主身之血脉。肝主身之筋膜。新校正云按全元起本云膜者人皮下肉上筋膜也。脾主身之肌肉。腎主身之骨髓。所主不同痿生亦各歸其所主。故肺熱葉焦則皮毛虛弱急薄著則生痿躄也。躄謂攣躄足不得伸以行也肺熱則腎受熱氣故爾。心氣熱則下脉厥而上上則下脉虛虛則生脉痿樞折挈脛縱而不任地也。心熱盛則火獨光火獨光則内炎上腎之脉常下行今火盛而上炎用事故腎脉亦隨火炎爍而逆上行也陰氣厥逆火復内燔陰上隔陽下不守位心氣通脉故生脉痿腎氣主足故膝腕樞紐如折去而不相提挈脛筋縱緩而不能任用於地也。肝氣熱則膽泄口苦筋膜乾筋膜乾則筋急而攣。

發爲筋痿膽約肝葉而汁味至苦故肝熱則膽液滲泄膽病則口苦今膽液滲泄故口苦也肝主筋膜故熱則筋膜乾而攣急發爲筋痿也八十一難經曰膽在肝短葉間下脾氣熱則胃乾而渴肌肉不仁發爲肉痿脾與胃以膜相連脾氣熱則胃液滲泄故乾而且渴也脾主肌肉今熱薄於內故肌皮不仁而發爲肉痿腎氣熱則腰脊不舉骨枯而髓減發爲骨痿腰爲腎府又腎脉上股內貫脊屬腎故腎氣熱則腰脊不舉也腎主骨髓故熱則骨枯而髓減發則爲骨痿帝曰何以得之岐伯曰肺者藏之長也爲心之蓋也位高而布葉於胸中是故爲藏之長心之蓋有所失亡所求不得則發肺鳴鳴則肺熱葉焦志苦不暢氣鬱故也肺藏氣氣鬱不利故喘息有聲而肺熱葉焦也故曰五藏因肺熱葉焦發爲痿躄此之謂也肺者所以行榮衛治陰陽故引曰五藏因肺熱而發爲痿躄也悲哀太甚則胞絡絕胞絡絕則陽氣內動發則心下崩數溲血也悲則心系急肺布葉舉而上焦不通榮衛不散熱氣在中故胞絡絕而陽氣內鼓動發則心下崩數溲血也心

下崩謂心包内崩而下血也溲謂溺也 新校正云按楊上善云胞絡者心上胞絡之脉也詳經注中胞字俱當作包全本胞又作肌也 故本病曰大經空虛發爲肌痹傳爲脉痿 本病古經論篇名也大經謂大經脉也以心崩溲血故大經空虛脉空則熱内薄衛氣盛榮氣微故發爲肌痹也先見肌痹後漸脉痿故曰傳爲脉痿也 思想無窮所願不得意淫於外入房太甚宗筋弛縱發爲筋痿及爲白淫 思想所願爲祈欲也施寫勞損故爲筋痿及白淫也白淫謂白物淫衍如精之狀男子因溲而下女子陰器中綿綿而下也 故下經曰筋痿者生於肝使内也 下經上古之經名也使内謂勞役陰力費竭精氣也 有漸於濕以水爲事若有所留居處相濕肌肉濡漬痹而不仁發爲肉痿 業惟近濕居處澤下皆水爲事也平者久而猶怠感之者尤甚矣肉屬於脾脾氣惡濕濕著於内則衛氣不榮故肉爲痿也 故下經曰肉痿者得之濕地也 陰陽應象大論曰地之濕氣感則害皮肉筋脉此之謂害肉也 有所遠行勞倦逢大熱而渴渴則陽氣内伐内伐則熱舍

大素廿六 脉陽明者 之壽不用

閏字鈎之 嘗有說 可參

於腎，腎者水藏也，今水不勝火，則骨枯而髓虛，故足不任身，發爲骨痿。陽氣内伐，謂伐腹中之陰氣也。水不勝火，以熱舍於腎中也。故下經曰：骨痿者，生於大熱也。腎性惡燥，熱反居中，熱薄骨乾，故骨痿無力也。帝曰：何以別之？岐伯曰：肺熱者色白而毛敗，心熱者色赤而絡脈溢，肝熱者色蒼而爪枯，脾熱者色黄而肉蠕動，腎熱者色黑而齒槁。各求藏色及所主養而命之，則其應也。帝曰：如夫子言可矣，論言治痿者獨取陽明，何也？岐伯曰：陽明者，五藏六府之海，陽明，胃脉也。胃爲水穀之海也。主閏宗筋，宗筋主束骨而利機關也。宗筋謂陰髦中横骨上下之竪筋也，上絡胷腹，下貫髖尻，又經於背腹上頭項，故云宗筋主束骨而利機關也。然腰者身之大關節，所以司屈伸，故曰機關。衝脉者，經脉之海也，靈樞經曰：衝脉者，十二經之海。主滲灌谿谷，與陽明合於宗筋，尋此則横骨上下齊兩傍竪筋正宗筋也衝脉循腹俠齊傍各同身寸之五分而上陽明脉亦俠齊傍各同身寸之一寸五分而上宗筋脉於中故云與陽明合於宗筋也以爲十二經海故主滲灌谿谷也肉之大會爲谷小會爲谿 新校正云詳宗筋脉於中一作宗筋縱於中 陰陽揔宗筋之會會於氣街而陽明爲之長皆屬於帶脉而絡於督脉 宗筋聚會會於橫骨之中從上而下故云陰陽揔宗筋之會也宗筋俠齊下合於橫骨陽明輔其外衝脉居其中故云會於氣街而陽明爲之長也氣街則陰毛兩傍脉動處也帶脉者起於季脇迴身一周而絡於督脉也督脉者起於關元上下循腹故云皆屬於帶脉而絡於督脉也督脉任脉衝脉三脉者同起而異行故經文或參差而引之 故陽明虛則宗筋縱帶脉不引故足痿不用也 陽明之脉從缺盆下乳內廉下俠齊至氣街中其支別者起胃下口循腹裏下至氣街中而合以下髀抵伏兔下入膝臏中下循䯒外廉下足跗入中指內間其支別者下膝三寸而別以下入中指外間故陽明虛則宗筋縱緩帶脉不引而足痿弱不可用也引謂牽引 帝曰治之奈何岐伯曰各補其滎而通其俞調其虛實和其逆順筋脉骨肉各以其時受月則病已矣帝曰善 時受月謂受氣

太素全存
太素廿六寒熱厥 病源十二 甲七陰衰發熱厥

非月也如肝王甲乙心王丙丁脾王戊己肺王庚辛腎王壬癸皆王氣法也時受月則正謂五常受氣月也

厥論篇第四十五 新校正云按全元起本在第五卷

黃帝問曰厥之寒熱者何也厥謂氣逆上也世謬傳為脚氣廣飾方論焉岐伯對曰陽氣衰於下則為寒厥陰氣衰於下則為熱厥陽謂足之三陽脉陰謂足之三陰脉下謂足也帝曰熱厥之為熱也必起於足下者何也陽主外而厥在內故問之岐伯曰陽氣起於足五指之表陰脉者集於足下而聚於足心故陽氣勝則足下熱也大約而言之足太陽脉出於足小指之端外側足少陽脉出於足小指次指之端足陽明脉出於足中指及大指之端並循足陽而上肝脾腎脉集於足下聚於足心陰弱故足下熱也新校正云按甲乙經陽氣起於足作走於足起當作走帝曰寒厥之為寒也必從五指而上於膝者何也陰主內而厥在外故問之岐伯曰陰氣起於五指之裏集

寒熱

於膝下而聚於膝上故陰氣勝則從五指至膝上寒其寒也不從外皆從內也亦大約而言之也足太陰脉起於足大指之端內側足厥陰脉起於足大指之端三毛中足少陰脉起於足小指之下斜趣足心並循足陰而上循股陰入腹故云集於膝下而聚於膝之上也帝曰寒厥何失而然也岐伯曰前陰者宗筋之所聚太陰陽明之所合也宗筋侠齊下合於陰器故云前陰者宗筋之所聚也太陰者脾脉陽明者胃脉脾胃之脉皆輔近宗筋故云太陰陽明之所合　新校正云按甲乙經前陰者宗筋之所聚作厥陰者衆筋之所聚全元起云前陰者厥陰也與王注義異亦自一說春夏則陽氣多而陰氣少秋冬則陰氣盛而陽氣衰此乃天之常道此人者質壯以秋冬奪於所用下氣上爭不能復精氣溢下邪氣因從之而上也質謂形質也奪於所用謂多欲而奪其精氣也氣因於中新校正云按甲乙經氣因於中作所中陽氣衰不能滲營其經絡陽氣日損陰氣獨在故

手足爲之寒也。帝曰：熱厥何如而然也？源其所由爾。岐伯曰：酒入於胃，則絡脉滿而經脉虛，脾主爲胃行其津液者也。陰氣虛則陽氣入，陽氣入則胃不和，胃不和則精氣竭，精氣竭則不營其四支也。前陰爲太陰陽明之所合，故胃不和則精氣竭也。內精不足，故四支無氣以營之。此人必數醉若飽以入房，氣聚於脾中不得散，酒氣與穀氣相薄，熱盛於中，故熱徧於身，内熱而溺赤也。夫酒氣盛而慓悍，腎氣有衰，陽氣獨勝，故手足爲之熱也。醉飽入房，内亡精氣，中虛熱入，由是腎衰陽盛陰虛，故熱生於手足也。帝曰：厥或令人腹滿，或令人暴不知人，或至半日遠至一日乃知人者何也？暴猶卒也，言卒然冒悶不醒覺也。不知人，謂悶甚不知識人也。或謂尸厥。岐伯曰：陰氣盛於上

黄帝内經

太素廿六經 脈厥

則下虛下虛則腹脹滿陽氣盛於上則下氣重上而邪氣逆逆則陽氣亂陽氣亂則不知人也陰謂足太陰氣也新校正云按甲乙經陽氣盛於上五字作腹滿二字當從甲乙經之說何以言之別按甲乙經云陽脉下墜陰脉上爭發尸厥焉有陰氣盛於上而又言陽氣盛於上又按張仲景云少陰脉不至腎氣微少精血奔氣促迫上入胷鬲宗氣反聚血結心下陽氣退下熱歸陰股與陰相動令身不仁此爲尸厥仲景言陽氣退下則是陽氣不得盛於上故知當從甲乙經也又王注陰謂足太陰亦爲未盡按繆刺論云邪客於手足少陰太陰足陽明之絡此五絡皆會於耳中上絡左角五絡俱竭令人身脉皆動而形無知其狀若尸或曰尸厥焉得專解陰爲太陰也

帝曰善願聞六經脉之厥狀病能也爲前問解故請備聞諸經厥也岐伯曰巨陽之厥則腫首頭重足不能行發爲眴仆巨陽太陽也足太陽脉起於目內眥上額交巔上其支別者從巔至耳上角其直行者從巔入絡腦還出別下項循肩髆內俠脊抵腰中入循膂絡腎屬膀胱其支別者從腰中下貫臀入膕中其支別者從髆內左右別下貫胛過髀樞循髀外後廉下合膕中以下貫腨內出外踝之後循京骨至小指之端外側由是厥逆外形斯證也腫或作踵非陽明之厥則巔疾欲

疾

三五

走呼，腹滿不得臥，面赤而熱，妄見而妄言。足陽明脈起於鼻，交頞中，下循鼻外，入上齒中，還出俠口環脣，下交承漿，却循頤後下廉，出大迎，循頰車，上耳前，過客主人，循髮際，至額顱。其支別者，從大迎前下人迎，循喉嚨，入缺盆，下膈，屬胃絡脾。其直行者，從缺盆下乳內廉，下俠齊，入氣街中。其支別者，起胃下口，循腹裏，下至氣街中而合，以下髀，抵伏兔，下入膝臏中，下循䯒外廉，下足跗，入中指內間。其支別者，下膝三寸而別，以下入中指外間。其支別者，跗上入大指間，出其端。故厥如是也。癲一為巔，非。

少陽之厥，則暴聾頰腫而熱，脇痛，䯒不可以運。足少陽脈起於目銳眥，上抵頭角，下耳後，循頸，行手少陽之前，至肩上，交出手少陽之後，入缺盆。其支別者，從耳後入耳中，出走耳前，至目銳眥後。其支別者，目銳眥下大迎，合手少陽於頔，下加頰車，下頸，合缺盆以下胸中，貫膈，絡肝屬膽，循脇裏，出氣街，繞毛際，橫入髀厭中。其直行者，從缺盆下腋，循胸，過季脇，下合髀厭中，以下循髀陽，出膝外廉，下入外輔骨之前，直下抵絕骨之端，下出外踝之前，循足跗，出小指次指之端。故厥如是。

太陰之厥，則腹滿䐜脹，後不利，不欲食，食則嘔，不得臥。足太陰脈起於大指之端，上膝股內前廉，入腹，屬脾絡胃，上膈，俠咽，連舌本，散舌下。其支別者，復從胃別上膈，注心中，故厥如是。

少陰之厥，則口乾溺赤，腹滿心痛。足少陰脈上股內後廉，貫

甲四經脉中

脊屬腎絡膀胱其直行者從腎上貫肝鬲入肺中循喉嚨俠舌本其支別者從肺出絡心注胷中故厥如是

厥陰之厥，則少腹腫痛，腹脹，涇溲不利，好臥屈膝，陰縮腫，䯒內熱。

足厥陰脉去內踝一寸上踝八寸交出太陰之後上膕內廉循股陰入髦中下環陰器抵少腹俠胃屬肝絡膽上貫鬲故厥如是矣䯒內熱一本云䯒外熱傳寫行書內外誤也

盛則寫之，虛則補之，不盛不虛，以經取之。

不盛不虛謂邪氣未盛真氣未虛如是則以宂俞經法留呼多少而取之

太陰厥逆，䯒急攣，心痛引腹，治主病者。

足太陰脉起於大指之端循指內側上內踝前廉上腨內循䯒骨後上膝股內前廉入腹其支別者復從胃別上鬲注心中故䯒急攣心痛引腹也太陰之脉行脅左右俠其有過者當發取之故言治主病者　新校正云詳從太陰厥逆至篇末全元起本在第九卷王氏移於此

少陰厥逆，虛滿嘔變，下泄清，治主病者。

以其脉從腎上貫肝鬲入肺中循喉嚨故如是

厥陰厥逆，攣，腰痛，虛滿前閉，譫言。

新校正云按全元起云譫言者氣虛獨言也

治主病者。

以此脉循股陰入髦中環陰器復上循喉嚨之後絡舌本故如是　新校正云按甲乙經[illegible][illegible]之經不絡舌本王氏注刺熱篇刺腰痛篇并此三注俱云絡舌本文注[illegible][illegible][illegible]

論各不云絡舌本王注自有異同當以甲乙經為正三陰俱逆不得前後使人手足寒三日死三陰絕故三日死太陽厥逆僵仆嘔血善衄治主病者以其脈起目內眥又循脊絡腦故如是少陽厥逆機關不利機關不利者腰不可以行項不可以顧以其脈循頸下繞髮際橫入髀厭中故如是發腸癰不可治驚者死足少陽脈貫鬲絡肝屬膽循脇裏出氣街發腸癰則經氣絕故不可治驚者死也陽明厥逆喘欬身熱善驚衄嘔血以其脈循喉嚨入缺盆下鬲屬胃絡脾故如是手太陰厥逆虛滿而欬善嘔沫治主病者手太陰脈起於中焦下絡大腸還循胃口上鬲屬肺故如是手心主少陰厥逆心痛引喉身熱死不可治手心主脈起於胸中出屬心包手少陰脈其支別者從心系上俠咽喉故如是手太陽厥逆耳聾泣出項不可以顧腰不可以俛仰治主病者手太陽脈支別者從缺盆循頸上頰至目銳眥卻入耳中其支別者從頰上䪼抵鼻至目內眥故耳聾泣出項不可以顧也腰不可以俛仰脈

內經卷三　六　王春

肓

不相應恐古錯簡文手陽明少陽厥逆發喉痺嗌腫痓治主病者手陽明脉支別者從缺盆上頸手少陽脉支別者從膻中上出缺盆上項故如是　新校正云按全元起本痓作痙

重廣補注黃帝内經素問卷第十二

風論　癘音利　潰胡對切　腦奴皓切　痺論　肓音荒　痿論　躄必亦切　髖音寬　尻枯敖切　揔音揔　膹音牝　厥論　顖於交切凹也　讝音儼　僵居良切　仆音赴　髦音毛

重廣補注黃帝內經素問卷第十三

啓玄子次注林億孫奇高保衡等奉敕校正孫兆重改誤

病能論　奇病論

大奇論　脉解篇

病能論篇第四十六 新校正云：按全元起本在第五卷。

黃帝問曰：人病胃脘癰者，診當何如？岐伯對曰：診此者當候胃脉，其脉當沈細，沈細者氣逆，胃者水穀之海，其血盛氣壯，今反脉沈細者，是逆常平也。新校正云：按《甲乙經》沈細作沈濇，《太素》作沈細。逆者人迎甚盛，甚盛則熱；沈細為寒，寒氣格陽，故人迎脉盛。人迎者，陽明之脉，故盛則熱也。人迎，謂結喉傍脉動應手者。人迎者胃脉也，胃脉循喉嚨而入缺盆，故云人迎者胃脉也。逆而盛則熱聚於胃口而不行，故胃脘為

大素安卧 息喘逆 甲十三曰不得眠

甲九腎小腸 關

癰也血氣壯盛而熱內薄之兩氣合熱故結爲癰也帝曰善人有臥而有所不安者何也岐伯曰藏有所傷及精有所之寄則安故人不能懸其病也五藏有所傷損及之水穀精氣有所之寄扶其下則臥安以傷及於藏故人不能懸其病處於空中也新校正云按甲乙經精有所之寄則安作情有所倚則臥不安太素作精有所倚則不安帝曰人之不得偃臥者何也謂不得仰臥也岐伯曰肺者藏之蓋也居高布葉四藏下之故言肺者藏之蓋也肺氣盛則脈大脈大則不得偃臥肺氣盛滿偃臥則氣促喘奔故不得偃臥也論在奇恒陰陽中奇恒陰陽上古經篇名世本闕帝曰有病厥者診右脈沈而緊左脈浮而遲不然病主安在不然言不沈也新校正云按甲乙經不然作不知岐伯曰冬診之右脈固當沈緊此應四時左脈浮而遲此逆四時在左當主病在腎頗關在肺當腰痛也

疾、八二　疾、三七

以冬左脈浮而遲浮為肺脈故言頗關在肺也腰者腎之府故腎受病則腰中痛也帝曰何以言之岐伯曰少陰脈貫腎絡肺今得肺脈腎為之病故腎為腰痛之病也左脈浮遲非肺來見以左腎不足而脈不能沈故得肺脈腎為病也帝曰善有病頸癰者或石治之或鍼灸治之而皆已其真安在言所攻則異所愈則同欲聞真法何所在也岐伯曰此同名異等者也言雖同曰頸癰然其皮中別異不一等也故下云夫癰氣之息者宜以鍼開除去之夫氣盛血聚者宜石而爲之此所謂同病異治也息瘜也死肉也石砭石也可以破大癰出膿今以鈹鍼代之帝曰有病怒狂者新校正云按太素怒狂作善怒此病安生岐伯曰生於陽也帝曰陽何以使人狂怒不慮禍故謂之狂岐伯曰陽氣者因暴折而難決故善怒也病名曰陽厥言陽氣被折鬱不散也此人多怒亦曾因暴折而心

不跳暢故爾如是者皆陽逆躁極所生故病名陽厥帝曰何以知之岐伯曰陽明者常動巨陽少陽不動不動而動大疾此其候也言頸項之脉皆動不止也陽明常動者動於結喉傍是謂人迎氣舍之分位也若曲頰下是謂天窗天牖之分位也若巨陽之動動於項兩傍大筋前陷者中是謂天柱天容之分位也不應常動而反動甚者動當病也　新校正云詳王注以天牕爲少陽之分位天容爲太陽之分位按甲乙經天牕乃太陽脉氣所發天容乃少陽脉氣所發二位交互當以甲乙經爲正也帝曰治之奈何岐伯曰奪其食即已夫食入於陰長氣於陽故奪其食即已食少則氣衰故節去其食即病自止　新校正云按甲乙經奪作衰太素同使之服以生鐵洛爲飲新校正云按甲乙經鐵洛作鐵落爲飲作爲後飯夫生鐵洛者下氣疾也之或爲人傳文誤也鐵洛味辛微溫平主治下氣方俗或呼爲鐵漿非是生鐵液也帝曰善有病身熱解墮汗出如浴惡風少氣此爲何病岐伯曰病名曰酒風飲酒中風者也風論曰飲酒中風則爲漏風是亦名漏風也夫極飲

者陽氣盛而腠理踈玄府開發陽盛則筋痿弱故身體解惰也腠理踈則風內
攻玄府發則氣外泄故汗出如浴也風氣外薄膚腠復開汗多內虛癉熱薰肺
故惡風少氣也因酒而病故曰酒風。帝曰：治之奈何？岐伯曰：以澤瀉、朮各十
分，麋銜五分，合以三指撮為後飯。朮味苦溫平主治大風止汗麋銜味苦寒平主治風
濕筋痿澤瀉味甘寒平主治風濕益氣由此功用方故先之飯後藥先謂之後飯。所謂深之細者，其中手
如鍼也，摩之切之。聚者，堅也；博者，大也。上經者，言氣
之通天也；下經者，言病之變化也；金匱者，決死生也；
揆度者，切度之也；奇恒者，言奇病也。所謂奇者，使奇
病不得以四時死也；恒者，得以四時死也。新校正云：按楊上善云：得病傳
之至於勝時而死此為恒中生喜怒令病次傳者此為奇。所謂揆者，方切求之也，言切求
其脉理也；度者，得其病處，以四時度之也。凡言所謂者皆釋上文義今此

太素全存

甲乙三婦人雜病

太素此病字在下存

故太素詳篇名

所謂尋前後經悉不與此篇義相接似今數句少成文義者終是別釋經文世本既闕第七二篇應彼闕經錯簡文也古文斷裂繆續於此

奇病論篇第四十七

新校正云按全元起本在第五卷

黃帝問曰人有重身九月而瘖此爲何也重身謂身中有身則懷姙者也瘖謂不得言語也姙娠九月足少陰脉養胎約氣斷則瘖不能言也岐伯對曰胞之絡脉絶也絶謂脉斷絶而不通流而不能言非天真之氣斷絶也帝曰何以言之岐伯曰胞絡者繫於腎少陰之脉貫腎繫舌本故不能言少陰腎脉也氣不營養故舌不能言帝曰治之奈何岐伯曰無治也當十月復十月胎去胞絡復通腎脉上營故復舊而言也刺法曰無損不足益有餘以成其疹疹謂久病也反法而治則胎死不去遂成久固之疹病也然後調之新校正云按甲乙經及太素無此四字按全元起注云所謂不治者其身九月而瘖身重不得爲治須十月滿生後復如常也然後調之則此四字本全元起注文誤書於此當删去之所謂無損不足者

六二

身羸瘦無用鑱石也妊娠九月筋骨瘦勞力少身重又拒於穀故身形羸瘦不可以鑱石傷也無益其有餘者腹中有形而泄之泄之則精出而病獨擅中也故曰疹成也胎約胞絡腎氣不通因而泄之腎精隨出精液内竭胎則不全胎死腹中著而不去由此獨擅故疹成焉帝曰病脅下滿氣逆二三歲不已是爲何病岐伯曰病名曰息積此不妨於食不可灸刺積爲導引服藥藥不能獨治也腹中無形脅下逆滿頻歲不愈息且形之氣逆息難故名息積也氣不在胃故不妨於食也灸之則火熱内爍氣化爲風刺之則必寫其經轉成虛敗故不可灸刺是可積爲導引使氣流行久以藥攻内消瘀稸則可矣若獨憑其藥而不積爲導引則藥亦不能獨治之也

帝曰人有身體髀股䯒皆腫環齊而痛是爲何病岐伯曰病名曰伏梁以衝脉病故名曰伏梁然衝脉者與足少陰之絡起於腎下出於氣街循陰股内廉斜入膕中循䯒骨内廉並足少陰經下入内踝之後入足下其上行者出齊下同身寸之三寸關元之分俠齊直上循腹各行會於咽喉故身體髀皆腫繞齊而痛名曰

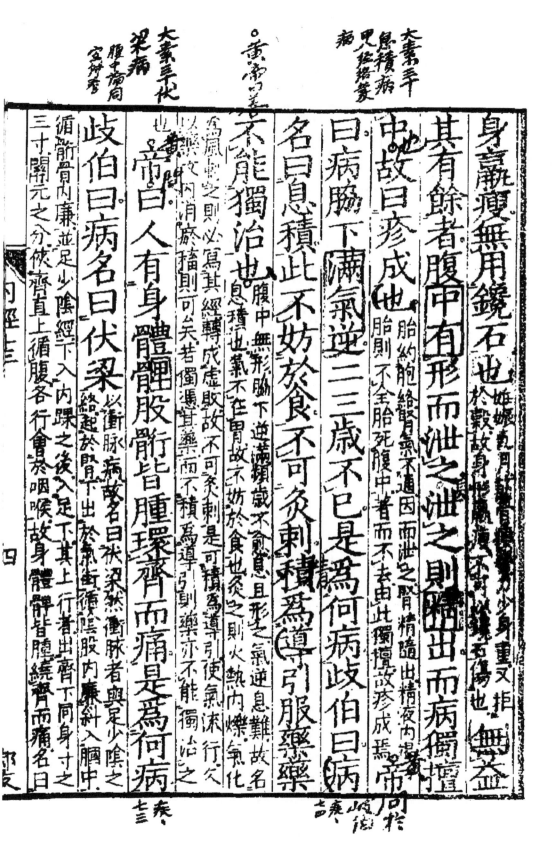

伏梁環謂圓繞如環也此風根也其氣溢於大腸而著於肓肓之原在臍下故環臍而痛也大腸廣腸也經說大腸當言迴腸也何者靈樞經曰迴腸當臍右環迴周葉積而下廣腸附脊以受迴腸左環葉積上下辟大八寸此則是迴腸非應言大腸也然大腸迴腸俱與肺合從合而命故通曰大腸也不可動之動之為水溺濇之病也以衝脈起於腎下出於氣街其上行者起於胞中上出臍下關元之分故動之則為水而溺濇也動謂齊其毒藥而擊動之使其大下也此一問答之義與腹中論同以為奇病故重出於此

帝曰人有尺脈數甚筋急而見此為何病筋急謂掌後尺中兩筋急也脈要精微論曰尺外以候腎尺裏以候腹中今尺脈數急脈數為熱熱當筋緩反尺中筋急而見腹中筋當急故問為病乎靈樞經曰熱即筋緩寒則筋急岐伯曰此所謂疹筋是人腹必急白色黑色見則病甚腹急謂俠臍腎筋俱急以尺裏候腹中故見尺中筋急則必腹中拘急矣色見謂見於面部也夫相五色者白為寒黑為寒故二色見病彌甚也

帝曰人有病頭痛以數歲不已此安得之名為何病頭痛之疾不當踰月數年不愈故怪而問之也

大素長刺節 甲乙脈診 疹、七五

大素廿頭 處痛 甲九大寒 內薄 疾、三六

大素脾癉　卅
消渴
甲乙五氣
痹源五消渴

岐伯曰：當有所犯大寒，內至骨髓，髓者以腦爲主，腦逆故令頭痛，齒亦痛。夫腦爲髓主，齒是骨餘，腦逆反寒，骨亦寒，入故令頭痛齒亦痛。病名曰厥逆。帝曰：善。全注：人先生於腦，緣有腦則有骨髓，齒者骨之本也。

帝曰：有病口甘者，病名爲何？何以得之？岐伯曰：此五氣之溢也，名曰脾癉。癉謂熱也。脾熱則四藏同稟，故五氣上溢也。生因脾熱，故曰脾癉。夫五味入口，藏於胃，脾爲之行其精氣，津液在脾，故令人口甘也。脾熱內滲，津液在脾，胃穀化餘，精氣隨溢，口通脾氣，故口甘。津液在脾，是脾之濕。此肥美之所發也。新校正云：按《太素》發作致。此人必數食甘美而多肥也。肥者令人內熱，甘者令人中滿，故其氣上溢，轉爲消渴。食肥則腠理密，陽氣不得外泄，故肥令人內熱。甘者性氣和緩而發散逆，故甘令人中滿。然內熱則陽氣炎上，炎上則欲飲而嗌乾；中滿則陳氣有餘，有餘則脾氣上溢，故曰其氣上溢轉爲消渴也。《陰陽應象大論》曰：辛甘發散爲陽。《靈樞經》曰：甘多食之，令人

痹
六一

悶然從中滿以生之 新校正云按甲乙經消渴作消癉 治之以蘭除陳氣也 蘭謂蘭草也神農曰蘭草味辛熱平利水道辟不祥胷中痰澼也除謂去也陳謂久也言蘭除陳久甘肥不化之氣者以辛能發散故也藏氣法時論曰辛者散也 新校正云按本草蘭平不言熱也

帝曰有病口苦取陽陵泉口苦者病名爲何何以得之岐伯曰病名曰膽癉 亦謂熱也膽汁味苦故口苦 新校正云按全元起本及太素無口苦取陽陵泉六字詳前後文勢疑此爲誤 夫肝者中之將也取決於膽咽爲之使 靈蘭祕典論曰肝者將軍之官謀慮出焉膽者中正之官決斷出焉肝與膽合氣性相通故諸謀慮取決於膽咽膽相應故咽爲使焉 新校正云按甲乙經曰膽者中精之府五藏取決於膽咽爲之使疑此文誤 此人者數謀慮不決故膽虛氣上溢而口爲之苦治之以膽募俞 胷腹曰募背脊曰俞膽募在乳下二肋外期門下同身寸之五分俞在脊第十椎下兩傍相去各同身寸之一寸半 治在陰陽十二官相使中 言治法具於彼篇今經已

帝曰有癃者一日數十溲此不足也身熱如炭頸

膺如格人迎躁盛喘息氣逆此有餘也是陽氣太盛於外陰氣不足故有餘也。新校正云詳此十五字舊作文寫接甲乙經太素並無此文再詳乃是全元起注後人誤書於此今作注書太陰脉微細如髮者此不足也其病安在名爲何病癃小便不得也溲小便也頸膺如格言頸與胷膺如相格拒不順應也人迎躁盛謂結喉兩傍脉動盛滿急數非常躁速也胃脉也太陰脉微細如髮者謂手大指後同身寸之一寸骨高脉動處脉則肺脉也此正手太陰脉氣之所流可以候五藏也岐伯曰病在太陰其盛在胃頗在肺病名曰厥死不治病癃數溲身熱如炭頸膺如格息氣逆者皆手太陰脉當洪大而數今太陰脉反微細如髮者是病與脉相反也何以致之肺氣逆陵於胃而爲是上使人迎躁盛也故曰病在太陰其盛在胃也以喘息氣逆故云頗亦在肺也病因氣逆證不相應故病名曰厥死不治也此所謂得五有餘二不足也帝曰何謂五有餘二不足岐伯曰所謂五有餘者五病之氣有餘也二不足者亦病氣之不足也今外得五有餘內得二不足此其身不表不裏亦正死明矣外五有餘者一身熱如炭二頸膺如格三人迎躁盛四喘息五氣逆也內二不足者一病癃一日數十溲二太陰脉微細如髮夫如是者謂其病在表則內有二不足謂其病在裏則外得五有餘表裏既不可馮補冩固難爲法故曰此其身不表不裏亦正死明矣帝曰人生而有病巔疾者病名曰何安所得之夫百病者皆生於風雨寒暑陰陽喜怒也然始生有形未犯邪氣已有巔疾豈邪氣素傷邪故問之巔謂上巔則頭首也岐伯曰病名爲胎病此得之在母腹中時其母有所大驚氣上而不下精氣并居故令子發爲巔疾也精氣謂陽之精氣也帝曰有病痝然如有水狀切其脉大緊身無痛者形不瘦不能食食少名爲何病痝然謂面目浮起而色雜也大緊謂如弓弦也大即爲氣緊即爲寒寒氣內薄而反無痛與衆別異常故問之也岐伯曰病生在腎名爲腎風脉如弓弦大而且緊勞氣內稿寒復內爭勞氣薄寒故化爲風風勝於腎故曰腎風腎風而不能食善

驚駭已，心氣痿者死。腎水受風，心火痿弱，火水俱困，故必死。帝曰：善哉。

大奇論篇第四十八

新校正云：按全元起本在第九卷。

肝滿腎滿肺滿皆實，即為腫。滿謂脈氣滿實也。腫謂癰腫也。藏氣滿乃如是。肺之雍，喘而兩胠滿。肺藏氣而外主息，其脈支別者，從肺系橫出腋下，故喘而兩胠滿也。新校正云：詳肺雍肝雍腎雍，甲乙經俱作癰。肝雍，兩胠滿，臥則驚，不得小便。肝之脈，循股陰入髦中，環陰器，抵少腹，上貫肝鬲，布脇肋，故胠滿不得小便也。肝主驚駭，故臥則驚。腎雍，脚下至少腹滿。新校正云：按甲乙經脚下作胠下，脚當作胠，不得言脚下至少腹也。脛有大小，髀骺大跛，易偏枯。衝脈者，經脈之海，與少陰之絡俱起於腎下，出於氣街，循陰股內廉，斜入膕中，循骺骨內廉，並少陰之經，下入內踝之後，入足下。其上行者，出齊下同身寸之三寸。故如是者，血氣變易，為偏枯也。心脈滿大，癇瘛筋攣。心脈滿大則肝氣下流，熱氣內薄，筋乾血涸，故癇瘛而筋攣。肝脈小急，癇瘛筋攣。肝養筋，內藏血，肝氣受寒，故癇瘛而筋攣。脈小急者，寒也。肝脈騖暴，有所驚駭，騖謂馳騖，言其

大素卄六經脈厥

大素廿六寒熱相移

迅急也陽氣内薄故發爲驚駭也脉不至若瘖不治自已肝氣若厥厥則脉不通厥退則脉復通矣又其脉布脇肋循喉嚨之後故脉不至若瘖不治亦自已腎脉小急肝脉小急心脉小急不鼓皆爲瘕小急爲寒甚不鼓則血不流血不流而寒薄故血内凝而爲瘕也腎肝幷沈爲石水肝脉入陰内貫小腹腎脉貫脊中絡膀胱兩藏幷藏氣熏衝脉自腎下絡於胞今水不行化故堅而結然腎主水水冬冰水宗於腎腎象水而沈故氣幷而沈名爲石水　新校正云詳腎肝並沈至下幷小弦欲驚全元起本在厥論中王氏移於此幷浮爲風水脉浮爲風下焦主水風薄於下故名風水幷虚爲死腎爲五藏之根肝爲發生之主二者不足是生主俱微故死幷小弦欲驚脉小弦爲肝腎不足故爾腎脉大急沈肝脉大急沈皆爲疝疝者寒氣結聚之所爲也夫脉沈爲實脉急爲痛氣實寒薄聚故爲絞痛爲疝心脉搏滑急爲心疝肺脉沈搏爲肺疝皆寒薄於藏故也三陽急爲瘕三陰急爲疝太陽受寒血凝爲瘕太陰受寒氣聚爲疝二陰急爲癎厥二陽急爲驚二陰少陰也二陽陽明也　新校正云詳三陽急爲瘕至此全元起本在厥論王氏移於此脾脉

外鼓沈爲腸澼久自已（外鼓謂鼓動於臂外也）肝脉小緩爲腸澼易治（肝脉小緩爲脾乘肝故易治）腎脉小搏沈爲腸澼下血（小爲陰氣不足搏爲陽氣乘之熱在下焦故下血也）血溫身熱者死（血溫身熱是陰氣喪敗故死）心肝澼亦下血（肝藏血心養血故澼皆下血也）二藏同病者可治（心火肝木木火相生故可治之）其脉小沈濇爲腸澼（心肝脉小而沈濇者澼也）其身熱者死熱見七日死（腸澼下血而身熱者是火氣內絶去心而歸於外也故死火成數七故七日死）胃脉沈鼓濇胃外鼓大心脉小堅急皆鬲偏枯（外鼓謂不當尺寸而鼓擊於臂外側也）男子發左女子發右（陽主左陰主右故爾陰陽應象大論曰左右者陰陽之道路此其義也）不瘖舌轉可治三十日起（偏枯之病瘖不能言腎與胞脉內絶也胞脉繫於腎腎之脉從腎上貫肝鬲入肺中循喉嚨俠舌本故氣內絶則瘖不能言也）其從者瘖三歲起（從謂男子發左女子發右也病順左右而瘖不能言三歲治之乃能起）年不滿二十者三歲死（以其五藏始定血氣方剛藏始定則

易傷氣方剛則甚費易傷甚費故三歲死也脉至而摶血衄身熱者死血衄爲虚脉不應摶今反脉摶

是氣極乃然故死脉來懸鉤浮爲常脉以其爲血衄者之常脉也脉至如喘名曰

暴厥喘謂卒來盛急去而便衰如人之喘狀也暴厥者不知與人言所謂暴厥之候如此脉至

如數使人暴驚脉數爲熱熱則内動肝心故驚三四日自已數爲心脉木被火干病非肝生不與

邪合故三日後四日自除所以爾者木生數三也脉至浮合如浮波之合後至者凌前速疾而動無常候也浮合如

數一息十至以上是經氣予不足也微見九十日死

脉至如火薪然是心精之予奪也草乾而死薪然之火燄瞥瞥不

定其形而便絶也脉至如散葉是肝氣予虚也木葉落而死散如

葉之隨風不常其狀新校正云按甲乙經散葉作叢棘脉至如省客省客者脉塞而鼓

腎氣予不足也懸去棗華而死脉塞而鼓謂纔見不行旋復去也懸謂如懸物物動而絶去也

脉至如丸泥，是胃精予不足也，榆莢落而死。如珠之轉，是謂丸泥。脉至如横格，是膽氣予不足也，禾熟而死。脉長而堅，如横木之在指下也。脉至如弦縷，是胞精予不足也，病善言，下霜而死，不言可治。胞之脉繫於腎，腎之脉俠舌本，人氣不足者，則當不能言，今反善言，是真氣内絶，去腎外歸於舌也，故死。脉至如交漆，交漆者，左右傍至也，微見三十日死。左右傍至，言如瀝漆之交，左右反戾。新校正云：按甲乙經交漆作交棘。脉至如涌泉，浮鼓肌中，太陽氣予不足也，少氣味，韭英而死。如水泉之動，但出而不入。脉至如頹土之狀，按之不得，是肌氣予不足也，五色先見黑，白壘發死。頹土之狀，謂浮之大而虚耎，按之則無。新校正云：按甲乙經頹土作委土。脉至如懸雍，懸雍者，浮揣切之益大，是十二俞之予不足也，水凝而死。如顙中之懸雍也。新校正云：按全元起本懸離作懸離元起注云懸離者言脈與肉不相得也脈至如偃刀偃刀者浮之小急按之堅大急五藏菀熟寒熱獨并於腎也如此其人不得坐立春而死菀積也熟熱也脈至如丸滑不直手不直手者按之不可得也是大腸氣予不足也棗葉生而死脈至如華者令人善恐不欲坐卧行立常聽是小腸氣予不足也季秋而死脈至如華謂似華虛弱不可正取也小腸之脈上入耳中故常聽也

脈解篇第四十九新校正云按全元起本在第九卷

太陽所謂腫腰脽痛者正月太陽寅寅太陽也脽謂臀肉也正月三陽生主建寅三陽謂之太陽故曰寅太陽也正月陽氣出在上而陰氣盛陽未得自次也正月雖三陽生而天氣尚寒以其尚寒故曰陰氣盛陽未得自次也次謂立王之次也故腫腰脽痛、

也以其脉抵腰中入貫臀過髀樞故爾病偏虛為跛者正月陽氣凍解地氣而出也所謂偏虛者冬寒頗有不足者故偏虛為跛也以其脉循股內後廉合膕中下循腨過外踝之後循京骨至小指外側故也 新校正云詳王氏云其脉循股內殊非按甲乙經太陽流注不至股內股內乃髀外之誤當云髀外後廉 所謂強上引背者陽氣大上而爭故強上也強上謂頸項禁強也甚則引背矣所以爾者以其脉從腦出別下項背故也 所謂耳鳴者陽氣萬物盛上而躍故耳鳴也以其脉支別者從巔至耳上角故爾 所謂甚則狂巔疾者陽盡在上而陰氣從下下虛上實故狂巔疾也以其脉上額交巔上入絡腦還出其支別者從巔至耳上角故狂巔疾也項上一曰巔 所謂浮為聾者皆在氣也亦以其脉至耳故也 所謂入中為瘖者陽盛已衰故為瘖也陽氣盛入中而薄於胞腎則胞絡腎絡氣不通故瘖也胞之脉繫於腎腎之脉俠舌本故瘖不能言也 內奪而厥則為瘖

俳此腎虛也（俳，廢也。腎之脉與衝脉並出於氣街，循陰股内廉，斜入膕中，循䯒骨内廉及内踝之後，入足下，故腎氣内奪而不順，則舌瘖足廢，故云此腎虛也。新校正云：詳王注云腎之脉與衝脉並出，按甲乙經是腎之絡，非腎之脉。况王注痿論并奇病論、大奇論並云腎之絡，則此脉字當爲絡。）少陰不至者厥也（少陰，腎脉也。若腎氣内脫，則少陰脉不至也。少陰之脉不至，是則太陰之氣逆上而行也。）少陽所謂心脇痛者，言少陽盛也，盛者心之所表也（心氣逆則少陽盛，心氣宜木外鑠肺金，故盛者心之所表也。）九月陽氣盡而陰氣盛，故心脇痛也（足少陽脉循脇裏，出氣街；心主脉循胸出脇，故爾。火墓於戌，故九月陽氣盡而陰氣盛也。）所謂不可反側者，陰氣藏物也，物藏則不動，故不可反側也。所謂甚則躍者（躍謂跳躍也。）九月萬物盡衰，草木畢落而墮，則氣去陽而之陰，氣盛而陽之下長，故謂躍（亦以其脉循髀陽，出膝外廉，下入外輔之前，直下抵絕骨之端，下出外踝之前，循足跗，故氣盛則令人跳躍也。）陽明所謂洒洒振寒者，陽明

內經十三　十　李旦

者午也五月盛陽之陰也陽盛以明故云午也五月夏至一陰氣上陽氣降下故云盛陽之陰也陽盛而陰氣加之故洒洒振寒也陽氣下陰氣升故云陽盛而陰氣加之也所謂脛腫而股不收者是五月盛陽之陰也陽者衰於五月而一陰氣上與陽始爭故脛腫而股不收也以其脈下髀抵伏兎下入膝臏中下循脛外廉下足跗入中指內間又其支別者下膝三寸而別以下入中指外間故爾所謂上喘而爲水者陰氣下而復上上則邪客於藏府間故爲水也藏脾也府胃也足太陰脈從足走腹足陽明脈從頭走足今陰氣微下而太陰上行故云陰氣下而復上也復上則所下之陰氣不散客於脾胃之間化爲水也所謂胷痛少氣者水氣在藏府也水者陰氣也陰氣在中故胷痛少氣也水停於下則氣鬱於上氣鬱於上則肺滿故胷痛少氣也所謂甚則厥惡人與火聞木音則惕然而驚者陽氣與陰

氣相薄水火相惡故惕然而驚也所謂欲獨閉戶牖而處者陰陽相薄也陽盡而陰盛故欲獨閉戶牖而居（惡喧故爾）所謂病至則欲乘高而歌棄衣而走者陰陽復爭而外并於陽故使之棄衣而走也（新校正云詳所謂甚則厥至此與前陽明脉解論相通）所謂客孫脉則頭痛鼻鼽腹腫者陽明并於上上者則其孫絡太陰也故頭痛鼻鼽腹腫也太陰所謂病脹者太陰子也十一月萬物氣皆藏於中故曰病脹（陰氣大盛太陰始於子故云子也以其脉入腹屬脾絡胃故病脹也）所謂上走心為噫者陰盛而上走於陽明陽明絡屬心故曰上走心為噫也（按靈樞經說足陽明流注並無至心者太陰脉說云其支別者復從胃別上膈注心中法應以此絡為陽明絡也　新校正云詳王氏以足陽明流

經並無主心者。按《甲乙經》：陽明之脈上通於心，循咽出於口。宜其經言陽明絡屬心爲噫。王氏安得謂之無。所謂食則嘔者，物盛滿而上溢，故嘔也。以其脈屬脾絡胃，上貫鬲俠咽，故也。所謂得後與氣則快然如衰者，十二月陰氣下衰，而陽氣且出，故曰得後與氣則快然如衰也。少陰所謂腰痛者，少陰者腎也，十月萬物陽氣皆傷，故腰痛也。少陰者腎脈也，腰爲腎府，故腰背痛也。所謂嘔欬上氣喘者，陰氣在下，陽氣在上，諸陽氣浮，無所依從，故嘔欬上氣喘也。以其脈從腎上貫肝鬲，入肺中，故病如是也。所謂色色新校正云：詳色色字疑誤。不能久立久坐，起則目䀮䀮無所見者，萬物陰陽不定，未有主也。秋氣始至，微霜始下，而方殺，萬物陰陽內奪，故目䀮䀮無所見也。所謂少氣善怒者陽氣不治陽氣不治則陽氣不得出肝氣當治而未得故善怒善怒者名曰煎厥所謂恐如人將捕之者秋氣萬物未有畢去陰氣少陽氣入陰陽相薄故恐也所謂惡聞食臭者胃無氣故惡聞食臭也所謂面黑如地色者秋氣内奪故變於色也所謂欬則有血者陽脈傷也陽氣未盛於上而脈滿滿則欬故血見於鼻也厥陰所謂癩疝婦人少腹腫者厥陰者辰也三月陽中之陰邪在中故曰癩疝少腹腫也以其脈循股陰入髦中環陰器抵少腹故爾所謂腰脊痛不可以俛仰者三月一振榮華萬物一俛而不仰也所謂癩癃疝膚脹者曰陰亦

盛而脈脹不通，故曰癲疾𤸷也。所謂甚則嗌乾熱中者，陰陽相薄而熱，故嗌乾也。此篇殊與前後經文不相連接，別釋經脈發病之源，與靈樞經流注將同，所指殊異。新校正云：詳此篇所解多甲乙經是動所生之病，雖復少有異處，大槩則不殊矣。

重廣補注黃帝內經素問卷第十三

病能論　解音介　𤺊徒卧切　撮子括切　奇病論　鑱鋤銜切　疢丑刃切

稸音畜　大奇論　𨂂弋念切　瞥蒲滅切　揣初委切　脈解論　睢音蛆

大素佚

重廣補注黄帝内經素問卷第十四

啓玄子次注林億孫竒高保衡等奉　敕校正孫兆重改誤

刺要論篇第五十（新校正云按全元起本在第六卷刺齊篇中）

黄帝問曰願聞刺要岐伯對曰病有浮沈刺有淺深各至其理無過其道（道謂氣所行之道也）過之則内傷不及則生外壅壅則邪從之（過之内傷以太深也不及外壅以妄益他分之氣也氣益而外壅故邪氣隨虚而從之也）淺深不得反爲大賊内動五藏後生大病（賊謂私害動謂動亂然不及則外壅過之則内

傷既且外壅内傷是爲大病之階漸爾故曰後生大病也故曰病有在毫毛腠理者有在皮膚者有在肌肉者有在脉者有在筋者有在骨者有在髓者毛之長者曰毫皮之文理曰腠理然二者皆皮之可見者也是故刺毫毛腠理無傷皮皮傷則内動肺肺動則秋病温瘧泝泝然寒慄鍼經曰凡刺有五以應五藏一曰半刺半刺者淺内而疾發鍼令鍼傷多如拔髮狀以取皮氣此肺之應也然此其淺以應於肺腠理毫毛猶應更淺當取髮根淺深之半爾肺之合皮王於秋氣故肺動則秋病温瘧泝泝然寒慄也刺皮無傷肉肉傷則内動脾脾動則七十二日四季之月病腹脹煩不嗜食脾之合肉寄王四季又其脉從股内前廉入腹屬脾絡胃上鬲俠咽連舌本散舌下其支別者復從胃別上鬲注心中故傷肉則動脾脾動則四季之月腹脹煩而不嗜食也七十二日四季之月者謂三月六月九月十二月各十二日後土寄王十八日也刺肉無傷脉脉傷則内動心心動則夏病心痛心之合脉王於夏氣真心少陰之脉起於心中出屬心系心包心主之脉起於胷中出屬心包平人氣象論曰

冒

大素佚

甲乙針灸……上

藏真通於心，故脈傷則動心，心動則夏病心痛。刺脈無傷筋，筋傷則內動肝，肝動則春病熱而筋弛。肝之合筋，王於春氣。鍼經曰：熱則筋緩，故筋傷則動肝，肝動則春病熱而筋弛緩。弛，猶縱緩也。刺筋無傷骨，骨傷則內動腎，腎動則冬病脹腰痛。腎亦合骨，王於冬氣，腎為腎府，故骨傷則動腎，腎動則冬病腰痛也。腎之脈直行者，從腎上貫肝鬲，故脹也。刺骨無傷髓，髓傷則銷鑠胻酸，體解㑊然不去矣。髓者骨之充。鍼經曰：髓海不足則腦轉耳鳴，胻酸眩冒，故髓傷則腦髓銷鑠，胻酸，體解㑊然不去也。銷鑠，謂髓腦銷鑠。解㑊，謂強不強，弱不弱，熱不熱，寒不寒，解解㑊㑊然不可名之也。腦髓銷鑠，骨空之所致也。

刺齊論篇第五十一

新校正云：按全元起本在第六卷。

黃帝問曰：願聞刺淺深之分。謂皮肉筋脈骨之分位也。岐伯對曰：刺骨者無傷筋，刺筋者無傷肉，刺肉者無傷脈，刺脈者無傷皮，刺皮者無傷肉，刺肉者無傷筋，刺筋者無傷骨。

針、六三

帝曰余未知其所謂願聞其解岐伯曰刺骨無傷筋者鍼至筋而去不及骨也刺筋無傷肉者至肉而去不及筋也刺肉無傷脉者至脉而去不及肉也刺脉無傷皮者至皮而去不及脉也是皆謂遣邪也然筋有寒邪肉有風邪脉有濕邪皮有熱邪則如是遣之所謂邪者皆言其非順正氣而相干犯也　新校正云詳此謂刺淺不至所當刺之處也下文則誡其太深也所謂刺皮無傷肉者病在皮中鍼入皮中無傷肉也刺肉無傷筋者過肉中筋也刺筋無傷骨者過筋中骨也此之謂反也此則鍼過分太深也　新校正云按全元起云刺如此者是謂傷此皆過過必損其血氣是謂逆也邪必因而入也

刺禁論篇第五十二新校正云按全元起本在第六卷

黃帝問曰願聞禁數岐伯對曰藏有要害不可不察

肝生於左 肝象木王於春春陽發生故生於左也 肺藏於右 肺象金王於秋秋陰收殺故藏於右也 新校正云按楊上善云肝爲少陽陽長之始故曰生肺爲少陰陰藏之初故曰藏 心部於表 陽氣主外心象火也 腎治於裏 陰氣主內腎象水也 新校正云按楊上善云心爲五藏部主故得稱部腎間動氣內治五藏故曰治 脾爲之使 營動不已糟粕水穀故使者也 胃爲之市 水穀所歸五味皆入如市雜故爲市也 鬲肓之上中有父母 鬲肓之上氣海居中氣者生之原生者命之主故氣海爲人之父母也 新校正云按楊上善云心下鬲上爲肓心爲陽父也肺爲陰母也肺主於氣心主於血共營衛於身故爲父母 七節之傍中有小心 小心謂真心神靈之宮室 新校正云按太素小心作志心楊上善云脊有三七二十一節腎在下七節之傍腎神曰志五藏之靈皆名爲神神之所以任得名爲志者心之神也 從之有福逆之有洛 從謂隨順也八者人之所以生形之所以成故順之則福延逆之則咎至 刺中心一日死其動爲噫 心在氣爲噫 刺中肝五日死其動爲語 肝在氣爲語 新校正云按全元起本并甲乙經語作欠元起云腎傷則欠子母相感也王氏改欠作語 刺中腎六日死其動爲嚏 腎在氣爲嚏 新校正云按全元起本及甲乙經六日作三日 刺中

刺膈中為傷中其病雖愈不過一歲必死 [illegible]

肺三日死其動為欬肺在氣為欬刺中脾十日死其動為吞脾在氣為吞　新校正云按全元起本及甲乙經十日作十五日刺中五藏與診要經終論并四時刺逆從論相重此叙五藏相次之法以所生為次甲乙經以心肺肝脾腎為次是以所剋為次全元起本舊文則錯亂無次矣刺中膽一日半死其動為嘔膽氣勇故為嘔　新校正云按診要經終論刺中膽下又云刺中鬲者為傷中其病雖愈不過一歲而死刺跗上中大脉血出不止死跗為足跗大脉動而不止者則胃之大經也胃為水穀之海然血出不止則胃氣將傾海竭氣亡故死刺面中溜脉不幸為盲面中溜脉者手太陽任脉之交會手太陽脉自顴而斜行至目內眥任脉自鼻鼽兩傍上行至瞳子下故刺面中溜脉不幸為盲刺頭中腦戶入腦立死腦戶穴名也在枕骨上通於腦中然腦為髓之海真氣之所聚鍼入腦則真氣泄故立死刺舌下中脉太過血出不止為瘖舌下脉脾之脉也脾脉者俠咽連舌本散舌下血出不止則脾氣不能營運於舌故瘖不能言語刺足下布絡中脉血不出為腫布絡謂當內踝前足下空處布散之絡正當然谷穴分也絡中脉則衝脉也衝脉者並少陰之經下入內踝之後入足下也然刺之而血不出則腎脉與衝脉氣并歸於然谷之中故為腫刺郄

中大脈，令人仆脫色。詳此經郄中主治，與中誥流注經委中穴正同，應郄中者以經穴爲名，委中處所爲名，亦猶寸口、脈口、氣口皆同一處爾。然郄中大脈者，足太陽經脈也。足太陽之脈起於目內眥，合手太陽，手太陽脈自目內眥斜絡於顴，足太陽脈上頭下項，又循於足，故刺之過禁，則令人仆倒而面色如脫去也。刺氣街中脈，血不出，爲腫鼠僕。氣街之中，膽胃脈也。膽之脈循脇裏出氣街，胃之脈俠臍入氣街中，其支別者起胃下口，循腹裏至氣街中而合。今刺之而血不出，則血脈氣并聚於中，故內結爲腫，如伏鼠之形也。氣街在腹下俠臍兩傍相去四寸，鼠僕上一寸，動脈應手也。新校正云：按別本僕一作鼷。氣府論注：氣街在臍下橫骨兩端鼠鼷上一寸也。刺脊間中髓，爲傴。傴，謂傴僂，身踡屈也。脊間，謂脊骨節間也。刺中髓則骨精氣泄，故傴僂也。刺乳上，中乳房，爲腫根蝕。乳之上下，皆足陽明之脈也。乳房之中，乳液滲泄，胸中氣血皆外湊之。然刺中乳房，則氣更交湊，故爲大腫。中有膿根，內蝕肌膚，化爲膿水，而久不愈。刺缺盆中內陷，氣泄，令人喘欬逆。五藏者，肺爲之蓋，缺盆爲之道。肺藏氣而主息，又在氣爲欬。刺缺盆中內陷，則肺氣外泄，故令人喘欬逆也。刺手魚腹內陷，爲腫。手魚腹內，肺脈所流，故刺之內陷則爲腫也。新校正云：按甲乙經肺脈所流當作留字。無刺大醉，令人氣亂。脈數過度，故因刺而亂也。新校正云：按靈樞經氣亂當作脉亂。無刺大怒令人氣逆。怒者氣逆故刺之益甚。無刺大勞人。經氣越也。無刺新飽人。氣盛滿也。無刺大饑人。氣不足也。無刺大渴人。血脉乾也。無刺大驚人。神蕩越而氣不治也。新校正云詳無刺大醉至此七條與靈樞經相出入靈樞經云新内無刺已刺無内大怒無刺已刺無怒大勞無刺已刺無勞大醉無刺已刺無醉大飽無刺已刺無飽大飢無刺已刺無飢大渴無刺已刺無渴大驚大恐必定其氣乃刺之也。刺陰股中大脉血出不止死。陰股之中脾之脉也脾者中土孤藏以灌四傍今血出不止脾氣將竭故死。新校正云按刺陰股中大脉條皇甫士安移在前刺跗上中大脉下相續自後至篇末逐條與前條相閒也。刺客主人内陷中脉爲内漏爲聾。客主人穴名也今名上關在耳前上廉起骨開口有空手少陽足陽明脉交會於中陷脉言刺太深也刺太深則交脉破决故爲耳内之漏脉内漏則氣不營故聾。新校正云詳客主人穴與氣穴論注同按甲乙經及氣府論注云手足少陽足陽明三脉之會疑此脱足少陽一脉也。刺膝髕出液爲跛。膝爲筋府筋會於中液出筋乾故跛。刺臂太陰脉出血多立死。臂太陰者肺脉也肺者主行榮衛陰陽治節由之血出多則榮衛絶故立死也。刺足少陰脉重虚出血

大素俠

為舌難以言。足少陰腎脈也。足少陰脈貫腎絡肺，繫舌本，故重虛出血則舌難言也。刺膺中陷中肺，為喘逆仰息。肺氣上泄，逆所致也。刺肘中內陷，氣歸之，為不屈伸。肘中，謂肘屈折之中，天澤穴中也。刺過陷脈，惡氣歸之，氣固關節，故不屈伸也。刺陰股下三寸內陷，令人遺溺。陰股下三寸，腎之絡也。衝脈與少陰之絡皆起於腎下，出於氣街，並循於陰股，其上行者出胞中，故刺陷脈則令人遺溺也。刺掖下脇間內陷，令人欬。掖下，肺脈也。肺之脈從肺系橫出掖下，真心藏脈直行者從心系却上掖下，刺陷脈則心肺俱動，故欬也。刺少腹中膀胱溺出，令人少腹滿。胞氣外泄，穀氣歸之，故少腹滿也。少腹謂齊下也。刺腨腸內陷為腫。腨腸之中，足太陽脈也。太陽氣泄，故為腫。刺匡上陷骨中脈，為漏為盲。匡，目匡也。骨中，謂目匡骨中也。匡骨中脈，目之系肝之脈也。刺內陷則眼系絕，故為目漏目盲。刺關節中液出，不得屈伸。諸筋者皆屬於節，津液滲潤之，液出則筋膜乾，故不得屈伸也。

刺志論篇第五十三

新校正云：按全元起本在第六卷。

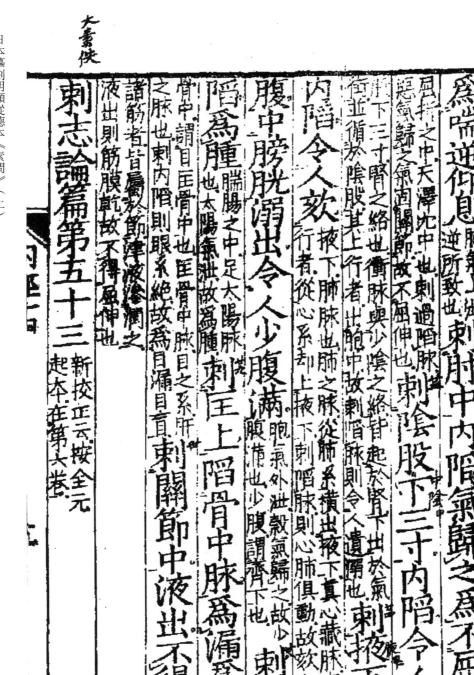

黃帝問曰：願聞虛實之要。岐伯對曰：氣實形實，氣虛形虛，此其常也，反此者病。陰陽應象大論曰：形歸氣，氣由是故虛實同焉。反是則不相合應，失常平之候也。形氣相反，故病生。氣，謂脉氣；形，謂身形也。

穀盛氣盛，穀虛氣虛，此其常也，反此者病。靈樞經曰：榮氣之道，內穀為寶。穀入於胃，氣傳與肺，精專者上行經隧。由是故穀氣虛實占必同焉。候不相應，則為病也。新校正云：按甲乙經實作寶。

脉實血實，脉虛血虛，此其常也，反此者病。脉者血之府，故虛實同焉，反不相應，則為病也。

帝曰：如何而反？岐伯曰：氣虛身熱，此謂反也。氣虛為陽氣不足，陽氣不足當身寒，反身熱者，脉氣當盛，脉不盛而身熱，證不相符，故謂反也。新校正云：按甲乙經云氣盛身寒，氣虛身熱，此謂反也。此當補此四字。

穀入多而氣少，此謂反也。胃之所出者穀氣，而布於經脉也。穀入於胃，脉道乃散，今穀入多而氣少者，是胃氣不散，故謂反也。

穀不入而氣多，此謂反也。胃氣外散，肺并之也。

脉盛血少，此謂反也。脉少血多，此謂反也。經脉行氣，絡脉受血，經氣入絡，絡受經氣，候不相合，故皆反常也。

氣

大素全存

氣盛身寒，得之傷寒；氣虛身熱，得之傷暑。傷謂觸冒也。寒傷形，故氣盛身寒；熱傷氣，故氣虛身熱。穀入多而氣少者，得之有所脫血，濕居下也。脫血則血虛，血虛則氣盛，內鬱化成津液，流入下焦，故云濕居下也。穀入少而氣多者，邪在胃及與肺也。胃氣不足，肺氣下流於胃中，故邪在胃。然肺氣入胃，則肺氣不自守，氣不自守則邪氣從之，故云邪在胃及與肺也。脉小血多者，飲中熱也。飲謂留飲也。飲留脾胃之中，則脾氣溢，脾氣溢則發熱中。脉大血少者，脉有風氣，水漿不入，此之謂也。風氣盛滿則水漿不入於脉。夫實者，氣入也；虛者，氣出也。入為陽，出為陰，陰生於內故出，陽生於外故入。氣實者，熱也；氣虛者，寒也。陽盛而陰內拒，故熱；陰盛而陽外微，故寒。入實者，左手開鍼空也；入虛者，左手閉鍼空也。言用鍼之補寫也。右手持鍼，左手捻穴，故實者左手開鍼空以寫之，虛者左手閉鍼空以補之也。

鍼解篇第五十四

新校正云：按全元起本在第六卷。

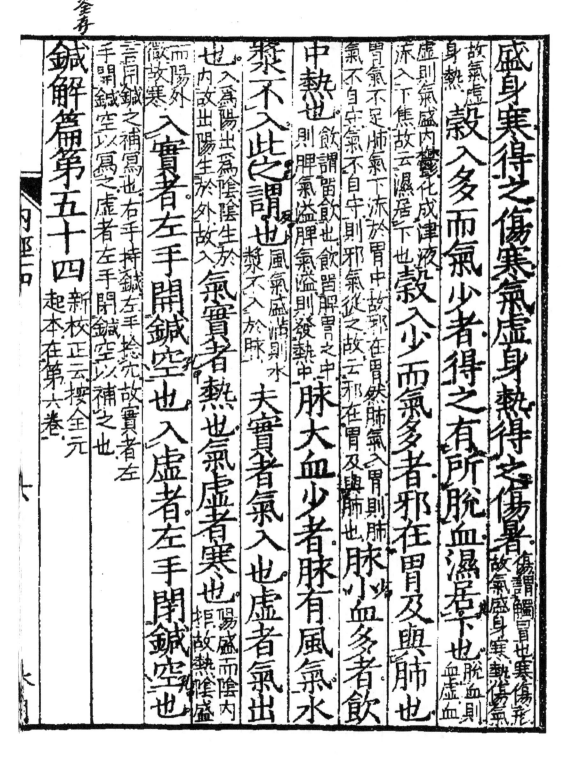

太素九鍼 石

昧

黃帝問曰：願聞九鍼之解，虛實之道。岐伯對曰：刺虛則實之者，鍼下熱也，氣實乃熱也。滿而泄之者，鍼下寒也，氣虛乃寒也。菀陳則除之者，出惡血也。菀，積也。陳，久也。除，去也。言絡脈之中血積而久者，鍼刺而除去之也。邪勝則虛之者，出鍼勿按。邪者，不正之目，非本經氣，是則謂邪，非言鬼毒精邪之所勝也。出鍼勿按，穴俞且開，故得經虛，邪氣發泄也。徐而疾則實者，徐出鍼而疾按之。疾而徐則虛者，疾出鍼而徐按之。徐出，謂得經氣已久，乃出之。疾按，謂鍼出穴已，速疾按之，則真氣不泄，經脈氣全，故徐而疾乃實也。疾出鍼，謂鍼入穴已，至於經脈，即疾出之。徐按，謂鍼出穴已，徐緩按之，則邪氣得泄，精氣復固，故疾而徐乃虛也。言實與虛者，寒溫氣多少也。寒溫，謂經脈陰陽之氣也。若無若有者，疾不可知也。言其冥昧，不可即而知也。夫不可即知，故若無；慧然神悟，故若有也。察後與先者，知病先後也。知病先後，乃補寫之。爲虛與實者，工勿失其法。鍼經曰：經氣已至，慎守勿失。此之謂也。

內經 大 桃 明 七 針

新校正云按甲乙經云若存若亡爲虛與實若得若失者離其法也妄爲補寫離亂大經誤補實者轉令若得誤寫虛者轉令若失故曰若得若失也鍼經曰無實實無虛虛此其誡也新校正云詳自篇首至此與太素九鍼解篇經同而解異二經互相發明也虛實之要九鍼最妙者爲其各有所宜也熱在頭身宜鑱鍼肉分氣滿宜員鍼脈氣虛少宜鍉鍼寫熱出血發泄固病宜鋒鍼破癰腫出膿血宜鈹鍼調陰陽去暴痺宜員利鍼治經絡中痛痺宜毫鍼痺深居骨解腰脊節腠之間者宜長鍼虛風舍於骨解皮膚之間宜大鍼此之謂各有所宜也　新校正云按别本鍉一作鈹補寫之時者與氣開闔相合也氣當時刻謂之開已過未至謂之闔時刻者然水下一刻人氣在太陽水下二刻人氣在少陽水下三刻人氣在陽明水下四刻人氣在陰分水下不已氣行不已如是則當刻者謂之開過刻及未至者謂之闔也鍼經曰謹候其氣之所在而刺之是謂逢時此所謂補寫之時也　新校正云詳自篇首至此文出靈樞經素問解之互相發明也甲乙經云補寫之時以鍼爲之者此脫此四字也九鍼之名各不同形者鍼窮其所當補寫也各不同形謂長短鋒頴不等窮其補寫謂各隨其療而用之也　新校正云按九鍼之形今具甲乙經刺實須其虛者留鍼陰氣隆至乃去鍼也刺虛

須其實者陽氣隆至鍼下熱乃去鍼也言要以氣至而有効也經氣已至愼守勿失者勿變更也變謂變易更謂改更皆變法也言得氣至必宜謹守无變其法反招損也深淺在志者知病之内外也志一爲意志意皆行鍼之用也近遠如一者深淺其候等也言氣雖近遠不同然其測候皆以氣至而有効也如臨深淵者不敢墮也言氣候補寫如臨深淵不敢墮慢失補寫之法也手如握虎者欲其壯也壯謂持鍼堅定也鍼經曰持鍼之道堅者爲實則其義也新校正云按甲乙經實字作寶神無營於衆物者靜志觀病人無左右視也目絶妄視心專一務則用之必中无惑誤也新校正云詳從刺實須其虚至此又見寶命全形論此又爲之解亦互相發明也義無邪下者欲端以正也正指直刺鍼无左右必正其神者欲瞻病人目制其神令氣易行也檢彼精神令无散越則氣爲神使中外易調也所謂三里者下膝三寸也所謂跗之者新校正云按全元起本跗之作低胻太素作付之按骨空論跗之疑作跗

舉膝分易見也三里穴名正在膝下三寸䯒外兩筋肉分間極重按之則足趺上動脉止矣故曰舉膝分易見巨虛者蹻足䯒獨陷者巨虛穴名也蹻謂舉也取巨虛下廉當舉足取之則䯒外兩筋之間陷下也下廉者陷下者也欲知下廉穴者䯒外兩筋之間獨陷下者則其處也帝曰余聞九鍼上應天地四時陰陽願聞其方令可傳於後世以爲常也岐伯曰夫一天二地三人四時五音六律七星八風九野身形亦應之鍼各有所宜故曰九鍼新校正云詳此文與靈樞經相出入人皮應天覆蓋於物天之象也人肉應地柔厚安靜地之象也人脉應人盛衰變易人之象也人筋應時堅固真定時之象也人聲應音備五音故音之象也人陰陽合氣應律交會氣通相生无替則律之象新校正云按別本氣一作度人齒面目應星人面應七星者所謂面有七孔應之也新校正云詳此注乃全元起之辭也人出入氣應風動出往來風之象也人九竅三百六十五絡應野身形之外野之象也故

一鍼皮二鍼肉三鍼脉四鍼筋五鍼骨六鍼調陰陽七鍼益精八鍼除風九鍼通九竅除三百六十五節氣此之謂各有所主也一鑱鍼二員鍼三鍉鍼四鋒鍼五鈹鍼六員利鍼七毫鍼八長鍼九大鍼新校正云按别本鈹一作鈹人心意應八風動靜不形風之象也人氣應天運行不息天之象也人髮齒耳目五聲應五音六律髮齒生長耳目清通五聲應同故應五音及六律也人陰陽脉血氣應地人陰陽有交會生成脉血氣有虛盈盛衰故應地也人肝目應之九肝氣通目木生數三三而三之則應之九也九竅三百六十五新校正云按全元起本无此七字人一以觀動靜天二以候五色七星應之以候髮毋澤五音一以候宮商角徵羽六律有餘不足應之二地一以候高下有餘九野一節俞應之以候閉節三人變一分人候齒泄多血少十分角之變

大素全存

太素廿三雜刺

五分以候緩急六分不足三分寒關節第九分四時人寒温燥濕四時一應之以候相反一四方各作解 此一百二十四字蠹簡爛文義理殘缺莫可尋究而上古書故且載之以佇後之具本也。新校正云詳王氏云一百二十四字今有一百二十三字又亡一字

長刺節論篇第五十五 新校正云按全元起本在第三卷

刺家不診聽病者言在頭頭疾痛爲藏鍼之 藏猶深也言深刺之故下文曰。新校正云按全元起本云爲鍼之無藏字 刺至骨病已上無傷骨肉及皮皮者道也 皮者鍼之道故刺骨無傷骨肉及皮也 陰刺入一傍四處治寒熱 頭有寒熱則用陰刺法治之陰刺謂卒刺之如此數也。新校正云按別本卒刺一作平刺按甲乙經陽刺者正内一傍内四陰刺者左右卒刺之此陰刺疑是陽刺也 深專者刺大藏 寒熱病氣深專攻中者當刺五藏以拒之 迫藏刺背背俞也 迫近也漸近於藏則刺背五藏之俞也 刺之迫藏藏會 言刺近於藏者何也以是藏氣之會發也 腹中寒熱去而止

四針 四針

言刺背俞者，無問其數，要以寒熱去乃止鍼。與刺之要，發鍼而淺出血。若與諸俞刺之則如此。治腐腫者刺腐上，視癰小大深淺刺。腐腫謂腫中肉腐敗爲膿血者。癰小者淺刺之，癰大者深刺之。新校正云：按全元起本及甲乙經腐作癰。刺大者多血，小者深之，必端内鍼爲故止。癰之大者多出血，癰之小者但直鍼之而已。新校正云：按甲乙經云刺大者多而深之，必端内鍼爲故止也。此文云小者深之，疑此誤。病在少腹有積，刺皮骺以下，至少腹而止，刺俠脊兩傍四椎間，刺兩髂髎季脇肋間，導腹中氣熱下已。少腹積謂寒熱之氣結積也。皮骺謂齊下同身寸之五寸横約文，審刺而勿過深之。刺禁論曰：刺少腹中膀胱溺出，令人少腹滿。由此故不可深之矣。俠脊四椎之間，據經無俞，恐當云五椎間。五椎之下兩傍，正心之俞，心應少腹，故當言五椎間也。髂爲腰骨。髎一爲髀字，形相近之誤也。髎謂居髎，腰側穴也。季脇肋間，當是刺季肋之間京門穴也。新校正云：按釋音皮骺作皮骷，苦末反，是骺字作骷也。及遍尋篇韻中無骺字，只有骷字，骷骨端也。皮骷者蓋謂齊下横骨之端也。全元起本作皮髓，髓，元起注云：齊傍埵起也。亦未爲得。病在少腹，腹痛不得大小便，病名

甲子癩下

立之案楊上注
則素問本文
必無內字之文
素問可知
今偶衍字
耳

曰疝，得之寒，刺少腹兩股間，刺腰髁骨間，刺而多之，盡炅病已。厥陰之脈環陰器抵少腹，衝脈與少陰之絡皆起於腎下，出於氣街，循陰股，其後行者自少腹以下骨中央，女子入繫廷孔，其絡循陰器合篡間，繞篡後，別繞臀至少陰與巨陽中絡者合少陰上股內後廉貫脊屬腎，其男子循莖下至篡與女子等，故刺少腹及兩股間，又刺腰髁骨間也。腰髁骨者，腰房俠脊平立陷者中，按之有骨處也。疝爲寒生，故多刺之，少腹盡熱乃止鍼。炅，熱也。新校正云：按別本篡一作基。病在筋，筋攣節痛，不可以行，名曰筋痹，刺筋上爲故，刺分肉間，不可中骨也。分謂肉分間有筋維絡處也。刺筋无傷骨，故不可中骨也。病起筋炅病已止。筋寒痹生，故得筋熱病已乃止。病在肌膚，肌膚盡痛，名曰肌痹，傷於寒濕，刺大分小分，多發鍼而深之，以熱爲故。大分謂大肉之分，小分謂小肉之分。無傷筋骨，傷筋骨，癰發若變。鍼經曰：病淺鍼深，內傷良肉，皮膚爲癰。又曰：鍼太深則邪氣反沈，病益甚。傷筋骨則鍼太深，故癰發若變也。諸分盡熱病已止。熱可消寒，故病已則止。病在骨，骨重

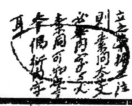

不可舉骨髓酸痛寒氣至名曰骨痺深者刺無傷脉肉爲故其道大分小分骨熱病已止骨痺刺無傷脉肉者何自刺其氣通肉之大小分中也病在諸陽脉且寒且熱諸分且寒且熱名曰狂氣狂亂也刺之虛脉視分盡熱病已止病初發歲一發不治月一發不治月四五發名曰癲病刺諸分諸脉其無寒者以鍼調之病止新校正云按甲乙經云刺諸分其脉尤寒以鍼補之病風且寒且熱炅汗出一日數過先刺諸分理絡脉汗出且寒且熱三日一刺百日而已病大風骨節重鬚眉墮名曰大風刺肌肉爲故汗出百日泄衛氣之怫熱刺骨髓汗出百日泄榮氣之怫熱凡二百日鬚眉生而止鍼怫熱屏退陰氣內復故多汗出鬚眉生也

重廣補注黄帝内經素問卷第十四

刺要論泝素音強施是切鑠詩若切眩縣音刺齊論解胡買切刺禁

論髖牝音刺志論脫土活切捻涅音鍼解論鍉低音長刺節論

骺光抹切篡初患切